LA NUMÉROLOGIE À 22 NOMBRES

Tome 2 : L'enfance

Du même Auteur

- *Le livre du tarot.*
  – Tome 1 : la clef de votre évolution.
  Louise Courteau, Éditrice, 1985.

- *Le grand livre du tarot.*
  – Tome 2 : méthode pratique de l'art divinatoire.
  Éditions de Mortagne, 1988.

- *Le livre venu d'ailleurs.*
  Éditions de Mortagne, 1987.

- *Porte ouverte sur le monde parallèle.*
  Éditions de Mortagne, 1988.

- *La numérologie du caractère,*
  clef de la connaissance de Soi.
  Éditions de Mortagne, 1984.

- *Le livre de la numérologie,*
  la clef de la connaissance de soi et d'autrui.
  Louise Courteau, Éditrice, 1987.

- *La numérologie à 22 nombres :*
  – Tome 1 : La connaissance de l'être. (1990)
  – Tome 2 : L'enfance. (1991)
  Éditions de Mortagne.

À paraître :

- *D'où viennent ma femme ? (récit)*
- *La numérologie à 22 nombres :*
  - *Tome 3 :   L'adolescence.*
  - *Tome 4 :   Les phases de la vie.*
  - *Tome 5 :   Les cycles de la vie.*
  - *Tome 6 :   Les problèmes psychologiques et leurs remèdes.*
  - *Tome 7 :   Les relations avec autrui.*
  - *Tome 8 :   La vie affective.*
  - *Tome 9 :   La vie sexuelle.*
  - *Tome 10 :   La vie spirituelle.*

LA
NUMÉROLOGIE
À
22 NOMBRES

Tome 2 : L'enfance

Éditions de Mortagne

Édition:
Les Éditions de Mortagne
250, boul. Industriel
Bureau 100
Boucherville (Québec)
J4B 2X4

Distribution:
Tél.: (514) 641-2387
Télec.: (514) 655-6092

Tous droits réservés:
Les Éditions de Mortagne
© Copyright 1991

Dépôt légal:
Bibliothèque nationale du Canada
Bibliothèque nationale du Québec
1er trimestre 1991

ISBN: 2-89074-406-X

1 2 3 4 5 – 91 – 95 94 93 92 91

IMPRIMÉ AU CANADA

À Maman et à Papa,
qui me firent sourire aux anges
en m'offrant la vie.

Je remercie *tout particulièrement* mon ami de toujours et mon frère par le cœur: l'écrivain Jacques Vallerand, qui m'a secondé pour la réalisation de ce livre.

Je remercie aussi les Établissements J.M. Simon-France-Cartes, 27 avenue Pierre-Premier-de-Serbie, 75116 Paris, pour m'avoir permis gracieusement d'utiliser les cartes Grimaud, de l'Ancien Tarot de Marseille, pour illustrer ce livre.

TABLE DES MATIÈRES

CHAPITRE II

CHAPITRE III

CHAPITRE IV

CHAPITRE V

CHAPITRE VI

PRÉCISIONS ET EXCEPTIONS 379

CHAPITRE VII

AIDE-MÉMOIRE 423

* *
*

INTRODUCTION

LE DÉFI DE LA NUMÉROLOGIE

En redécouvrant la numérologie à 22 nombres à partir de la Kabbale, je me suis longtemps interrogé sur l'opportunité de la divulguer en raison de l'exploitation que des individus peu scrupuleux pourraient en faire : fichage informatique de la population, orientation scolaire obligatoire à la naissance, exclusion systématique de candidats à l'embauche ne cadrant pas avec les options «numérologiques» de l'entreprise, ou plus simplement manipulation de gens ignorants. Ce cas de conscience est celui de tout technicien ou inventeur et se résume à une question toute simple : que va-t-on faire de ma découverte ? Et quoi qu'on en dise, ce genre de prospectives n'est pas spécifique aux scénaristes de politique-fiction.

À l'opposé, la numérologie pouvait devenir une aide sans équivoque pour :

- se comprendre et comprendre les autres afin de dépasser les difficultés de la vie moderne,

- analyser les conflits interpersonnels, notamment dans le couple,

- permettre une intervention rapide et positive dans le cadre d'une profession en rapport avec l'éducation, la médecine, la psychologie, le commerce... par exemple, comment se comporter avec un enfant ou un malade, comment annoncer une mauvaise nouvelle, la négociation d'un contrat...

– et de façon générale, étudier diverses données psychologiques telles que :

- les besoins d'exutoires, d'équilibre, de fuite
- les faiblesses et les résistances,
- les fixations à l'égard des parents, de l'autorité,
- les tendances et les phases de l'évolution,
- les cycles individuels de la naissance à la mort,
- le potentiel inné,
- les crises.

La liste n'est pas limitative, les possibilités sont immen-
ses. TOUT RESTE ENCORE À FAIRE. La numérologie concerne tous les secteurs de la vie. On pourrait résumer l'apport de
la numérologie dans le soutien qu'elle apporte à la résolution des
problèmes personnels, du couple, des relations professionnelles
ou sociales **pour se prendre en charge et trouver le bonheur.**

C'est pour ces raisons que j'ai décidé d'en divulguer les
fondements et la technique. J'aurais pu me taire. Mais, au fond,
la numérologie à 22 nombres était déjà en germe. Elle était «dans
l'air» comme on dit. Et un autre que moi aurait pu la découvrir.

Alors, pourquoi ne pas l'avoir gardée secrète et l'exploiter à mon propre compte ? L'aveuglement ne résout rien. L'au-
truche qui se croit à l'abri n'enterre que sa propre bêtise. J'ai
décidé de l'offrir au public afin qu'il en constate la puissance et
aussi, je l'avoue, avec le secret espoir que d'autres savants rom-
pus aux techniques expérimentales se penchent plus sérieuse-
ment sur le phénomène.

UN PRÉCURSEUR

Contrairement à une opinion largement répandue et exception faite de la numérologie chinoise, la numérologie n'a pour
ainsi dire jamais été utilisée dans le passé à des fins divinatoires
mais essentiellement dans un but de réflexions philosophiques
ou mathématiques.

Honneur au précurseur qui a défriché le terrain ! En dépit des faiblesses de la numérologie à neuf chiffres, Kevin Quinn Avery mérite certainement le titre de *Père de la numérologie moderne*. Il fut en effet le premier à l'appliquer à la vie quotidienne. Grâce à la puissance d'un support commercial efficace, elle a été diffusée dans le monde entier à tel point que pratiquement personne n'ignore plus le mot numérologie. Il ne manque que les «Immortels» de l'Académie française pour la reconnaître au même titre que l'astrologie.

Kevin Quinn Avery, numérologue officieux d'un président des États-Unis, n'a pas usurpé sa renommée. Hélas, il a emporté ses secrets dans la tombe. Son livre *The Numbers of Life** et les documents publiés au cours de ses séminaires décrivent essentiellement des *recettes*. Les définitions des nombres sont parachutées sans explication et l'étudiant n'a d'autre choix que de les accepter sans pouvoir exercer son esprit critique.

Il est vrai que les études de fond sont d'un abord difficile, raison sans doute pour laquelle Avery n'a laissé derrière lui qu'un simple livre à usages multiples. Il n'en reste pas moins que les institutions numérologiques à travers le monde ne disposent pas de véritables bases théoriques qu'elles doivent au contraire élaborer dans des recherches dont certaines sont fort pertinentes.

Curieusement, la plupart des numérologues occidentaux se réfèrent toujours à Avery à tel point que leur propres découvertes enrichissent un corpus théorique relativement sommaire — pour ce qu'on en sait — et accroissent du même coup la notoriété et le mythe d'Avery.

Ce ne sera pas la première fois que les travaux des élèves enrichiraient la légende du Maître. Que savons-nous de Pythagore ? On ne possède rien de la main du Maître de Samos dont la pensée fut diffusée par ses disciples Lysis et Philolaos. Les fameux *Vers dorés* seraient l'œuvre de Lysis. C'est sans doute à l'ensemble de l'école pythagoricienne que l'on doit les découvertes mathématiques, géométriques et astronomiques attribuées

---

* Traduit en français sous le titre *La vie secrète des chiffres*.

à Pythagore : table de multiplication, système décimal, théorème du carré de l'hypoténuse. Pythagore est devenu un mythe.

Qu'importe l'attribution exacte de la paternité ! Reste à voir ce qu'un usage disons... médiatique a fait de la numérologie telle qu'elle s'est développée au niveau strictement populaire. Le constat n'est guère heureux !

LA VIE À LA SAUCE KARMIQUE !

On trouve souvent dans des ouvrages traitant de numérologie des expressions comme «les chemins de la vie et du destin».

Qu'est-ce que le destin ? Une fatalité, une contrainte, une ligne de conduite ? Je penche plus en faveur d'un devenir en puissance qui peut être plus ou moins canalisé et contrôlé par une volonté plus ou moins grande à se prendre en charge. La Kabbale enseigne que l'homme est le seul *être* de la création possédant son libre arbitre.

Ailleurs, on justifie les explications numérologiques par le concept du karma :

> «Le **karma** pose un obstacle négatif à la réalisation du potentiel de votre croissance, car il s'intègre à votre chemin de vie. Pour le comprendre correctement, il nous faudra nous référer au mot «**karma**». Au cas où le **karma** constitue un obstacle au cheminement vers la croissance et vers l'accomplissement du destin...»

Ce «karma» a le don de m'horripiler. En sanscrit, karma signifie littéralement «acte» ou «connaissance par l'expérience». Il est devenu dans notre jargon occidental : note à payer, fatalité, contrainte, souffrance, obligation. Le fait de vouloir contrecarrer une telle négativité par un karma prétendument positif n'enlève rien à sa ligne directrice qui demeure essentiellement celle d'une épreuve à subir.

Bien que cette série d'ouvrages ne soit pas consacrée à la philosophie de l'évolution, il est nécessaire de faire une mise au point sur le karma.

«Instant karma is going to get you !» (en français et en traduction libre : «Fais gaffe, le karma te pend au nez !») chantaient les Beatles déçus par leur virée ésotérique en Inde. Il y avait de quoi !

Admettons que «quelque chose» en nous migre de corps en corps et que les actions antérieures alimentent le moteur de la réincarnation. Convenons alors que les actions qui marquent l'Âme, élément essentiellement sensible, sont d'ordre énergétique et sont provoquées par l'intensité émotionnelle que ressent un sujet devant une situation ou un événement de son existence.

Ces émotions concentrées dans la mémoire de l'Âme devront se conformer à une mécanique pour pouvoir rejaillir, consciemment ou non, dans la vie d'un individu. Cette mécanique est de toute évidence celle qui structure le Moi, c'est-à-dire le mode de pensée neuronal à l'origine de la conscience.

Si un enfant naît dans un milieu rigide, extrémiste et fanatique, et apprend dès son plus jeune âge à n'éprouver aucun «état d'Âme» (c'est en l'occurrence le mot juste) grâce à un Moi fort et insensible, aucune émotion ne filtrera de l'intérieur vers l'extérieur. L'histoire contemporaine fait encore largement la démonstration de telles situations. En quoi alors le karma pourrait-il intervenir ? On rétorquera que le fait d'être né à cet endroit est une réponse karmique. En fait, pourquoi pas ? Seulement voilà ! On n'en sait rien ! Du moins pas d'une façon aussi dialectique.

Les émotions d'un sujet au Moi fragile vont filtrer et le mener par le bout du nez, mais le jour où il en prendra conscience, elles seront contrôlées et perdront toute force directrice. Le karma sera vaincu, même si la personne n'a pas «payé» complètement sa dette.

Si le karma provient de l'émotion, il faut convenir qu'il n'est pas lié à des enfantillages du genre : «Tu m'as fait risette dans cette vie-ci, alors tu devras me faire risette dans une autre.» Sourire ? C'est hélas moins drôle qu'on ne croit car ce karma populiste empoisonne des chercheurs sincères mais rapidement dégoûtés par la condamnation inéluctable qui les foudroie à la première tentative de réflexion autonome. Un individu bien placé dans un groupement traditionnel m'a dit, un jour que j'avais fait part de ma surprise de voir que les membres moins fortunés ne pouvaient profiter de certains avantages au même titre que les autres :

> «Qui es-tu pour oser intervenir dans le karma des gens ? Qui te dit que cette personne n'a pas été un prince riche dans une vie antérieure et que c'est son karma d'être pauvre aujourd'hui pour payer ?»

Lâcheté du possédant ! Prétexte à toutes les compromissions !

«Et quel curieux karma que le sien !» aurais-je pu répondre si j'avais pu passer outre à la magnificence de la pourpre dont se prévalait le triste sire.

Une personne qui consultait m'avoua voici peu :

> «Un astrologue m'a dit que je vivrais une période karmique pendant 10 ans. Je ne sais plus quoi faire.»

Manipulation par la peur de l'au-delà au nom d'une connaissance, d'une tradition ou d'une religion ! L'enfer et le purgatoire — et pourquoi pas les limbes — auraient donc damné des cohortes d'enfants de Jésus bien avant l'échéance fatale ? Un autre digne défenseur de la connaissance par la peur a obligé une brave dame à lui jurer AU NOM DU KARMA qu'elle accomplirait bien l'action qu'il lui avait imposée, sinon elle le payerait dans une autre vie. À ce rythme, une autre vie ou l'enfer une fois pour toutes, quelle différence ? Rien de bien nouveau depuis l'Inquisition perpétuée dans des chapelles occultes qui s'habillent des couleurs de la métaphysique mais qui n'en continuent pas moins à exercer le plus vieux métier du monde : la prostitution du pouvoir !

Comprenez mon dégoût à l'égard de ce karma à la petite semaine qui éclate en morceaux évanescents dès l'instant où on pose les vraies questions.

Un exemple cru va nous aider : une Âme s'est incarnée dans le corps d'un violeur assassin. Cette malheureuse Âme devra-t'elle se réincarner dans le corps disloqué d'une femme violée et assassinée pour savoir maîtriser l'instinct de viol ? Auquel cas, elle aura connu le viol sous ses deux aspects : bourreau et victime ! Riche expérience dont elle ne pourra se prévaloir pour régler le problème. Car ni dans un cas (violeur) ni dans l'autre (violée), elle n'aura maîtrisé l'essence du viol. La logique... «karmique» voudrait qu'elle reprenne un corps d'homme qui devra apprendre à contrôler la pulsion de viol.

Les gardiens du savoir technicien s'évertuent à ridiculiser ceux qui ont le malheur de s'arrêter à de telles interrogations. Je me suis déjà exprimé à leur sujet dans l'introduction du premier tome. À la limite, ils sont logiques avec eux-mêmes. Mais les gardiens officiels — ou prétendus tels — de la connaissance ésotérique ou religieuse ne sont pas en reste et maintiennent les adeptes dans un sectarisme odieux et aussi infantilisant. Sectes chéries, prétendus berceaux de l'humanité, vous n'en êtes que les fossoyeurs. L'ignorance est le vrai karma. Il est à l'image d'un enfant qui devient propre le jour où il peut *consciemment* contrôler ses sphincters.

Si on maintient l'acception populaire du karma, il faut convenir que l'énergie émotionnelle doit obligatoirement rejaillir sur le mental. Soit ! Mais, un sujet forgé par une éducation basée sur le refoulement des angoisses ne pourra contrôler ses sphincters mentaux et enfermera sa constipation karmique dans la poubelle du subconscient.

Or le subconscient rejette dans la vie quotidienne les aliments qu'on lui a donnés. Autrement dit, l'ignorance construit une mécanique inébranlable mais paradoxalement infernale dans un monde soi-disant divin et tout amour : une émotion animiste produite par un parfait inconnu, mort et enterré depuis des lustres, se retrouve par enchantement reproduite inconsciemment lorsque l'Âme errante élit domicile dans un nouveau corps. Écoutez plutôt la bande son :

«Coucou, me voilà !

— Qui es-tu ?
— Une émotion !
— D'où viens-tu ?

— De quelqu'un là-bas, pas loin ! Une histoire qui s'est mal terminée...

— Je ne t'ai pas invitée !

— Tu n'y peux rien. Si je m'en vais, tu disparais.

— Laisse au moins tes ordures à la porte !

— Désolée ! Je ne peux pas me refaire.

— Tu aurais pu te laver !

— Taratata ! Tu devras me supporter... À ton corps défendant, c'est le cas de le dire !

— Malédiction ! »

Destin bouclé ! Sans commentaires ! L'endoctrinement ésotérique est aussi pervers que l'obstination technicienne. Elle obstrue tous les orifices de la largeur de vue. Et le karma, bien réel celui-là, devient social car la société du moment, toutes latitudes et toutes époques confondues, noie dans ses «valeurs» ses enfants les plus sensibles et donc les plus riches. Gaspillage !

Numérologues de tous les pays ! Unissez-vous contre la bêtise d'un raisonnement à courte vue. La numérologie authentique n'a rien à voir avec le karma de salon.

Je ne cherche ni à défendre ni à nier la notion du karma en soi. Je tente seulement de comprendre comment il est susceptible d'agir après la naissance. Qu'il soit vrai, j'entends par là qu'il constitue une donnée fondamentale de l'évolution spirituelle de l'Humanité, je veux bien l'admettre... mais pas au point de rabaisser une dimension divine dont le sens exact et précis pour l'instant échappe à la grande majorité du public, à un jeu de massacre dans un congrès des superstitions foireuses. Non, je ne serai pas aveugle demain si aujourd'hui je crève par mégarde... ou même volontairement l'œil de mon voisin. Et le violeur violé n'aura rien appris.

VERS UNE DÉONTOLOGIE DE L'EXERCICE DE LA NUMÉROLOGIE...

Mais quand bien même le karma serait faux, c'est-à-dire inexistant, sans réalité objective ou subjective, bref, qu'il ne soit qu'un conte à dormir éveillé, une vue de l'esprit humain projetée sur le firmament de Dieu, qu'importe encore plus puisque la numérologie peut s'en passer sans difficulté.

Le karma bien ou mal compris ne doit pas servir d'alibi philosophique au seul usage des malheureux mortels dont la très grande majorité n'ont de la chose qu'une vision très parcellaire pour ne pas dire sommaire. Or, c'est ce commun des mortels, chers collègues numérologues, cette petite madame bien ennuyée avec son problème terre-à-terre ou ce monsieur pas très riche qui n'en peut plus de souffrir sa journée qui constituent, et vous le savez bien, l'essentiel de notre clientèle.

Notre formation – si tant est qu'elle existe – devrait nous aider à connaître la vie pour mieux comprendre nos clients et nous inviter à ne pas confondre croyance, opinion, hypothèse et actualité. La consultation numérologique doit s'exprimer sur des faits vérifiables et incontournables. La numérologie se vérifie par elle-même sous réserve d'avoir le courage de risquer la contradiction en disant réellement ce qu'est une personne et non ce qu'elle pourrait être ! C'est vrai ! C'est faux ! Pas peut-être !

La numérologie simpliste ou mal comprise ou arnaqueuse rejoint l'horoscope quotidien dans la nullité de la démonstration. Elle accumule les recettes, les phrases passe-partout convenant à 99 % de terriens, les définitions construites selon une polarité positive et négative : positif : tu as des cheveux blonds, donc négatif : ils seront noirs ! Foutaises !

Certains ouvrages expliquent comment dresser une charte numérologique qui amalgame pour le moins plus de vingt données tournant toutes autour du même sujet : le chemin de vie, le défi du jour de la naissance, le cadeau d'anniversaire, les vibrations personnelles... En fin de compte, une donnée cadrera toujours avec la situation particulière d'un sujet en plein désarroi qui a besoin de s'accrocher à une bouée. L'affirmation gratuite est l'arbre qui cache la forêt de la crédulité.

Les nombres sont utilisés à toutes les sauces. On les déguste devant une bonne bière pour composer le loto hebdomadaire, on les triture pour découvrir la martingale qui donnera la fortune. Dame, même Pascal, qui n'était pas idiot, a travaillé dans les probabilités et l'analyse combinatoire !

Faites excuse ! Les nombres sont plus que cela, **ils sont les témoins de la vie**. Ils ne font pas de philosophie, ils exposent une réalité hors des opinions personnelles et discutables et conduisent à des constats qui dépassent nos conceptions terre-à-terre.

La numérologie a toujours été dans les temps les plus reculés une science du sacré. Il faut lui redonner sa véritable place et forger une véritable déontologie de l'exercice de la numérologie. Le sens du sacré engendre le respect.

L'ÉTAT D'ESPRIT...

J'ai donc pris le risque d'exposer mes recherches afin d'offrir au public les éléments tangibles sur lesquels repose la numérologie et de décrire les outils qui ont conduit aux définitions de la valeur des nombres. Tâche immense mais combien exaltante, compte tenu de l'objectif visé : reconnaître dans la numérologie un instrument inappréciable pour retrouver l'équilibre et la joie de vivre.

Je suis conscient du danger. Il y aura toujours, ici comme ailleurs, des charlatans et des exploiteurs fatalistes qui se serviront de la numérologie pour alimenter leurs querelles partisanes. Je ne pourrai jamais empêcher un fumiste de l'utiliser à des fins personnelles. On ne juge pas le marteau qui écrase le doigt mais celui qui ne sait pas s'en servir. À l'instar des anciens marins perdus dans la tempête et dont le salut reposait sur une manœuvre délicate au risque de chavirer, je dirai : À Dieu va ! Le bateau ne chavirera pas, si mes lecteurs acceptent les limites imposées par le système et acquièrent l'*état d'esprit adéquat pour son utilisation*. Cet état d'esprit tient en quelques principes simples :

- La numérologie à 22 nombres n'est pas un condensé d'argumentations au service des rancœurs et des règlements de comptes.

- La numérologie ne constitue nullement la preuve qu'il existe un destin. Elle n'est pas un instrument de la fatalité.

- La numérologie est un objet de liberté. Elle constitue une grille absolue à laquelle on peut se référer pour comprendre l'orientation d'un problème spécifique. Elle décrit une structure et une organisation psychologique de la même manière que le corps humain possède un squelette et des muscles pour le maintenir debout et des organes pour le faire fonctionner.

• La numérologie ne condamne pas, elle renseigne sur nos possibilités du fait même que nous avons un corps. Connaître son véhicule, c'est offrir la possibilité de l'exploiter à son avantage et non à son détriment. Une Chevrolet n'est pas une Cadillac ni une Porsche 940. Quel que soit votre véhicule, vous savez que «petit train va loin» et que vous pourrez vous en servir au maximum de ses possibilités. Mais si vous décidez d'ignorer les limites de votre mécanique et de courir les 24 heures du Mans avec une 2CV, il y a de fortes chances que votre moteur explose avant d'avoir bouclé le premier tour.

• La structure numérologique réglemente les formes, la direction et la puissance du véhicule humain, mais elle ne codifie pas ni ne contraint celui qui l'habite. La vraie liberté est intérieure : liberté de pensée, liberté de conscience à l'abri des contingences de la matière... mais liberté ultime accessible dès l'instant où on apprend à se connaître *consciemment* et à s'accepter tel que l'on est.

• La numérologie est donc sans haine et sans amour. Elle n'est pas complaisante car la réalité dérange toujours.

• La numérologie à 22 nombres aborde des sujets délicats. Un usage tronqué, incomplet ou inadapté à la situation conduit à toutes les justifications et déclenche des drames.

DESCRIPTIF SOMMAIRE DE L'OUVRAGE...

Les livres de la collection *La numérologie à 22 nombres* sont élaborés en deux parties :

La première partie expose de façon progressive les bases théoriques et philosophiques et conduit à la découverte du caractère sacré de la numérologie : la définition des nombres n'a rien d'arbitraire mais repose sur une réalité infrangible. Dans la mesure du possible, l'exposé théorique suit au plus près le sujet pratique développé dans la seconde partie. Ainsi, le premier tome abordait la connaissance caractérielle de l'être. La partie théorique traitait de la connaissance de l'être et appréhendait Dieu et l'Univers sur les plans symbolique et philosophique des nombres. Ce deuxième tome est consacré à l'enfance. La partie théorique expose le nombre 1 et comment il matérialise la naissance des autres nombres. Le prochain volume sur l'adolescence traitera de l'évolution des nombres jusqu'à 22, puisque c'est à 22 ans *révolus* que l'adolescent, au maximum de ses facultés intellectuelles et physiques, devient adulte.

La seconde partie est essentiellement pratique. Elle n'expose pas une recette mais une technique dont l'assimilation tient justement à son application pratique. On ne devient pas numérologue en faisant de simples additions ou en se croyant investi du pouvoir de faire parler les chiffres dans le désordre. Aucun effort ne devra être ménagé pour exercer et expérimenter la connaissance intime de chaque nombre, pour transcender... la technique et découvrir les nuances qui font l'originalité d'un être humain.

Ce deuxième tome est consacré à l'enfant et plus spécifiquement à ce qu'il attend de ses parents et à ses réactions face à leurs réponses. C'est un sujet difficile dont l'exposé ne doit pas être confiné à un contexte social particulier qu'aucune numérologie honnête ne peut déterminer a priori. Une lecture superficielle et donc une technique incomplète pourrait vous conduire à juger vos parents si vous pensez qu'ils ne vous ont pas donné ce que vous attendiez d'eux. Ce serait une erreur grave et vous seriez vous-mêmes victimes de vos illusions et de vos propres réponses en retour.

Il s'agit bien au contraire de comprendre pourquoi tels parents ont pu (ou n'ont pas pu) répondre à telles attentes ou pourquoi ils ont été (ou pas) à l'écoute de leur enfant. Les parents et les enfants sont les rouages d'un mécanisme d'évolution qui s'articule sur les sensations et l'Amour de la vie. Le plaisir d'être enfant ou parent devient réel quand le phénomène est parfaitement compris. S'adapter pour mieux aider l'autre à grandir à lui, c'est recevoir le bonheur d'exister à travers lui.

Je conclurai par une opinion toute personnelle :

Si les parents se comportent comme des compagnons et non comme des partenaires sexuels ni des opposants spirituels ou sociaux, ils recomposeront la cellule intégrale, l'équipolarité fondamentale du Principe universel, l'Unité dualiste. En s'accordant l'un à l'autre l'honneur réciproque de leur estime d'être divin, ils seront toujours en harmonie avec les lois de l'Unité absolue. Ainsi, l'enfant recevra à sa juste valeur ce qu'il peut attendre de ses parents. Devenu adulte, il leur vouera naturellement la piété filiale à laquelle peuvent prétendre les Âmes bien nées.

Un enfant est un être unique et n'appartient à personne. Mais il n'acquiert pas par sa naissance le droit de juger ses parents. La reconnaissance mutuelle relève du respect sur lequel peut seul s'appuyer l'autorité. Le «don de la vie» ne légitime aucune tyrannie physique ou morale, pas plus que la liberté ne s'oppose à la discipline.

Kris Hadar

CHAPITRE I

L'UNITÉ DUALISTE

1. UNE HISTOIRE DE JEUNESSE

Le curé ânonnait son cours de morale religieuse. Le petit enfant, saint innocent, observait par la fenêtre l'éveil de la nature après une longue saison d'hiver.

Il était lui, sans savoir explicitement qu'il pourrait être autre. Il était lui, comme un tout petit point dans le monde infini des adultes. Il n'imaginait pas qu'il pouvait enrayer les engrenages d'une belle morale à la Gloire de l'Unité de la pensée scolastique.

Il était lui, cela suffisait. Qu'importe s'il participait à Tout puisqu'il savait intuitivement qu'il était la frontière entre l'Un et le Tout. L'air qu'il respirait inondait ses poumons de l'oxygène qui vivifiait son cerveau. Alors il constatait que le monde était ce qu'il était. Un Point c'est Tout !

À la limite de la prairie, les moines entretenaient des ruches. Les abeilles tournoyaient dans le ciel d'azur. Sans s'en rendre compte, l'enfant était le témoin du mystère : les abeilles attirées par le parfum des fleurs butinaient avidement le pollen. Lui aussi voulait goûter la douceur de ce nectar qui réveillait le souvenir lointain mais inconscient de la douceur onctueuse du sein maternel et du lait sucré qui pâmait son petit corps .

La voix de crécelle du curé se confondait avec le bourdonnement des petites créatures du Bon Dieu. Innocent dans son

Eden, l'enfant ignorait que les parfums des fleurs sont les produits sexuels découlant de l'acte d'amour fécondé et fécondant. Ils lui rappelaient l'odeur de jasmin de sa mère, l'amour de sa mère qui l'avait bien malgré lui conduit à la vie par un acte d'amour avec son père.

... et les abeilles butinaient ces fleurs comme les curés butinaient sa pensée pour transmuer son esprit vers la félicité du Paradis, cher petit Adam dans le jardin des hommes. Il se croyait au Paradis.

Il se sentait bien, ne se posait pas de questions, vivait en étant lui et cela suffisait. Il sourit de contentement, proche de la béatitude, ses yeux buvant la plénitude d'être lui et pas un autre. Il était le Un dans le Rien et c'était bon, si bon qu'il n'entendit pas le battement d'un bourdon qui rasa ses oreilles et l'éclat cinglant de la règle en bois abattue sur le pupitre. Juste au-dessus de lui, au firmament de la classe, le dieu de l'école tonnait :

«Satan vous détourne de la lumière de Dieu. Il vous fait bayer aux corneilles et obstrue vos oreilles à la parole divine. Vous demanderez pardon à votre Créateur et réciterez trois *Pater,* en latin, pour vous délivrer de la tentation, et trois *Ave* pour que notre Sainte Mère intercède en votre faveur.

— Je... je ne faisais rien de mal, j'écoutais...»

Il aurait voulu dire qu'il écoutait les abeilles. Le curé le coupa :

«Tu écoutais ? Dis-moi alors pourquoi on trouve le bonheur au Paradis.»

Aujourd'hui, il réalise que pour éviter les foudres de l'enfer et conformément à la logique religieuse de son temps, il aurait dû répondre : «Le bonheur, c'est retrouver Dieu dans toute sa lumière». Mais sa logique enfantine articula une évidence trop simple pour le spécialiste de l'exégèse.

«Pourquoi est-on heureux ? Parce qu'au Paradis, on trouve aussi le malheur et le malheur fait prendre conscience du bonheur.»

L'évasion des abeilles peut piquer l'Âme douloureusement. Déculotté, humilié, il dut exposer ses fesses aux regards narquois de ses camarades et au souffle puissant de la vergette du curé qui rythmait le vol d'un tout autre bourdon. Vol ou viol de son innocence ! La vertu de franchise conduisait parfois à l'hypocrisie. Le serpent se lovait trop bien dans la bouche de quiconque proclamait que SA VÉRITÉ EST CELLE DES AUTRES. Plutôt que frères en essence, sur cette terre nous sommes tous frères par la différence comme un grain de sable apparemment identique à un autre lui est pourtant complètement étranger.

La rancœur le griffa et les larmes creusèrent dans ses joues les premiers sillons du désespoir. Et sans savoir pourquoi, malgré ses six ans, un fragment de l'évangile condamnant Adam domina son esprit :

> «Tu as mangé de l'arbre (de la connaissance) [...]. C'est à la sueur de ton visage que tu mangeras ton pain [...]»
>
> (Genèse : 3-19)

Oh, que oui ! La connaissance se paye au prix de la sueur de la volonté de l'esprit à vouloir manger le pain éternel.

Il venait de découvrir le prix et la récompense.

Avant, il était présent à la vie comme Adam faisait corps avec la nature de l'Éden, comme 1 dans 0. Il était présent dans un monde non révélé et rien ne lui permettait de le savoir tant il était en harmonie avec le Tout qui n'était Rien en rapport avec son Unité. Et pourtant, de son Unité, il avait l'impression d'être le Tout.

Les événements confirment toujours un nouvel état de conscience. Ainsi, ce méchant curé lui avait montré que le bonheur est le prix du malheur. La Connaissance provient de la différence, de l'opposition et d'une dualité dont les pôles s'attirent et se repoussent pour tenter de se concilier.

Faute de savoir la différence, on ne peut comprendre son présent d'être. Mais les dieux qui goûtent au fruit défendu du Savoir accèdent à la Connaissance de la différence et deviennent mortels. Quelle évidence ! Vivre dans un présent, permanence de l'Immuable, c'est refuser l'usure du temps dû au mouvement. Comprendre la différence, c'est fonder le temps, imaginaire ou non, c'est déclencher la comparaison qui implique un raisonnement prélude à une conclusion, elle-même mouvante par le mécanisme qui lui a donné naissance, le temps-pensée.

Le temps est l'usure et le prix à payer. Car il éloigne l'homme de son enfance jusqu'au jour où, après avoir sué à Savoir, il découvre qu'il savait déjà Tout mais qu'il avait aussi acquis la faculté d'oublier l'essentiel au bénéfice de la complexité.

Adam et Ève étaient nus et ne le savaient pas. En goûtant au fruit défendu, ils découvrirent leur différence, leur sexualité. En demandant «Pourquoi ?», ils déclenchèrent le mécanisme initial de toute pensée. Par une question, par le raisonnement, ils installèrent le temps dans l'éternité. Acte sacrilège s'il en fut car si Dieu, présent éternel, décidait de garder Adam et Ève près de lui, Il devait inclure en lui-même le temps qui allait le vieillir et le faire mourir.

«Dieu est mort !» aurait crié Serpent-Satan dans son désormais infini chaos.

Il aurait bien gagné, ce siffleur ! Cette pomme de discorde était bien le fruit défendu de l'arbre du bien et du mal, l'arbre de la mort.

Ignorants des conséquences de leur acte, les premiers enfants de Dieu allaient commettre un parricide. Dieu n'eut d'autre choix pour sauvegarder son identité que de les rejeter de son présent éternel dans ce temps qu'ils avaient créé. Mais on ne peut renier sa propre chair. Le Paradis s'ouvrirait à nouveau à ceux qui *retrouveraient leur présent d'ÊTRE présent à lui.*

Aujourd'hui, en relisant ces lignes, je suis frappé par les jeux de mots qu'inspire la réalité d'Être :

«Retrouver son présent d'Être présent à Lui !»

«À Lui» ! Dieu certes, source du caractère divin. Mais cette source est aussi l'Âme qui appartient à la divinité. Si la divinité est l'Absolu, l'Âme en a donc aussi les caractéristiques et est aussi Tout Absolu.

Ainsi, prendre conscience de son Âme, c'est prendre conscience de Dieu et du Dieu que nous sommes aussi. «À lui» implique aussi l'être humain.

Ce mystère dévoilé que l'on trouve déjà dans Genèse 1-26, «Faisons l'homme à notre image, selon notre ressemblance [...]» éclaire aussi singulièrement la révélation de Dieu à Moïse lors de la vision du buisson ardent. Dieu se nommant dit à Moïse :

«Je suis (אהיה) Qui (אשר) Je suis (אהיה).»

(Exode 3-14)

«Je suis» est au présent. «Qui» implique l'Être conscient qui s'interroge sur lui-même. Un leitmotiv guidera désormais l'enfant vers l'état d'adulte pour lui permettre de retrouver son état d'Âme originelle :

«Retrouver son présent d'Être présent à lui, retrouver son...»

Mais quels rapports entre «retrouver» et le Tétragramme méconnu de Dieu **A.H.Y.H** (אהיה) ? Ce mot est constitué d'un verbe de trois lettres, היה qui en hébreu signifie ÊTRE, exister, mais aussi :

Se faire, devenir, naître, arriver, être comme, devenir pareil à...

Ainsi, «retrouver son présent d'Être présent à Lui ou à Soi» conduit l'humain vers le «Je Suis» divin.

Certes l'enfant de 6 ans ne pouvait employer un tel discours. Mais, dans le repli de son Âme, une flamme brûlant de cette même essence avait jailli et embraserait un jour sa demeure intérieure.

Ce petit enfant qui ignorait d'où il venait, puisqu'il n'avait pour seule conscience qu'une notion d'existence, venait de prendre conscience qu'il pouvait devenir autre chose. Il était 1 dans 0 mais 1 différait de 0. Désormais, il devait choisir entre devenir 1 ou 0 et non plus demeurer dans l'état originel, 1 dans 0.

La découverte de la différence l'obligeait à s'identifier à 1 ou à se laisser tenter par l'absence 0 de ce qu'il n'avait pas. L'envie, la volonté d'être autre chose, le besoin de compétition, de dépassement, d'être le meilleur, d'être le 1 AVANT tout le monde qu'il considérait comme 0 venait d'éclore dans son esprit. L'orgueil naissant alimentait son désir de dominer, d'écraser, de rivaliser. Une profonde dualité confirmait sa différence entre lui et les autres, celle du bien et du mal, sa dissociation d'avec le monde. Cette pulsion l'obligerait dorénavant à grandir pour ressembler aux adultes au détriment de l'enfant qui allait s'endormir en lui. Il appréhendait le bien et le mal mais il devrait apprendre à en mesurer la puissance effective.

La lumière qui l'éclairait engendrait ses propres ténèbres qui se tapirent au fond de son inconscient, prêtes à surgir à la première faiblesse, dès que la flamme aurait tendance à s'éteindre. Le combat du bien contre le mal pouvait reprendre son éternel mais réel combat.

2. UNE HISTOIRE D'ADOLESCENT

Un jour de vacances, l'enfant devenu adolescent languissait d'une fleur qui embaumait son cœur d'un doux sentiment. Histoire banale, éternelle et toujours renouvelée depuis l'aube de l'humanité. L'attirance de l'abeille pour le parfum d'amour de la fleur n'est pas qu'une histoire d'enfant mais une authentique affaire d'adultes.

Bien sûr, il était devenu Un qui s'affirmait dans un esprit conquérant du Tout ou Rien, l'Unique à qui Rien ne saurait résister. Puis brutalement, il découvrit l'absence de l'autre si différent mais pourtant si semblable à lui. L'appel du vide et le besoin de le remplir ! Son cœur était plein de l'autre et si vide de son absence.

Face à son impuissance à comprendre la vie, il voulait se fondre dans le Rien. Lui naguère si fort n'avait plus le goût de se battre contre l'évidence de sa propre faiblesse. Il se redécouvrait enfant et s'émerveilla naïvement comme au temps jadis de constater qu'il ne savait rien alors qu'il n'était qu'Un petit enfant. Il se mit à rêver aux ballets des abeilles et au parfum du printemps de sa nouvelle existence.

Son vague à l'Âme attira l'attention de son Père.

«Tu ne sembles pas dans ton assiette, fiston.

— Je m'interroge sur le fait qu'un enfant doit s'affirmer comme Un dans la vie jusqu'à ce qu'il réalise qu'il n'est que la moitié d'un Vide et la moitié d'un Tout. Je pensais n'avoir besoin de Rien et je découvre qu'il existe un autre Tout capable de me combler. Je suis moins que rien et si grand à la fois. Je suis un Zéro sur toute la ligne et je voudrais être l'Unique de son cœur. Bon ! Je suis amoureux, quoi !

— Tu prends de singuliers détours numérologiques pour exprimer l'accouchement à la réalité de l'autre. Écoute alors l'histoire de l'Unique en dualité.»

«Dans les temps anciens, l'Homme était androgyne. Il se suffisait à lui-même, se faisait l'Amour de façon égoïste et n'éprouvait semble-t'il aucun besoin. L'autosatisfaction de haut niveau en somme !

Mais il vivait un malheur. En tant qu'Unique, il ressentait le vide autour de lui. Car s'il pouvait se mirer dans l'eau, voir son image de face tel qu'il se concevait, l'eau ne reflétait jamais ce qu'il ne savait pas : son dos ! Étrange frustration : connaître le verso et ignorer le recto ! S'admirer par devant sans jamais se voir marcher. S'activer dans l'acte d'amour tout en voulant s'abandonner et aussi se savoir incapable de le pratiquer pleinement. Quel malaise de se découvrir complet et impuissant à contempler l'autre lui-même qui semblait toujours le suivre. Car son ombre, insaisissable, née de la clarté, le narguait avec insolence, lui l'Unique, par la précision de la forme du vide qui l'habitait. Elle était diabolique.

C'était la Lilith* des Kabbalistes, créée avec l'Unique et qui obsédait Adam. Elle était le 0 néant qui se révélait à lui, lui la lumière chérie de Dieu. Elle était son fantasme auquel il songeait quand le feu de son acte d'amour embrasait son Univers paradisiaque. Pensée double et double sacrilège pour qui devait être pensée éternellement unifiée.

Dieu qui aimait son œuvre eut pitié de lui et il dit :

> «Il n'est pas bon qu'Adam soit seul, je lui ferai une aide semblable à lui.
>
> (Genèse 2-18)

> Alors l'Éternel Dieu fit tomber un profond sommeil sur Adam, qui s'endormit. Il prit un de ses côtés et referma la chair à sa place. L'Éternel Dieu forma une femme de son côté qu'il avait pris de l'Adam et l'amena devant lui [...].»
>
> (Genèse 2-21)

Note bien que Dieu dit «du côté» et non «de derrière lui». Sinon il aurait donné une existence physique authentique à Lilith. Il parle du côté afin que l'homme et la femme surveillent mutuellement toutes les ombres derrière eux et que de l'attention qu'ils se porteront réciproquement naisse le bonheur d'être 1 en 2 et 2 en 1. Il suggérait que l'Un s'occupe des craintes de l'Autre. Ainsi les ténèbres seraient vaincues et Satan aussi. Plus de fantasme angoissant mais une réalité dans la clarté de l'amour.

En se connaissant 2 en 1, Adam et Ève pouvaient s'aimer et trouver l'oubli véritable dans l'autre. Auparavant, il était l'Unique qui, devant l'insupportable compagnie de la fantasmagorique Lilith, n'aspirait qu'à la division, la dislocation, la des-

---

* Lilith : Dans la tradition kabbalistique, Lilith serait le nom de la femme créée avant Ève, en même temps qu'Adam, non pas d'une côte de l'homme, mais elle aussi directement de la terre. Selon une autre tradition, Lilith serait une première Ève. (*Dictionnaire des symboles*, édition Robert Laffont.)

truction. En s'abandonnant à l'autre, il se retrouvait androgyne identique à l'Unicité originelle, sans narcissisme, sans égoïsme, mais animé du désir réel de fusionner et de demeurer Unique dans l'éternité. Désormais, il pouvait à travers l'autre s'écrier le vrai «JE SUIS TOI EN ÉTANT MOI!»

Dieu se présente à Moïse en disant :

«Je suis (אהיה) Qui (אשר) Je suis (אהיה).»

(Exode 3-14)

Il dit bien DEUX FOIS «**JE SUIS**».

Ce mystérieux «Qui» (אשר) est l'anagramme de «Rosh», obtenu en déplaçant le Aleph (ראש), et signifie «la chose principale», «le principe initial», «l'unique»...

En s'identifiant à l'interrogation «Qui», Dieu indiquait à l'homme qu'en posant la vraie question sur Sa véritable nature, il découvrirait que pour atteindre Son éternité, il devait fusionner non seulement avec deux JE SUIS, l'Âme et l'Être, mais aussi avec un autre JE SUIS complémentaire. Il atteindrait alors dans l'amour des deux JE SUIS le suprême bonheur de l'UNITÉ !

Analyse bien cette histoire. Tu verras que ton Mal d'amour est la découverte du Bien-aimé. La vie est vraiment bien ainsi !»

L'adolescent médita longtemps ces sages paroles. Mais un détail l'intriguait. Pourquoi son père avait-il utilisé un nom de Dieu inconnu jusqu'alors ? Il connaissait Y.H.V.H. (יהוה) mais pas A.H.Y.H. (אהיה).

Il consulta un dictionnaire et découvrit qu'Aleph (א), le A de A.H.Y.H. était la première lettre de l'alphabet hébraïque. Il était l'unique. Les trois suivantes formaient le verbe H.Y.H., «se faire», «devenir», «naître», «arriver», «être comme», «devenir pareil à»..., indiquant ainsi le devenir de tout UN chacun qui aspire à être l'Unique. Mais ce verbe avait pour son présent amoureux une autre signification qui échappait aux exégètes :

41

H.Y.H. (היה) sans le A. (א) signifie aussi «passer», «se dissiper», «défaillir», «perte», «malheur».

Sans Elle, lui qui semblait l'Unité défaillait, languissait d'Elle et lorsque lui se reconnaissait en Elle, lorsqu'il s'inversait en Elle (le Aleph se trouvait maintenant à la fin du nom), il respirait. En effet, H.Y.A. (היא), sans le deuxième Hé, correspond en hébreu au pronom personnel à la troisième personne du féminin singulier : ELLE. Hé signifie en soi *le souffle*.

Ainsi pour atteindre le JE SUIS, il devait s'inverser en ELLE animé par le SOUFFLE de l'amour. Comme pour atteindre le JE SUIS personnel, il devait s'inverser en lui pour atteindre ELLE, son Âme.

Il comprenait maintenant les paroles de son père. Il se promit d'étudier l'hébreu qui enseignait que sans Elle, l'autre, son double, le complément de tout être, masculin ou féminin, non seulement il défaillirait, mais sombrerait dans le malheur : sa propre perte !

3. UNE RÉALITÉ D'ADULTE

Aujourd'hui l'adolescent est marié. Il vit avec celle qu'il aime. Il mesure le chemin parcouru depuis son enfance avec la réalité spirituelle qui s'est fait jour en lui. Il est heureux d'avoir compris le JE SUIS MOI avec l'autre JE SUIS TOI. Il le vit dans son cœur et son esprit.

Il sait qu'il existe un Absolu, l'éternité *immobile* dans un présent immuable parce que quelque chose en lui que l'on nomme Âme lui en communique la réalité intime. Il voit qu'il vit dans une actualité *mouvante* que l'on nomme Matière parce que son cerveau lui en communique la perception. Il a conscience qu'il EST lui et pas un autre mais qu'il ne serait rien sans l'autre.

Il constate que cet *Immobile Absolu* dans lequel se *meut la Matière* n'aurait aucun sens si un enfant d'Homme n'avait pas la faculté de penser que l'un et l'autre existent car il est le pont entre l'infini et le fini et permet sur le plan de la raison que *l'un se connaisse par l'autre.* Que serait le Divin si aucune pensée physique ne le conscientisait ? Le présent 1 dans son néant 0 !

L'existence n'a de sens que si le **contraire** d'une chose fait comprendre le présent par rapport au passé qui passe et au futur qui vient dans les cycles éternels de transformations qui autogénèrent la Matière.

Ces **contraires** doivent s'**opposer** pour provoquer la prise de conscience de la différence, mais ils doivent aussi **se complémenter** pour ne pas s'annihiler.

La femme **opposée** à l'homme par son mode de pensée lui paraît **contraire**. Et pourtant ils se **complètent** parce qu'ils sont les deux modes parallèles d'une même chose et qu'individuellement ils prennent conscience d'eux-mêmes grâce à l'autre.

Ce principe anime tous les plans de l'Univers. La pensée de Tout-Un est double : intuition et déduction, notion d'existence physique issue de la conscience d'Être soi et pas un autre et notion d'existence absolue de l'Âme issue de la conscience d'Être le tout identique à l'autre, mouvement et non-mouvement, temps et non-temps, seconde et éternité, Matière et Absolu. L'*Immobile* s'oppose au *Mouvant* et leur **co-existence** n'apparaît que l'un par l'autre.

Dans le premier tome de la numérologie à 22 nombres[*] j'avais utilisé des aphorismes qui reprenaient les mêmes données en d'autres termes :

- • d'une part, «l'Univers n'existe qu'en fonction de l'opposition complémentaire de ses contraires».

- • d'autre part, «le moteur du Cosmos fonctionne grâce à l'énergie de ses oppositions».

Ce dernier aphorisme a une application universelle y compris sur le plan affectif.

---

[*] Page 35.

Que serait l'être humain sans l'autre aimé, sans sa force, sa raison de vivre, son désir de dépassement ? Le besoin d'aimer son contraire ô combien semblable le pousse à évoluer avec lui, à créer dans la complémentarité, en s'associant pour mêler leurs pouvoirs engendrés par la fusion des cœurs. Il recompose l'Unité originelle du Créateur dans sa nature et son but : la vie, l'enfant.

Ainsi la vie naît (**le moteur du Cosmos**) de l'acte d'amour (**l'énergie** sexuelle hélas ! pas toujours associée à **l'énergie** d'amour) de la femme et de l'homme (**ses oppositions**).

4. UNE QUERELLE DE MOTS

Chanter l'Unité de l'être à travers la dualité de la femme et de l'homme, pour romancer ou donner dans la poésie, passe encore! Mais pour ce qui est de l'Unité de l'être à travers sa propre dualité ? Va pour la fusion de la femme (féminin) et de l'homme (masculin) en UN couple. Mais allez donc comprendre une fusion individuelle.

Dire que l'être humain est féminin et masculin à la fois est un thème éculé par des générations d'ésotéristes et de psychanalystes qui nomment d'ailleurs «animus» la partie masculine chez la femme et «anima» l'équivalent féminin chez l'homme. Du point de vu des structures psychologiques, cela s'entend ! Car pour ce qui est du physique, à moins d'être aveugle... encore que si nous avions chacun la partie moitié de l'autre, nous n'aurions besoin de personne pour compléter... qui au juste ? Alors chaque «Un» pour soi et Dieu pour «Tous» !

À moins que, sous prétexte que chaque individu possède des attributs du sexe opposé, on justifie le mal de vivre son propre sexe dans un égalitarisme purement conjoncturel. Que l'on vive dans une société d'hommes, c'est un fait. Que ça ne fasse pas plaisir à tout le monde, c'est aussi évident ! Mais c'est un moment dans l'espace-temps, un moment, hélas, qui mélange tout, le sens du mot femme avec les caractéristiques dites féminines et le mot homme avec les caractéristiques dites masculines.

Bon, je suis homme et femme à la fois. Psychologiquement ! Mais dans le miroir, généralement, je n'ai aucun doute ! Ne serait-ce que par l'effet des sécrétions hormonales, anténatales ou pubertaires, hypophysaires et hypothalamiques qui en savent long sur l'élaboration de la forme pensée et de l'imaginaire masculin et/ou féminin. C'est tout simple : homme et femme ont une mécanique de pensée différente parce leur perception des choses est différente — perception cérébrale, soyons clairs ! De là la distinction assez «cliché» en somme entre pensée féminine dite intuitive et pensée masculine soi-disant rationnelle.

Si vous daignez m'accompagner jusqu'à la fin de ce livre, vous lirez souvent ces expressions : «prendre conscience de sa féminité», «de sa masculinité». Faut-il insister davantage sur l'interprétation au sens large des termes «féminité» et «masculinité» ? Très large !

«Féminité» identifie les caractéristiques traditionnellement féminines : réceptivité, délicatesse, profondeur, passivité, douceur, intériorisation, intuition. «Masculinité» identifie les caractéristiques dites masculines : dynamisme, action, brutalité, effort spontané, activité, extériorisation, déduction.

Que ces précisions ne froissent personne ! Il n'y a pas motif à déclencher un débat sexiste ou à déblatérer sur les attributs supérieurs ou inférieurs de l'un ou l'autre sexe. Que la femme ait les mêmes droits sociaux que l'homme est aussi clair et net qu'elle est aussi différente de l'homme et pourtant identique. Le mystère de l'un(e) attirera toujours l'amour de l'autre. Et l'on retrouve nos aphorismes sur le moteur de la vie : opposition complémentaire des contraires, énergie des oppositions.

Vous conviendrez — à force de l'entendre répéter — que le mot «complémentaire» est capital et qu'il signifie que l'un **n'est pas l'inverse** de l'autre. Ève vient du côté d'Adam, elle est son complément et non Lilith, son ombre. Confusion grave de la dualité de la matière qui a conduit de doctes savants à chercher dans les lois physiques des principes opposés du style matière/antimatière en marquant la négation de l'un par l'opposition à l'autre. De telles conceptions ont condamné la femme, accusée d'être responsable du malheur de l'homme, son antithèse. Le bouquet ? La traduction absurde et simpliste des versets bibliques : la femme est responsable de la chute de l'Âme, elle s'est vendue au diable, elle est sorcière et satanique.

«Opposé» est l'image en miroir de «complémentaire» : le reflet de soi à travers l'autre crée le miracle de l'amour.

5. PARENTHÈSE SUR UN POINT DE KABBALE

En Kabbale, à chaque lettre hébraïque correspond un nombre. Il ne faut pourtant pas confondre le système ORDINAL (position des lettres ou valeur de position) et le système CARDINAL (valeur numérique associée à la lettre) et ce, même si les deux systèmes s'interpénètrent. Le système ordinal est une Kabbale secrète alors que le système cardinal est une Kabbale publique. Le système ordinal étudie des concepts et des principes, le cardinal n'est que l'analyse de l'énergie qui en découle.

La numérologie à 22 nombres associe les deux systèmes. Le système ordinal ennuie bien des Kabbalistes ou soi-disant tels. Il n'en est pas moins réel. On pense que c'est au retour de la captivité des Hébreux à Babylone au milieu du Ve siècle avant Jésus-Christ qu'a été fixée la version définitive des textes sacrés, lettre après lettre, nombre après nombre, par le scribe Estras qui en précisa la position ordinale à laquelle, postérieurement, sous l'influence grecque, le système cardinal attribua des valeurs intrinsèques à chaque lettre :

Ordinal	1	2	3	4	5	6	7	8	9	10	11	12
Lettres	א	ב	ג	ד	ה	ו	ז	ח	ט	י	כ	ל
Cardinal	1	2	3	4	5	6	7	8	9	10	20	30

Ordinal	13	14	15	16	17	18	19	20	21	22
Lettres	מ	נ	ס	צ	פ	ע	ק	ר	ש	ת
Cardinal	40	50	60	70	80	90	100	200	300	400

Plus 5 lettres finales ...

Ordinal	23	24	25	26	27
Lettres	ך	ם	ן	ף	ץ
Cardinal	500	600	700	800	900

... correspondant aux cinq lettres suivantes :

Ordinal	11	13	14	17	18
Lettres	כ	מ	נ	פ	ע

Qu'il s'agisse du système ordinal ou cardinal, les lettres hébraïques sont des lettres-nombres. Citons à ce sujet Jean-G. Bardet (*Le trésor sacré d'IShRAËL*) :

> «Le nombre en puissance précède le Verbe en acte. Le nombre est la face cachée de la lettre. Il est en l'Unité qui se multiplie lors de la création. La lettre est l'œuvre humaine. C'est à travers la lettre qu'on voit le nombre, tout comme on voit le Père à travers le Fils. Ce sont les deux faces d'une même médaille.»

Donc, la lettre est indissociable du nombre. Vérifions ! Observons la forme du Yod (י) et du Hé (ה) du mot **Y.H.V.H.** Yod apparaît comme un germe pouvant féconder l'ouverture de la lettre Hé. Yod vaut 10 et Hé 5. Hé 5 est numériquement la moitié de Yod 10.

Graphiquement, le pouvoir créateur de Y.H.V.H., principe masculin, pénètre un principe féminin. Sur le plan numérique, le dédoublement de Yod assure le pouvoir créateur. Comment ? Nous y reviendrons au paragraphe 6. Précisons pour l'instant que Yod est complet en soi, mais que Hé précise comment il peut se dynamiser.

La Guématria ordinale montre la voie vers une autre dimension des textes bibliques. Le Sepher Ha-Zohar dit que Elohim (אלהים) est le Père d'en haut alors qu'Abraham (אברהם) est le Père d'en bas. Numérologiquement, on ne peut le démontrer que par le système ordinal et non cardinal.

ם	י	ה	ל	א		ם	ה	ר	ב	א
24	10	5	12	1		24	5	20	2	1

24+10+5+12+1= **52**   24+5+20+2+1= **52**

En Guématria, deux mots dont l'addition des lettres donne le même nombre sont semblables et ont un sens commun.

Avec le système cardinal, on aurait :

ם	י	ה	ל	א		ם	ה	ר	ב	א
600	10	5	30	1		600	5	200	2	1

600+10+5+30+1= **646**   600+5+200+2+1= **808**

Dans ce cas de numérique cardinale, ces mots n'ont aucun rapport.

6. PREMIÈRE APPROCHE DE L'UNITÉ DUALISTE

L'un des plus beaux symboles (fig. 1) de l'humanité illustre parfaitement l'Unité dualiste de la féminité et de la masculinité indispensable à l'Unification de l'être : le Yin (élément féminin) et le Yang (élément masculin).

Fig. 1 : Le Yin et le Yang,
symbole parfait de l'unité androgyne.

On ignore souvent que le Yin-Yang décrit un mouvement perpétuel, l'éternelle interpénétration dynamique et évolutive du féminin et du masculin. Il montre que l'Unité d'être UN se connaît Un par l'unification constante de ses contraires complémentaires.

C'est aussi ce qu'illustre le principe du triangle par :

> **L'Unité se dédouble**
> **POUR RETROUVER OU**
> **PRENDRE CONSCIENCE DE**
> **SON UNITÉ.**

La Kabbale ne dit pas autre chose dans le Tétragramme sacré, Y.H.V.H. (יהוי). Reprenons la valeur numérique des lettres :

Yod = 10   Hé = 5   Vav = 6   Hé = 5

Yod (י), la plus petite lettre hébraïque, symbolise l'Unité parfaite. Par son graphisme en forme de virgule, il développe en tant que germe ciselé toutes les autres lettres. Yod est le Dieu créateur de tout l'alphabet hébreu mais aussi de sa propre numérologie puisque chaque lettre est un nombre.

Ainsi l'alphabet hébreu s'applique au concept exposé dans le premier tome : 3 crée 4, c'est-à-dire que l'esprit est indissociable de la forme. Nous reviendrons dans un ouvrage futur sur la puissance propre de l'énergie des nombres.

Le plus étrange ! Yod dont la forme est à l'origine du Tout manifesté ne vaut pas l'Unité mais numérologiquement 10. En effet, Yod créateur témoigne de la dualité fondamentale à l'origine de TOUT : le point 1 dans le cercle 0, le germe du Tout dans le Tout du Rien.

De fait, sans dualité, pas d'autocréation ! C'est pourquoi le nom de Dieu Y.H.V.H. (יהוה) ne commence pas par la première lettre de valeur 1, Aleph (א), mais bien par Yod 10 qui précise que cette unité fondamentale est composée d'une dualité.

Il symbolise le concept de l'**UNITÉ DUALISTE**.

Yod Unitaire doit donc se dédoubler pour mettre en action son pouvoir créateur par la dualité. La division de la valeur numérique du Yod 10/2 donne 5, valeur du Hé, deuxième lettre du «nom» de Dieu Y.H.V.H. (יהוה).

Ce dédoublement aura deux conséquences :

- sur un plan énergétique, il dissocie le 1 du 0 et permet au 1 de pénétrer le 0.

- sur le plan graphique, il permet au germe Yod (י) de pénétrer l'ouverture du Hé (ה).

Le dédoublement de 10 en 1 et 0 révèle le Rien (0) dans lequel se développe le Tout grâce au germe (1) qui est le Tout potentiel, ou encore le Vide et la Matière, l'Immobile et le Mouvant.

Le 1 Unité éclairant le Tout non révélé du 0 exprime comment Un pénètre le vide. Yod personnalise donc bien un principe créateur dynamique. Reste à «identifier» qui pénètre qui ou quoi !

Puisque Yod représente le germe du Dieu créateur, il est aussi UNE UNITÉ PARFAITE. Or, l'autocréation ne peut avoir lieu sans dualité qui par complémentarité opposée interagit et déclenche l'évolution. Cette dualité est bien indiquée dans le nombre 10, 1 et 0 faisant partie intégrante de Yod. Dans les faits...

... le 1 qui pénètre le 0 se pénètre lui-même.

À cet instant il perd sa prérogative de 1 Divin-Total-Absolu-Insécable-Unique pour devenir le 1 Créateur des nombres 2,3,4... CES DEUX 1 sont identiques mais aussi différents dans la mesure où ils s'exercent sur deux plans différents, celui de la Divinité et celui de son Œuvre!

Remarque :

C'est pourquoi en Kabbale le nombre 1 que symbolise la première lettre Aleph (א), est imparfait même s'il ressemble à l'Unité divine. Le graphisme permet de déduire cette ressemblance. Aleph (א) est en effet constitué de deux Yod (י) de valeur 10 et d'un Vav (ו) de valeur 6, soit 26. Or 26 est le nombre du nom de Dieu.

Pour la tradition kabbaliste, Vav (ו) est dit Vav primitif. Si Aleph (א) est à l'image de Dieu, il doit, pour lui ressembler, prendre vie **en se révélant à lui-même.** La tradition ajoute que ce dessin réalise le Visage divin : chaque Yod 10 représente deux yeux et le Vav 6 un nez. Les deux Yod (י) symbolisent encore les deux larmes que Dieu a versées devant son Œuvre.

$$\text{Y.H.V.H.}$$
$$10 \quad 5 \quad 6 \quad 5 = 26$$

$$10 + 10 + 6 = 26$$

Aleph (א) = 1 est donc l'Unité en puissance d'être, du devenir Divin du 1. Lorsqu'il se sera sublimé en se développant à travers les autres nombres, il se révélera à lui-même comme étant l'Unité. C'est encore ce qu'exprimait l'autre Tétragramme sacré, A.H.Y.H. = JE SUIS, qui signifie aussi comment Aleph a atteint sa conscience d'Être.

Voilà l'erreur fondamentale de la numérologie à neuf chiffres : l'association du 1 à Unité divine et sa définition empirique au sens de «chef», à l'usage de ceux qui possèdent un 1 dans leur date de naissance ou dans leur nom, le situe abusivement dans la plénitude divine.

Or, même si l'homme est à l'image du 1, comment concevoir que les détenteurs de 1 possèdent le pouvoir infini et parfait de la réalisation totale ?

Il faut au contraire prendre 1 comme un Aleph (א) : pour égaler le créateur 1, il doit se réaliser à travers les 21 autres nombres qui symbolisent les 22 lettres modelant le Tout donc le 1 lui-même.

Le 1 numérique ne peut par conséquent représenter que le potentiel créateur qui définit en numérologie à 22 nombres le principe de l'autodidacte (celui qui apprend de lui-même).

---

7. L'AUTOCRÉATION PAR L'UNITÉ DUALISTE

Beaucoup d'auteurs affirment que le 1 sort du 0, donc que le 0 préexiste au 1. Philosophiquement exact en tant que méthode d'analyse, ce raisonnement est pourtant cosmogoniquement faux.

La préexistence de 0 implique que le chaos biblique ou le Néant absolu existait **avant** que l'ordre s'installe. Elle implique aussi obligatoirement une création : *du Rien 0 est né le 1.*

Or le Néant — non-existence — ne peut exister car dès l'instant où on le conçoit, il n'existe plus en tant que non-existence. Il devient réalité pour celui qui le pense et à jamais Rien a une existence. Si Dieu éternel qui, par définition, a été, est et sera toujours, pense le néant, ce néant a lui aussi toujours été, est et sera toujours éternel, ou encore le Néant est concomitant à Dieu. Le Néant ne peut donc précéder Dieu ni Dieu succéder au Néant. Comme la notion de création implique la précession du Néant, l'absurde conclut qu'il n'y a jamais eu création et qu'aucun Dieu n'a pensé la matière.

Cela n'enlève rien à la notion du Divin mais pulvérise l'image anthropomorphe d'un Dieu vulgarisé.

Rien qui est quelque chose demeure Rien par rapport à lui-même, mais non par rapport à autre chose qui EST nécessairement 1.

1 qui personnalise le Tout devient aussi quelque chose par rapport à 0 car c'est 0 qui lui permet de savoir qu'il est UN-TOUT. Mais s'il est le Un-Tout, il doit obligatoirement inclure 0 sinon il ne serait pas le Un-Tout mais seulement Un dans le UN-TOUT.

Conclusion n° 1 :	**Le vide 0 fait partie intégrante de 1 lui-même.**
Conclusion n° 2 :	**0 n'existe que dès l'instant où 1 existe.**
Conclusion n° 3 :	**1 étant UN-TOUT absolu, 0 est aussi UN-RIEN absolu.**
Conclusion n° 4 :	**0 est un absolu négatif par rapport à 1 et 1 un absolu positif par rapport à 0.**
Conclusion n° 5 :	**L'existence procède nécessairement et logiquement de 0 et de 1, ils forment la première dualité 2.**
	DONC L'UNITÉ EST DUALISTE.

Reprenons la conclusion n° 1 : *Le vide 0 fait partie intégrante de 1 lui-même.*

Dans l'hypothèse d'un commencement, on doit considérer, *dans un premier temps*, 1 et 0 indifférenciés, à l'image de la divinité originelle qui dans SON TOUT EST, sans pouvoir en prendre conscience.

De 0 serait alors issu le premier nombre 1 et 0 posséderait en lui-même, dans sa passivité d'être non dynamique, le germe de tous les nombres à naître. Pourtant il ne serait rien, qu'un Vide Absolu, le Néant sans existence en soi.

1 serait concrètement le premier nombre qui engendrerait physiquement tous les autres nombres. Lui aussi posséderait en lui-même, de façon concrète, effective et dynamique, le germe de tous les autres nombres.

Mais pourtant 0 et 1 ne sont pas les autres nombres.

La différence fondamentale entre 0 et 1 est arithmétique :

- On ne peut effectuer d'opérations de type $0 \times 0 = ?$ ou $0 : 0 = ?$ 0 est donc complet en lui-même et ne donne naissance à Rien. Il est passif, réceptif, non dynamique et ne peut exister sans le 1.
- Les opérations de type 1×1 ou $1 : 1$ donnent un résultat toujours égal à 1. 1 est également complet en lui-même mais sur un plan actif et dynamique puisqu'il s'autogénère en donnant toujours 1.

Seule **l'addition** à lui-même $1 + 1 = 2$ donne une direction qui le pousse à sortir de lui-même et à déclencher l'évolution de tous les nombres : $2 + 1 = 3$, $3 + 1 = 4$... 1 est donc actif et dynamique.

La **soustraction** $1 - 1 = 0$ est une **involution** qui ramène au néant originel... qui ne peut exister. Ce rien inexistant est absurde sinon l'univers n'existerait pas et ce livre non plus.

Mais puisqu'il existe, l'addition doit détenir une puissance plus grande que la soustraction. En fait, la soustraction développe une **inertie** nécessaire à l'évolution de l'addition. Chaque nombre autogénère le suivant par le 1 grâce à une inertie qui l'oblige à se dépasser ou à changer de dimension en le transmuant dans un système ordinal différent. C'est, repris en termes numérologiques, l'aphorisme physique du «moteur du Cosmos qui fonctionne grâce à l'énergie de ses oppositions». Mais c'est aussi affirmer que les autres nombres 2, 3, 4, 5... ne sont que des états différents d'une même chose.

Enfin, dans l'addition ou la soustraction de 0 par lui-même, 0 n'a de sens (+ ou –) qu'en cas d'évolution (addition : $0 + 0 = 0$) ou d'involution (soustraction $0 - 0 = 0$)... même et surtout si le résultat est identique à lui-même. Il peut s'autogénérer...

> ... **mais** n'avoir d'existence réelle qu'à l'instant où il participe à l'évolution de l'Univers donc à 1, sinon il n'est rien.

0 symbolise le potentiel irrationnel passif de l'autocréation, et 1 le potentiel concret actif de l'autocréation.

La double nature de la divinité est effective quand elle **décide** de se révéler à elle-même en s'autopénétrant. C'est le sens de «addition de 1 à lui-même». Cette décision est un acte (dynamisme) qui provoque une résistance (opposition) qui dédouble la nature unitaire exprimée par Yod (י) = 10 du nom divin **Y**.H.V.H. (יהוה). Yod (י) se divise et donne Hé (ה) de valeur 5. À cet instant, Yod (י), principe créateur dynamique, devient, **sur un plan différent**, le principe masculin s'unissant au principe féminin réceptif Hé (ה), sa complémentarité originelle. Ou encore, Yod (י) élément germe se pénètre lui-même pour donner la vie. Yod (י) pénètre l'ouverture de Hé (ה).

La divinité ne peut exister sans 1 et 0. Quand 1 se dédouble en s'autopénétrant, il met en évidence son absence 0. 0 procède bien de 1. La division de 1 par zéro donne :

$$1 : 0 = \infty \text{ ou la divinité !}$$

François-Xavier Chaboche (*Vie et mystère des nombres,* Éd. de Compostelle) écrit au sujet de cette opération :

> «[...] on voit que le 1, soit symboliquement «le premier germe d'être», est égal au produit de 0 par ∞, du *Rien* par le *Tout.*»

Et il ajoute :

> «On pourrait imaginer, «physiquement», que les nombres sont une multiplication du 1, alors que «métaphysiquement», ils sont considérés comme la division du 1. Toute une perception dynamique de l'Univers est issue de ce paradoxe : ne dit-on pas, en biologie, que les êtres unicellulaires se multiplient par division ?»

Les nombres entiers, définis par rapport à l'unité, tendent à la fois vers l'infini par leur «multiplication» apparente, et vers le 0, le «néant», par la désintégration de l'unité qu'ils représentent. Toutes les entités existant dans l'univers ressemblent à ces nombres, perdus «entre deux infinis» comme dirait Pascal.

Or, le nom de Dieu Y.H.V.H. (יהוה) est égal à :

> Yod = 10, Hé = 5, Vav = 6 et Hé = 5 soit, la somme de 26 = 2 + 6 = 8, symbole vertical de l'∞.

Une image imparfaite (fig. 2) illustre l'autopénétration du 1.

Soit le quatrième état de la matière, le plasma. La terre est du plasma solide, le soleil du plasma liquide et l'espace interstellaire du plasma gazeux. Imaginons que le 1 soit du plasma solide. Le frottement provoqué par la pénétration de 1 dans 0 est un acte de feu qui fait fondre sa tête, laquelle devient du plasma liquide. À son tour, le plasma liquide, sous la pression de 1 qui poursuit sa pénétration, s'ouvre, recule aux confins de l'infini et tranquillement se refroidit en plasma solide qui, à nouveau participe de 1 pénétrant 0, et ainsi de suite.

La pression de la puissance créatrice de 1 dans le miroir de lui-même 0 engendre la gravitation et donc la matière qui, en s'élevant, c'est-à-dire en se spiritualisant, participe au pouvoir créateur, lequel à son tour crée une pression... etc.

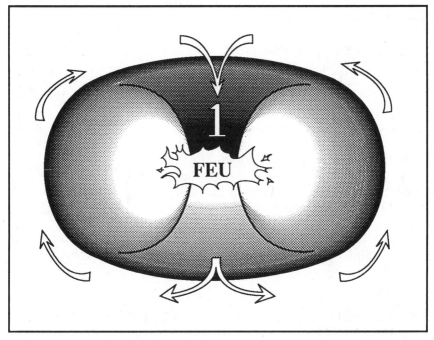

Fig. 2 : Considérez cette figure, non en deux ni trois dimensions d'ordre physique, mais avec la dimension spirituelle.

Elle évoque la pomme coupée, symbole de la fécondité[*].

Remarque :

Le feu de la dite création est une conséquence de la pénétration de 1 dans 0 ET NON UNE VOLONTÉ.

L'Amour d'un homme (1) et d'une femme (2) engendre le désir de fusion qui les embrase, les sublime et finalement les

---

[*] Tome I, page 49.

unifie 2 en 1, c'est-à-dire 21, dans le feu de l'acte physique. Le feu est la conséquence et non le but.

Les textes rabbiniques expliquent que la création commença lorsque le grand Visage de Dieu voulut regarder le petit Visage, c'est-à-dire quand 1 = Tout se mira dans 0 = Rien. De là naquit la lumière = feu.

L'alphabet hébreu possède trois lettres «mères» correspondant aux trois éléments : Aleph (א) = air, Mem (מ) = eau et Shin (ש) = feu. Cette dernière a pour valeur ordinale 21, nombre de l'énergie divine réalisée. La 21ᵉ lame du Tarot, «LE MONDE» représente une femme symbolisant l'androgyne dans une couronne de gloire. Le nom méconnu de Dieu A.H.Y.H. (אהיה) traduit par «JE SUIS» a pour valeur 21 :

LE · MONDE

A = 1, H = 5, Y = 10 et Hé = 5,
soit 1 + 5 + 10 + 5 = 21

8. LE DÉDOUBLEMENT CRÉATEUR DE L'UNITÉ DUALISTE

Revenons à l'étude du nom de Y.H.V.H. (יהוה).

Le Yod s'étant dédoublé en 1 et 0, 1 (Absolu positif actif) tente de combler son absence 0 (Absolu négatif passif) pour retrouver son Unité de UN-TOUT originel. D'où un **mouvement** et l'évolution des nombres de 1 vers 2, et ainsi de suite jusqu'à un Infini Absolu pour former un rayon «A» infini d'un cercle «B» infini. Le rayon «A» infini est une droite infinie qui est par définition* la courbure d'un autre cercle «C» infini, de rayon «D» infini.

---

* N.B.: Petit rappel de géométrie : «Une droite est une portion de cercle de rayon infini.»

Cette abstraction est nécessaire. Un infini ne peut être inférieur à un autre infini, sinon il n'est pas infini.

Le rayon «A» infini mesurant l'infini est nécessairement identique au rayon «D» infini mesurant ce même infini => «A = D». Le cercle «B» englobant l'infini est nécessairement identique au cercle «C» qui englobe aussi l'infini => «B = C». Le cercle «C», courbure du rayon «A» est donc le cercle «B». La courbure du cercle «B» est elle-même le rayon «D».

Donc, le rayon «A» est lui-même le cercle «B».

La logique cartésienne n'admet qu'une seule figure dans ce raisonnement : **le point.***

Un point qui se limite à lui-même mais qui, dans la démonstration numérologique, a la dimension de l'infini.

Ceci définit parfaitement l'Unité dualiste dont l'autopénétration met en évidence 1 et 0 qui ne sont que deux facettes de UN-TOUT.

En d'autres termes, l'intérieur rejoint l'extérieur et l'extérieur est l'intérieur. Certains astrophysiciens adhèrent au concept d'un univers physique évoluant dans un vide absolu, postulent à l'énergie du Rien et affirment qu'au niveau galactique les trous noirs absorbent la matière du cosmos pour la rendre inexistante dans le Rien, alors qu'au niveau quantique, de mini-trous noirs dans ce Rien créent la matière comme des rides sur une mer calme.

Le signe «∞» illustre, encore que de façon imparfaite, le renversement en miroir (l'intérieur est l'extérieur) de l'Unité dualiste. C'est aussi le ruban de Möbius.

---

* Ce dans quoi les créationistes concentrent l'univers avant le big-bang. Mais le big-bang est une conception utopiste, parce qu'il suppose implicitement un commencement à la création de l'univers, alors que ce point a été, est, et sera toujours un point de dimension infinie sans qu'il ait eu pour autant un début et une fin à son existence. Il est éternité. (Voir à ce sujet : *Le livre venu d'ailleurs,* du même auteur.)

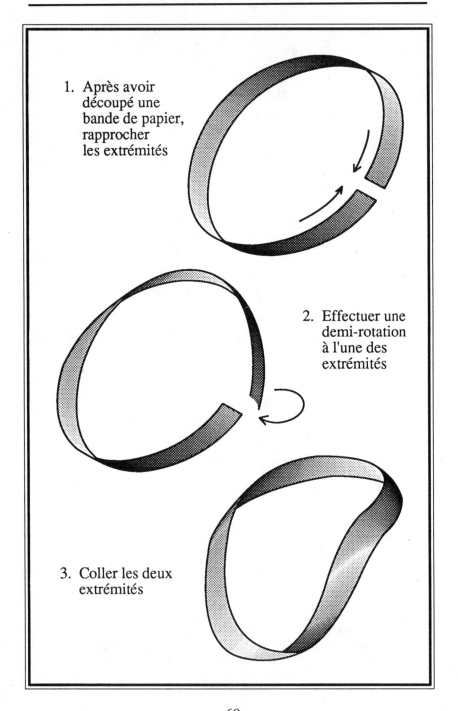

1. Après avoir découpé une bande de papier, rapprocher les extrémités

2. Effectuer une demi-rotation à l'une des extrémités

3. Coller les deux extrémités

Prenez un ruban de papier d'une vingtaine de centimètres de longueur sur 5 de largeur et collez ses deux extrémités de telle sorte que le ruban subisse, avant collage, une demi-rotation sur lui-même. On obtient une torsade en forme de huit.

Posez le doigt en un point du «recto» et faites-lui parcourir le ruban. Vous parviendrez après avoir fait le tour du ruban au même point en «verso», c'est-à-dire de l'autre côté de la surface de papier. La surface extérieure du ruban est aussi sa surface intérieure et vice versa. L'infiniment grand est comme l'infiniment petit.

Coupez maintenant le ruban en deux dans le sens de la longueur. Vous obtenez non pas deux mais un seul ruban de longueur double du précédent, mais de même surface ! En clair, la pénétration de l'infiniment petit (par la division) conduit à l'infiniment grand.

La démonstration suffit pour affirmer que l'autopénétration de 1 engendre deux aspects d'une même chose qui, bien qu'opposés, sont fondamentalement identiques, complémentaires et mutuellement l'une l'absence de l'autre. Dans le monde de la Matière, 1 dynamique prévaut et cherche à pénétrer son absence 0. Dans le monde de l'Absolu, 0 passif aspire à se faire pénétrer par son absence 1. L'univers est en mouvement et en évolution du fait de l'UNITÉ DUALISTE.

C'est ce que démontre l'Ouroboros (fig. 3), le serpent qui se mord la queue, équivalent spatial (en volume) du ruban de Möbius. La tête mord la queue qui devient sa partie interne. La tête élabore l'extérieur et engendre sa queue... qui regénère sa partie interne. Rien ne se crée, tout se transforme pour que le haut soit à l'image du bas dans un mouvement éternel, pour que le vide = bouche = 0 soit pénétré par le plein = queue = 1. De ce mouvement naît la pensée 3 issue du cerveau du serpent qui constate à chaque instant ce qu'il est en fonction de ce qu'il a été et sera : le temps est créé dans le présent de sa pensée.

Désormais l'abstraction de la pensée 3 sera de considérer 1 et 0 comme deux unités 1 dont l'une est obligatoirement le double de l'autre.

61

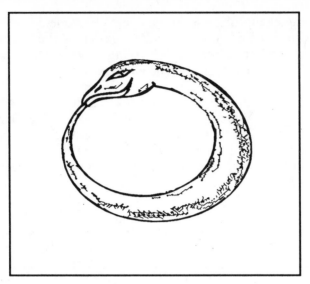

Fig. 3 : L'Ouroboros

Je renvoie à la démonstration géométrique par la loi du triangle issu de 1 plus 2*. Il n'entre pas dans le cadre de ce chapitre d'en faire la démonstration numérique mais intuitivement, on constate déjà que 0 pénétré par 1 peut englober 1. Donc 0 possède une puissance *infiniment* supérieure à 1 alors qu'il procède de 1 car 1 est l'infini matérialisable du masculin pénétrant, alors que 0 est l'infini immatérialisable du féminin pénétré, matrice infinie fécondant 1. Mais le résultat est identique : $\infty^+ + \infty^-$ = l'absolu ∞ ou Unité dualiste.

9. L'INVERSION DU RUBAN DE MÖBIUS

Répétons ! Ne pas confondre la position ordinale du nombre et sa valeur cardinale. Dans le système ordinal, système des concepts, la position 1 se transforme en ordre de dimension 2 démontré par l'Unité (1) dualiste (2). Mais 2 reste *image* identique de 1. Dans le système cardinal, système de la puissance des nombres, 2 est arithmétiquement double de 1.

---

* Tome I, page 39.

Observons la division du ruban de Möbius, symbole de la division de l'Unité en deux aboutissant à une image *identique* mais double de l'original (système ordinal).

La division produit une longueur double de la longueur initiale. La surface, bien que subissant une division, reste constante d'une figure à l'autre.

Dans l'Espace absolu, la surface est infinie. L'infini divisé est toujours l'infini. Même si la longueur physique double, la surface infinie ne varie pas et reste infinie. La division du ruban donne un autre ruban qui mesure *effectivement* le double du précédent.

C'est pourquoi dans le système cardinal le nombre 2 est bien le double de l'Unité.

Mais 2 n'est pas supérieur à 1 car tout appartient à 1. C'est aussi le cas de 0 qui englobe 1 sans lui être extérieur.

Mais si on colle les deux bouts d'un ruban sans avoir fait subir la demi-rotation à une extrémité et qu'on le coupe dans le sens de la longueur, on obtient **deux rubans identiques mais distincts**. Bien sûr, la surface totale des deux rubans est égale à celle du premier ruban ou, si on préfère, la surface de chaque ruban de deuxième génération équivaut à la moitié de celle du ruban de la première génération.

C'est donc la demi-rotation d'une extrémité qui conduit après dédoublement à **un seul** ruban de longueur double du précédent et non à deux rubans différents. Cette singularité permet de conclure :

> L'inversion d'une même entité permet sur un plan différent une extension d'ordre deux faisant le double du précédent.

En d'autres termes, l'Unité dualiste d'ordre 2 s'obtient par la prise de conscience de sa propre dualité **et** de son auto-inversion pour retrouver la fusion unitaire originelle.

La simple prise de conscience d'une unité et la découverte de sa dualité permet tout au plus d'appréhender la diversité d'une même chose mais pas de mesurer sa véritable dimension. On ne peut que constater qu'elle est constituée de plusieurs sous-groupes sans pouvoir les réunir.

On peut, par exemple, prendre conscience de la dimension physique **et** de la dimension spirituelle de l'Unité humaine sans pour autant parvenir à tracer entre elles de lien unitaire. Cela revient à couper un simple ruban, symbole de l'unité, pour obtenir deux rubans identiques au précédent.

La monade humaine forme une unité constituée de sous-unités d'individus d'un même type homo. Nous sommes dans l'observation de la différence, donc de la division qui oblige chacun à perdre le contact avec son point de départ. Affirmer que nous sommes tous frères dans le genre humain ne fait pas obstacle aux constats de division et de conflits à l'origine d'intolérance, de racisme et de guerre. C'est ce qu'exprime l'arbre de la différence, l'arbre du bien et du mal de la Bible. La différence engendrant la négativité est à l'origine de la chute d'Adam et Ève.

Dans le ruban de Möbius, une des extrémités est INVERSÉE mais soudée à l'autre. La division en deux donne un ruban identique d'une longueur double de celle du ruban initial. Autrement dit, prendre conscience de la dualité dans l'Unité du ruban permet de découvrir une dimension Unique mais double de la précédente.

Ainsi /

- découvrir que nous sommes doubles dans notre unité, matière et absolu, et que l'un est le reflet inversé de l'autre dans un ruban unique...
- puis accepter de s'INVERSER en Soi pour retrouver l'unité,
- c'est découvrir une nouvelle unité d'ordre supérieur 2 faisant le double de la précédente : l'Homme grandi en unification par l'inversion.

L'intériorisation conduit à grandir à l'extérieur dans l'existence et l'existence extérieure conduit à grandir à l'intérieur tant il est vrai, à l'image du ruban de Möbius, que la surface intérieure est aussi la surface extérieure.

Apprendre à découvrir l'autre et accepter de s'INVERSER en lui, c'est apprendre à se grandir à SOI. C'est aussi apprendre à se connaître, à s'oublier pour l'autre, apprendre à l'aimer.

C'est le miracle de l'Amour. C'est la solution que proposent les textes anciens et les avatars comme Jésus-Christ pour réussir à réintégrer le jardin d'Éden.

Par l'INVERSION, on réintègre l'Unité dualiste dans sa magnificence et dans sa toute-puissance créatrice. L'Unité dualiste s'INVERSE en elle par autopénétration et matérialise le 1 et le 0. Elle décrit la succession cosmogonique de l'autogénération, de la diversité et l'unification du TOUT dans et par le RIEN.

**L'Unité dualiste
s'inverse en elle-même
pour matérialiser deux identités
opposées et complémentaires
afin de grandir à elle-même
dans une éternelle unification.**

---

10. L'ACTION DE L'UNITÉ DUALISTE DANS Y.H.V.H.

Analysons le nom de Dieu Y.H.V.H. (יהוה) sous trois aspects :

• Premier aspect : l'union dynamique de Vav (ו)

Yod (י) en tant que nouvelle unité est le principe masculin qui pénètre l'ouverture de Hé (ה), principe féminin. Cela posé, il faut déterminer ce qui unit le masculin et le féminin désormais différenciés de l'Unité dualiste.

C'est Vav (ו), sixième lettre de l'alphabet hébreu, troisième lettre de YHVH. Il signifie étymologiquement «crochet».
Or, l'addition du féminin Hé = 5 et du masculin Yod = 10 donne
15 = 1 + 5 = 6, valeur de Vav. Mais Vav est plus qu'un crochet,
c'est le rapport dynamique de la liaison étroite féminin-masculin,
le symbole du pouvoir créateur du Verbe, *à la fois énergie de*
l'union et énergie créatrice qui en résulte. La somme des trois
premières lettres de **Y.H.V.H.** (יהוה) donne **Y.H.V** (יהו) = 10 +
5 + 6 = 21, symbole de l'androgyne ou de la divinité dans la
gloire de sa totalité réalisée, le JE SUIS.

1 masculin féconde son complément féminin 2 qui à son
tour engendre 1 pour former 21. Autrement dit, 1 se dédouble en
1 et 2. La matrice 2 permet à 1 de prendre forme dans l'esprit,
l'intelligence qui sait, le nombre 3 (21 => 3 par 2 + 1 = 3). La
21e lettre Shin ש est formée de trois Yod unis par une base commune, c'est-à-dire les deux facettes 1 et 2 engendrant et enca-
drant 3 ou encore 1 et 2 liés par 3. 1 et 2 sont les deux facettes
de l'Unité dualiste, masculin et féminin unis par le Verbe. Bien
que troisième élément, le Verbe procède des deux premiers. Ces
trois facettes rejoignent la Trinité chrétienne Père, Fils et Saint-
Esprit en UNE seule personne ou encore la loi du triangle :

L'Unité
se dédouble en
masculin et féminin
complémentaires et opposés
POUR se dynamiser dans sa raison d'être,
mais aussi
POUR RETROUVER ET
PRENDRE CONSCIENCE
DE SON UNITÉ,
en découvrant sa puissance créatrice.

Affinons l'analyse. 1 se lie à 2 par l'Esprit saint pour
donner 12. La douzième lame du Tarot, «LE PENDU», symbolise l'union des deux principes par la vitalité : Yod (י) et Hé (ה)
unifiés par Vav (ו).

À cet instant, à l'instar du spermatozoïde 1 qui féconde l'ovule 2, la matrice fécondante 2 assure la gestation du nouveau 1 matérialisant l'être parfait, soit 21. Donc, 1 vers 2 => 12 et 2 de 12 engendrant 1 => 21. C'est ce qu'illustre la quatrième lettre de Y.H.V.H., redoublement du premier Hé féminin. Ce deuxième Hé accouche de la réalisation parfaite et unique, 1. En effet, 4 exprime l'unité par addition théosophique 4 = 1 + 2 + 3 + 4 = 10 et 10 = 1 + 0 = 1. On sait que 4 est la réalisation concrète de l'Unité dualiste, la Matière.

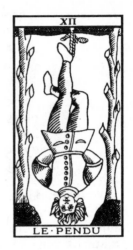

LE·PENDU

Sur le plan humain, la dualité de la femme et de l'homme, unis par le pouvoir créateur, engendre l'être. C'est ce qu'indique la Genèse, 4-1 : «Adam connut Ève, sa femme; elle conçut et enfanta Caïn et elle dit : J'ai formé un homme, avec l'aide de l'Éternel».

En arabe, le mot Caïn (كاٮن = Caen) dérivant de l'araméen signifie L'ÊTRE.

Sur le plan divin symbolisé par Y.H.V.H., Hé féminin (Y.H.V.**H**.) permet à Yod masculin (**Y**.H.V.H.) de se féconder. L'autre image de Hé (Y.**H**.V.H.), issue du dédoublement de Yod 10 en deux Hé de valeur 5, donne l'Unité du nom de Dieu, grâce au principe créateur Vav (Y.H.**V**.H.) crochetant et unifiant Yod et Hé (**Y**.**H**.V.H.) pour former la trinité **Y.H.V.**, qui à son tour crochète Hé (Y.H.V.**H**.) symbolisant l'œuvre. Oui l'œuvre, puisque l'on sait maintenant que :

- Yod (première lettre) créateur se dédouble en une dualité polarisée Yod-Hé (deuxième lettre).

- De leur union naît 3 (Yod-Hé-Vav), Vav (troisième lettre), l'esprit unifiant, mais aussi l'esprit issu de l'union.

- L'esprit 3 conçoit et engendre la forme 4 (quatrième lettre), image de l'Unité, puisque quatre éléments associés donnent 1 + 2 + 3 + 4 = 10, Yod créateur originel.

- À son tour, Yod se dédouble dans un cycle perpétuel exprimé par la somme cardinale (ou puissance animant le cycle) des nombres, soit 26 = 8, image de l'infini (∞) éternel dans son cycle permanent du UN-TOUT, de l'Unité dualiste.

Revenons à Yod originel = 10, androgyne parfait avant son dédoublement, mais terriblement actif dans son désir de s'autopénétrer pour créer. Les lettres restantes HVH correspondent en hébreu à un verbe unique signifiant «être-étant» ou «être qui est et qui devient l'être qui est», traduit couramment par vivre, exister, être. Yod crée le UN tout en existant en tant qu'UN unique.

Par une symbolique différente, Pythagore avait déjà exprimé le nom de Dieu dans la mystérieuse tétraktys :

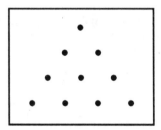

Fig. 4

Il s'agit d'un triangle formé par dix points disposés sur une base 4 avec l'Unité au centre de gravité. Il symbolise la pensée créatrice et décrit, entre autres, comment l'esprit 3 crée la matière 4 sur laquelle il s'appuie pour exister en tant qu'UN. Il indique également comment 1 (première ligne) se dédouble en 2 (deuxième ligne) pour former le 3 (troisième ligne) engendrant le 4 (quatrième ligne). L'ensemble donne 10 mais au cœur demeure l'UNITÉ DUALISTE éternelle, UN-TOUT qui s'autopénètre pour former 1 (première ligne), et ainsi de suite dans la volonté de la Sainte Trinité.

• Deuxième aspect : les correspondances tarologiques

Nous avons vu que le dédoublement de l'Unité créatrice en 1 et 0 entraîne une absence obligeant 1 à pénétrer 0 pour retrouver son unité originelle. 0 recherche la pénétration de 1 pour recomposer l'Unité dualiste originelle. Désormais, chacun est vide de l'autre. De leur union s'érige une frontière éphémère, fragile dans un monde en éternelle transformation, le monde de la matière.

Yod = 10, image de la volonté créatrice, dédoublé en deux Hé de valeur 5 le représente parfaitement. Chaque Hé recherche l'autre pour recomposer le Yod originel. Ils y parviendront grâce au Vav 6 qui les crochète pour donner H.V.H, ou «être-étant» qui équivaut à 16 par 5 + 6 + 5. La seizième lame du Tarot est «LA MAISON-DIEV» symbolisant la transformation et la régénérescence éternelle de la matière et renvoyant également au phénomène des trous noirs, frontière entre Tout et Rien. Elle représente une tour qui subit une construction-dématérialisation simultanée, équilibrée par le feu du ciel. Or Yod = 10 rappelle «LA ROUE-DE-FORTUNE» et les phénomènes cycliques. Le nom de Dieu Y.H.V.H. décrit donc l'autogénération de l'Univers dans l'éternité par les trous noirs, ou comment l'Unité dualiste se dédouble pour créer l'Univers actuel.

LA·MAISON·DIEV

LA·ROUE·DE·FORTUNE

Vav = 6 symbolise deux triangles opposés qui indiquent l'opposition du haut et du bas dans la recherche éternelle d'équilibre. Il est comme le feu qui anime tout, notamment la matière. En effet, l'addition théosophique de 6, 1 + 2 + 3 + 4 + 5 + 6 = 21, nombre de ש lettre mère du feu. Ce feu 21 est l'état de Dieu qui EST par le JE SUIS du nom A.H.Y.H. On réalise pourquoi les Tarologues ont nommé la lame 16 : «LA MAISON-DIEV» et en ont fait la demeure de Dieu dans laquelle habite l'homme, c'est-à-dire la matière.

Le Tarot de Marseille la prouve par... l'orthographe : «AMOUREVX» (lame 6) s'écrit avec deux V et la «MAISON-DIEV» (lame 16) avec un V. Ce V est l'équivalent en chiffre romain de 5 correspondant à Hé. Donc, Vav = 6 fait bien le pont entre les deux Hé et crée l'Univers dans lequel habite l'homme.

La lame 5 (LE PAPE) représente les Lois de Dieu dans sa volonté de création. Le Sepher Yezirah enseigne que Dieu se manifeste par un éclair fulgurant mettant en place deux piliers :

- le pilier de la rigueur, symbole de la contraction, la Matière;

- le pilier de la miséricorde, symbole de l'extension, l'Absolu.

Le premier Hé de Y.H.V.H. exprime le Vide absolu dans lequel s'élabore l'extension de toute chose, 0 en absence de 1. Le deuxième Hé de Y.H.V.H. exprime la Matière dans laquelle se cristallise la contraction de toute chose, 1 en absence de 0. «L'AMOUREVX», symbole du Vav de Y.H.V.H., les unit et en assure la synthèse. D'où les deux V de son nom mais aussi sa représentation sous forme d'un personnage masculin (Vav) placé entre deux femmes (les deux Hé de Y.H.V.H.). Notez le survol de l'ange armé d'un arc et d'une flèche 1 devant le soleil 0 symbolisant le Yod = 10, ainsi que les 21 rayons du soleil qui renvoient à la lame 21, la gloire réalisée dans le 0 (la couronne) lorsque 1 (le bâton de l'être androgyne) refusionne dans le feu du ciel avec 0. Rappelons que 21 signifie JE SUIS de A.H.Y.H. (אהיה) = 21. La forme de la 21ᵉ lettre (Shin ש), FEU de la fusion de 1 et 0 en une Unité dualiste absolue évoque bien les flammes. Enfin la lame 1 (LE BATELEUR) tient dans sa main le 1 (bâton) et le 0 (disque) l'Unité dualiste.

LE · BATELEUR　　　L'AMOVREVX　　　LE · MONDE

La lame 16 (LA MAISON-DIEV), synthèse de la lame 5 (LE PAPE) + lame 6 (L'AMOUREVX) + lame 5 (LE PAPE), c'est-à-dire les lettres Y.H.V.H. (être-étant), ainsi que la lame 10 (LA ROUE-DE-FORTUNE) symbole de l'autopénétration du Yod de Y.H.V.H. dans un cycle éternel, exposent la réalité infrangible du Pape identifié dans le V de «LA MAISON-DIEV»... Pape que l'on retrouve aussi dans l'étrange personnage de la «ROUE-DE-FORTUNE» portant sur la tête une couronne à 5 branches.

On peut encore faire d'autres rapprochements, par exemple la pénétration du petit Yod, principe masculin, dans Hé, principe féminin. Leur addition donne 15, personnalisé dans le Tarot par «LE DIABLE», symbole de l'acte sexuel, des sens, mais aussi de l'énergie magnétique, attractive. C'est le lien qui attire, attache, retient 1 dans 0, ce cher petit diable responsable de la chute d'Adam et Ève. Les lettres restantes de Y.H.V.H., soit 6 + 5 = 11 conduisent à la lame 11, «LA FORCE» seconde lame énergétique du Tarot, personnifiant la force psychique libérée par la maîtrise de la bête.

Ce deuxième aspect illustré par le Tarot de Marseille impose le respect à l'égard d'un outil de connaissance trop souvent dénigré.

• Troisième aspect : le souffle

Nous avons vu* que le nombre 5 symbolise le Pentagramme, lui-même représentation de l'androgyne, union du fé-

---

* Tome I, page 50.

minin et du masculin, ou encore l'Homme dans sa dualité unifiée. Comment concilier «ה» avec le Pentagramme ?

La traduction de «ה» en hébreu est *le souffle*. Dans le Tétragramme sacré Y.H.V.H., le Pentagramme 5 devient par Hé
(ה) le souffle divin qui anime l'homme supérieur lorsque Yod (י)
créateur le féconde. La troisième lettre du Tétragramme, Vav = ו,
qui ressemble à un Yod muni d'une queue, indique la descente
de Yod créateur dans l'être pour le déifier, comme l'Esprit saint
(troisième personne de la trinité chrétienne et troisième lettre du
nom Y.H.V.H.) .

Le Yod créateur (**Y**.H.V.H.) en fécondant Hé (Y.**H**.V.H.)
donne, par le souffle, la vie à l'Esprit saint, Vav (Y.H.**V**.H.),
appelé aussi le Verbe créateur. Ce dernier qui anime la vie quand
il participe à la création, anime aussi de son souffle divin l'homme inférieur, l'humain. C'est ce qu'explique le deuxième Hé
(Y.H.V.**H**.) du Tétragramme sacré, lui aussi de valeur 5 symbolisant encore un Pentagramme à l'image de l'Homme.

Le premier Hé en tant que Pentagramme est aussi l'image
de l'Homme divin qui, par l'Esprit saint, s'unit au deuxième Hé,
à l'Homme humain. Revoir sur ce point le tome I*, pour comprendre comment deux Pentagrammes donnent un Hexagramme,
c'est-à-dire comment l'Âme (corps divin) s'unit à l'esprit humain (corps physique) par la volonté de Yod créateur.

En résumé, Dieu en s'autopénétrant (1 dans 0) crée le
grand Visage (premier Hé = 5 donnant un Pentagramme) animé
par le souffle (Hé) et déclenche le Verbe créateur (Vav) qui à son
tour crée, par la volonté initiale, son image dans le petit Visage
de l'Homme (deuxième Hé), lui-même animé par le souffle de
vie (Hé). Vav signifiant «crochet» est aussi la conjonction «et»
servant à lier. Dans Yod créateur qui dynamise le Tout, l'image
divine est liée à l'image humaine par l'énergie du Verbe.

* *
*

---

*   Pages 61 à 70.

Ces données, succinctes croyez-moi, suffisent pour comprendre comment quatre petites lettres résument l'Univers dans son infiniment grand et son infiniment petit. L'accès à la Connaissance n'est pas réservé aux scientifiques de prestige. Tout est résumé dans ce nom et son complémentaire, A.H.Y.H. donnant le JE SUIS. Signalons que ces noms divins devraient être transcrits de la manière suivante :

A	=	א	**Y**	=	י
H.Y.H		היה	**H.V.H**		הוה

Dans A.H.Y.H., Aleph (א), lettre 1 de l'alphabet hébreu, chapeaute Yod = 10 divisé en deux Hé = 5, alors que ce même Yod dans Y.H.V.H. chapeaute le dédoublement en deux Hé instables par Vav = 6 marquant l'opposition de deux triangles.

A.H.Y.H. indique une unité en recherche d'équilibre dans un JE SUIS, alors que Y.H.V.H. traduit un équilibre parfait se déstabilisant pour déclencher l'évolution créatrice. L'un est un retour à l'Unité dualiste, l'autre l'Unité dualiste qui se dédouble.

L'Unité dualiste a créé cette étude... 1 crée 2 ! 2 a la lourde charge de féconder 1, et donc d'accoucher de 1 pour former 21, la lettre «ש», le JE SUIS DIVIN. La somme des lettres du nom de Dieu Y.H.V.H. = 26, ou 2 + 6 ou encore Beth (ב), deuxième lettre de l'alphabet hébreu et Vav (ו). Or le premier mot de la Torah qui est l'œuvre divine commence par Beth (ב) : Bérischist (בראשית), qui selon la tradition contient en lui-même toute la Torah. Quant au Vav (ו), il est le haut et le bas par son 6 symbolisant l'interpénétration possible des deux triangles de l'esprit, l'esprit humain et l'esprit divin donnant vie à l'Hexagramme, symbole du sceau de Salomon, de l'alliance de Dieu avec l'homme. 26 indique donc comment la dualité fécondante 2 permet d'accoucher de l'homme divin composé du haut et du bas.*

---

* c.f. tome I, pages 61 à 70, Le Pentagramme donne naissance à l'Hexagramme.

11. LES «JOURS» DE LA «CRÉATION»

On peut s'étonner que, dans le texte biblique, la création du monde en sept jours ne soit pas représentée selon une suite arithmétique 1, 2, 3, 4, 5, 6 et 7, mais par UN NOMBRE ET SIX ORDRES.

Voici ce qu'on lit à la fin du premier jour :

G.1 verset 5 : יום אחד soit : **jour UN**

Pour les autres jours, on trouve :

G.1 verset 8 : יום שני soit : **jour second**

G.1 verset 13 : יום שלישי soit : **jour troisième**

G.1 verset 19 : יום אחד soit : **jour quatrième**

G.1 verset 23 : יום חמישי soit : **jour cinquième**

G.1 verset 31 : יום הששי soit : **jour LE sixième**

G.2 verset 2 : ביום השביעי soit : **DANS LE JOUR LE SEPTIÈME.**

Le premier jour est désigné par un nombre cardinal contrairement aux autres. UN, nombre cardinal, est la puissance de l'Unité elle-même et unique. Second, troisième... relèvent du système ordinal : chaque jour est identique au nombre UN mais s'exprime à des niveaux de conscience différents.

L'énoncé du septième jour se lit dans le texte hébreu «DANS LE JOUR...». Il tombe sous le sens que ce jour est celui du JOUR UN DANS SON ORDRE SEPT, conformément à l'addition théosophique :

$$1 = 1 + 2 + 3 + 4 + 5 + 6 + 7 = 28 = 10 = 1.$$

En fait, il n'existe qu'**un seul** véritable nombre parmi tous les nombres, le nombre 1. Les autres sont des réalités différentes, des miroirs, des reflets ou des contrastes d'une même chose. En dehors ou en dedans de 1, rien n'existe que lui-même. IL EST LE TOUT et dans ce TOUT s'inscrit aussi la RÉALITÉ DU RIEN.

Tout et Rien font partie de UN comme le démontre l'équation :

$$1 \text{ égale } \infty \text{ multiplié par } 0$$

1 est donc à la fois son extérieur et son intérieur. L'infini qui lui semble extérieur et Rien qui le rend transparent font partie de lui. Rien, absolument Rien ne lui est étranger, donc Tout, absolument TOUT lui appartient.

1 est donc UN-TOUT dans lequel existe depuis toujours la dualité entre Rien et Tout. Il apparaît comme une frontière entre les deux parties de lui-même. Ces deux parties ne sont que des reflets de lui-même dans le Tout et dans le Rien. Pourtant ces reflets ont une réalité concrète. Dans l'Unité parfaite coexiste donc la dualité aussi parfaite qu'elle-même. D'où le titre de ce chapitre, l'Unité dualiste, qui résume l'univers dans son Absolu comme dans sa complexité apparente.

Ces deux parties, Rien et Tout, détiennent les caractéristiques de l'Unité puisque Tout ce qui appartient à UN est sous la puissance de l'Unitaire et de l'Unité. De plus, Un est le centre parfait de Tout comme de Rien.

Pour Rien, Un est au centre de lui-même, où qu'il se trouve car en dehors de lui rien ne peut exister. Placer un point dans l'Absolu Vide et illimité dans lequel rien n'existe. Ce point lui permet de se définir et est toujours en son centre. C'est l'image exacte de l'Univers matériel qui forme au niveau du Cosmos UN point qui pulse dans un vide Absolu au-delà duquel rien n'est possible.

Pour Tout, Un est aussi au centre puisque c'est lui qui le déclenche. Comme il est l'origine et le moteur de son développement, il en est le centre d'équilibre. C'est l'image exacte du trou noir au cœur de toute galaxie et qui lui permet de s'autogénérer.

Mais que ce soit le centre de Tout ou de Rien, il est à la fois, centre, Tout et Rien. Mais Tout et Rien n'existent que par le centre révélé comme Point unitaire. Pour Rien, 1 est la raison d'être et donc l'aboutissement sans lequel 0 ne peut exister.

Alors que pour Tout, 1 est l'origine. Mais l'un et l'autre n'ont aucune existence sans l'UNITÉ, puisque TOUT lui appartient.

C'est pourquoi 1 peut aussi se comprendre comme 10, le Yod des Hébreux qui, en tant que lettre unitaire, engendre la forme de toutes les autres lettres.

Entre 1 et lui-même, dans toute sa plénitude, il y a 0 qui appartient à Un. 0 lui permet de s'autopénétrer et de créer le 0 lui-même. 1 se retrouve entre deux ∞ qui font partie de lui. Il détient aussi toutes les caractéristiques de l'∞. On peut soustraire ou ajouter quoi que ce soit à l'infini, il demeure toujours infini. Un infini, qui pénètre son absence, qui se pénètre lui-même, c'est le serpent qui se mord la queue.

1 et 10 symbolisent deux entités semblables. 1 exprime la Dualité unifiée, alors que 10, exposant l'Unité en dualité avec elle-même, décrit le cycle de l'autopénétration de 1 à l'origine des autres nombres. C'est pourquoi la lame 1 du Tarot (LE BATELEUR) représente un homme tenant la dualité de son unité, 0 et 1, dans chacune de ses mains, alors que la lame 10 (LA-ROUE-DE-FORTUNE) montre une roue, symbole de 0 en équilibre sur 1 pied ou le cycle éternel de l'interaction de 1 dans 0.

LE · BATELEUR

LA·ROUE·de·FORTUNE

Entre 1 et 10 s'intercalent les autres nombres, 2 à 9 qui décrivent par le système cardinal (puissance) et le système ordinal (niveau de conscience) le dédoublement de 1.

Si 10 symbolise l'Unité en mouvement d'autopénétration, s'il se dédouble en 1 et 0, il engendre aussi 5 (10 : 2 = 5). 5 dans le système cardinal décrit la force dynamique de la séparation de 1 et de 0. Ainsi le Nom de Dieu Y.H.V.H., puissance créatrice, est constitué d'une deuxième lettre Hé dont la valeur numérique est effectivement 5.

La lame 5 du Tarot, à la frontière de 1 et de 10, représente «LE PAPE» qui fait symboliquement le pont entre la Divinité et la matière. Les deux piliers décrivent le rythme de l'autopénétration de 1. L'un, pilier de la miséricorde des Kabbalistes, équivaut aux forces du dédoublement et de l'expansion, l'autre, le pilier de la rigueur, représente les forces poussant au retour vers la contraction et l'Unification. «LE PAPE» assure l'harmonisation des deux forces.

Les deux personnages, des enfants ou des moinillons, symbolisent l'éternelle jeunesse de la régénération de l'Unité dualiste.

Celui de gauche indique par sa main droite dirigée vers le bas la descente de l'Unité dualiste en elle-même; celui de droite, main gauche levée, montre la remontée de l'Unité dualiste en elle-même.

Voilà pour le système cardinal et le nombre 5. Mais si 5 implique la dualité dans 10 = 1 + 0, un autre nombre doit aussi s'impliquer dans la dualité de 2 dans le système ordinal. Ce nombre ordinal est 2 lui-même, le «deuxième» niveau équivalant à un autre niveau de conscience de l'Unité. Encore le Tarot : la lame 2 a pour nom «LA PAPESSE», alors que la lame 5 se nomme «LE PAPE». Le Pape, un homme, explique le dynamisme de l'Unité. La Papesse, une femme, expose la fécondité de l'Unité.

LA·PAPESSE

LE·PAPE

Ainsi l'Unité passe par une autre dimension d'ordre 2. Mais en tant que nombre ordinal, 2 possède aussi et obligatoirement le 2 cardinal. Arithmétiquement, 2 cardinal est bien double de 1*. Qu'en est-il sur le plan cosmogonique ?

1 étant Tout infini, rien ne peut le diminuer, pas même le fait de paraître deux fois moins que 2. Il n'en demeure pas moins l'intégral du Tout et inclut le 2 lui-même. La reproduction cellulaire permet de comprendre ce paradoxe : la cellule originelle **se divise en deux pour se multiplier par deux.**

Ainsi la dynamique de 1 dans son extension passe par la rétention de lui-même de manière égale. Mais Un demeure Un et Un ne peut se reproduire qu'égal à lui-même. Par conséquent, quand Un se dédouble, il se régénère comme deux Un identiques à l'original. 2 est donc bien double de 1 sans lui être supérieur.

Pareillement, Un est Tout et Rien unifiés. Soit ! Mais il est aussi la frontière de Tout et de Rien. Son autogénérescence dans la suite des nombres issus de lui montre deux dimensions distinctes de lui-même : Un qui retourne à Zéro donc lui-même,

---

* Voir explications ci-dessus au point 9, page 62.

et Un qui va vers l'infini, donc, lui-même. Ces deux dimensions sont le reflet parfait sous deux angles différents de l'Unité. L'ordre 2 indique bien une double image-reflet de l'Unité, soit $1 + 1 = 2$.

Cette double image-reflet de l'Unité est complémentaire mais opposée à elle-même : le Néant est complémentaire au Tout mais semble à l'antipode de l'autre. La tension intégrante ou répulsive qui en découle déclenche la résultante 3... mais ceci est une autre histoire.

12. L'ÉBAUCHE DE LA PENSÉE

J'ai indiqué dans le tome I, lors de l'analyse de la genèse du Pentagramme par le triangle, que le nombre 2 était le double du nombre 1 et qu'il lui était supérieur pour «l'englober» et lui permettre de naître. 2 participait à la Pensée supérieure 3 alors que 1 se déconnectait de cette dernière. Mais, répétons-le encore, il ne faut pas confondre UN-TOUT, l'Unité dualiste, avec les différents points de départ qu'entraîne l'autopénétration à l'origine de la suite des nombres.

1 et 0 apparaissent lorsque l'Unité dualiste s'autopénètre. Ce 1 est une unité d'un **ordre différent** de l'Unité dualiste même s'il en est le reflet.

- L'Unité dualiste se reflète dans 1 qui déclenche la suite des nombres impairs. Il est pour lui-même l'Unité.

- L'Unité dualiste se reflète dans 0 qui déclenche la suite des nombres pairs. Il est pour lui-même l'Unité.

Ce dédoublement de l'Unité en deux Unités donne naissance au nombre 2. Comme ce **nombre réfléchit (a)** deux aspects de l'Unité, 1 et 0, il possède la **réceptivité (b)** de 0. L'Unité dualiste en se mirant dans 2 provoque en lui une **réflexion (c)** et une **prise de conscience (d)** et la **réalité se fait jour en lui (e)**.

a) *Ce nombre réfléchit :*

L'Unité reste égale à l'Unité, insécable et indivisible. Son autopénétration met en valeur *en elle-même* sa propriété UNIQUE de se *concevoir deux*. C'est donc un phénomène de contemplation, d'où le terme «**réfléchit**».

b) *Réceptivité de 0 :*

Il n'y a pas réflexion sans au préalable **réceptivité** de l'objet qui la déclenche. Or, 0 est aussi la révélation de l'absence de l'Unité dualiste face à elle-même, le miroir de 1. Ce premier miroir de l'Unité dualiste l'amène à s'embrasser, donc à se fondre en lui-même, d'où le terme d'autopénétration dans un sens d'Absolu. C'est exprimer dans un système d'ordre 2 le phénomène existant de 0, d'où l'expression : il possède la réceptivité de 0.

c) *Une réflexion :*

Une réflexion s'élabore en fonction d'une comparaison, d'un examen ou d'une observation, quoique au niveau subquantique de l'Unité dualiste, la réflexion n'a rien du raisonnement humain impliquant un temps dans l'évolution des phénomènes examinés. Le temps n'existe pas pour l'Unité dualiste puisqu'elle est Éternité. Mais il y a réflexion puisqu'une pensée absolue existe. Une réflexion hors du temps s'exprime par la *révélation*. Une révélation est la prise de conscience d'une dimension différente de l'état actuel. Le terme «réflexion» dans ce contexte a une connotation intuitive, du bas-latin «intueri» signifiant regarder attentivement : l'Unité dualiste se regarde ! L'intuition est la «connaissance claire, directe, immédiate de la Vérité sans l'aide du raisonnement». La définition du dictionnaire se passe de commentaires : 2 permet à l'Unité dualiste de réfléchir sur elle-même.

d) *Une prise de conscience :*

La réflexion implique une révélation intuitive de la Connaissance de Sa vérité unitaire double. Toute intuition se caractérise par un moment de disponibilité, de détachement afin d'être spectateur de soi-même. Mais en contrepartie, elle déclenche pour le spectateur une **prise de conscience** personnalisée. L'Unité dualiste découvre qu'ELLE, L'UNIQUE, EST DOUBLE. Ainsi, 2 permet la réflexion de 1 et entraîne un ordre de niveau 3. La prise de conscience implique une pensée consciente qui conduit l'Unité dualiste à aspirer (dans le sens de désirer, mais aussi dans celui de se laisser attirer) à réaliser SA FONCTION D'UNITÉ. Elle se sait UN grâce à deux aspects uniques d'elle-même. C'est l'expression même de la Trinité en 1 d'où l'expression, l'Unité se dédouble pour prendre conscience de son Unité.

e) ...et la réalité se fait jour en lui :

La pensée consciente existant dans 1, il **réalise automatiquement et instantanément** qu'il peut être différent de ce qu'il est — en étant toujours le même —, que les lois d'Unité et d'Unification qui le dirigent rejaillissent sur tous les paramètres de ce qui le constitue Unique. Tout appartient à 1, Tout est 1. Sur un plan différent, comme l'autopénétration est éternelle, puisque par définition Un est l'Unique et que personne ne l'a créé (sinon il ne serait pas l'Unique), il n'a jamais commencé et ne finira jamais. L'Unité dualiste, dans sa conscience présente, vit des prises de conscience successives mais toujours identiques, l'incitant à comparer son présent avec ce qui n'a jamais cessé d'être d'où l'apparition du raisonnement et d'un temps forcément statique. Un temps statique est un temps sans temps mais qui devient réellement temps qui s'écoule pour celui qui l'utilise en fonction de sa propre prise de conscience. Il suffit donc que l'humanité, image et réalité de l'unique, s'accorde sur une prise de conscience commune pour que le temps devienne une unité réelle, même si elle repose sur le présent permanent, même s'il est illusoire : on «passe son temps» à le dompter, le maîtriser, le compresser, le dépasser, lui qui ne fait que participer à la prise de conscience de l'Être réalisant concrètement qu'il Est. Ainsi apparaît 4, indissociable de 3, support et référence au Tout et au Rien, révélant l'éternité de l'UNITÉ DUALISTE dans toute chose lui appartenant.

Par sa Pensée 3, le jour Un apparut. La lumière de Son esprit distinguait les ténèbres de Son absence et l'Unité dualiste trouva que c'était bon d'Être l'Unique Dualité. Alors 1 comprit les différents niveaux de Lui-même et mit six «jours» à saisir les conséquences d'Être l'Unique. Adam, issu de Lui-même, mais pensant à LUI, l'Unique, lui donna l'ineffable sentiment d'être «plein de plénitude». Et ce fut le 7e jour !

13. L'ÉVOLUTION DES NOMBRES

Ainsi l'Unité dualiste exprime son Unification dans le nombre 1 et développe son dynamisme de différenciation dans le nombre 10. 10 est bien le reflet de 1 et le retour à l'Unité. Le mouvement des nombres de 1 à 10 explique l'autopénétration de 1 dans 0 et son retour à l'unification. Il existe donc véritablement dix nombres et les nombres 2, 3, 4, 5, 6, 7, 8, 9 expliquent la mécanique intermédiaire.

Certains traditionalistes s'exclameront, choqués : «Il n'y a que neuf nombres. Le dixième est composé d'un nouveau 1 sur un plan supérieur ajouté à un 0».

Sans esprit de polémique, allons à l'évidence ! 0 n'existe pas sans 1, mais 0 est quand même un nombre. Il existe en tant que tel dès l'instant où il est associé à 1 (tout comme les autres nombres), même s'il provoque un retour d'ordre supérieur à l'Unité. Par contre, nous avons démontré que 0 n'existait pas avant 1.

Si on refuse l'idée que 0 soit un nombre associé à 1 dans 10, on pourrait en effet accorder du crédit au constat traditionaliste selon lequel le nombre 5 est le centre des 9 premiers nombres :

$$1 \ 2 \ 3 \ 4 \ \mathbf{5} \ 6 \ 7 \ 8 \ 9$$

Ce constat est faux, hélas ! 5 est **moitié** mais non centre. Relisons pour nous en convaincre le Sepher Yezirah, le livre des Kabbalistes, chapitre 1, sections 2 et 3 :

> «Dix sephiroth Belima. La décade sortie du néant est analogue à celle des dix doigts ou des dix orteils de l'homme en ce que cinq sont parallèles à cinq, et au centre de laquelle est l'Alliance avec la seule Unité par le mot de la langue et le rite d'Abraham.»
>
> (section 2)

«Dix sont les nombres sortis du néant, dix et non neuf, dix et non onze. Saisis cette Grande Sagesse, pénètre cette Connaissance. Exerce ton esprit sur les dix, cherche, note, pense, imagine, rends les choses évidentes et reconduis le créateur à son trône.»

(section 3)

On sait que l'Unité dualiste se retrouve dans 1, «la seule Unité...», mais qu'elle s'exprime à travers 10. Nous avons dit aussi, dans l'analyse du nom de Dieu Y.H.V.H. (יהוה) que le 5-lettre (ה) était bien la moitié de 10-lettre (י) dans le sens 5 + 5 (Y.H.V.H.) = 10 (Y)... «en ce que cinq sont parallèles à cinq...».

LE·PAPE

Que signifie cette phrase capitale : «en ce que cinq **sont** parallèles à cinq...» ?

10 divisé par 2 donne bien 5. La lame 5 montre (**LE PAPE**) un ecclésiastique bénissant deux moinillons tandis qu'apparaissent derrière lui les deux piliers traçant la frontière de la division 10 par 2. Bien ! Mais où est le second 5 ?

Nous connaissons le premier 5. Alignons les nombres et appliquons la recommandation «en ce que cinq sont parallèles à cinq...».

1 2 3 4 **5** ‖ 6 7 8 9 **10**

Il paraît évident que le symétrique du premier 5 est le nombre 6, tout comme 10 est le miroir de 1.

Quant à «reconduis le créateur à son trône », rappelons[*] que 5 Pentagramme symbolise l'Homme mais aussi le **micro-**

---

[*] Tome I, page 50.

cosme*, alors que 6 Hexagramme, symbolise le **macrocosme****. Pentagramme et Hexagramme représentent la même chose tout comme l'extérieur rejoint l'intérieur, le Rien le Tout, la manifestation extrême de l'Unité dualiste, le UN, divin créateur...

«1 Créateur» renvoie au concept d'une création sortie d'elle-même. En «parallèle» donc au premier 5, 6 correspond au second 5 et 10 divisé en deux tente de retrouver son unification et déclenche l'évolution par 5 + 6 = 11... la moitié de 22.

Vérifions de plus près le parallélisme et la symétrie des lames 6 (**L'AMOUREVX**) et 5 (**LE PAPE**) :

- **lame 5** : trois personnages, le Pape et deux moinillons.

- **lame 5** : le Pape semble dominer les deux moinillons.

- **lame 6** : trois personnages, un jeune homme et deux femmes.

- **lame 6** : les deux femmes semblent dominer le jeune homme.

---

*   Tome 1, pages 61-62.
**   Tome 1, page 63.

- **lame 5** : les deux piliers délimitent deux principes : extension et contraction, bien et mal, la rigueur et la miséricorde des Kabbalistes.

- **lame 6** : à l'opposé, l'explosion, la multiplication infinie dans les vêtements multicolores mais surtout dans le faisceau d'énergie bleu et rouge en haut et à droite frappant le soleil 0 qui explose en 21 rayons, comme la lumière de l'Unité dualiste dans son vide — vide qui fait office de prisme — qui décompose sa clarté en 21 couleurs... les 21 lames du Tarot, plus une sans nombre (LE MAT), soit un total de 22.

Les dix premiers nombres décrivent l'explosion de l'Unité dans la dualité. Émanations en ordre 10 d'un principe Unique 1, ils matérialisent à leur tour 22 principes. La numérologie à 22 nombres englobe donc les dix émanations de l'expression du Divin qu'illustrent l'arbre de vie des Kabbalistes et les 22 lettres-nombres hébreux.

On objectera : «Lettre» n'est pas «nombre». En français, sans aucun doute ! Mais Sepher en hébreu (ספר), qui donne Sephiroth[*] signifie écrire, compter, raconter, annoncer, publier, faire connaître, dire, parler, lettre, livre... **nombre**. Les 22 lettres sont aussi 22 nombres, c.q.f.d. !

14. DE 0 VERS 22 EN PASSANT PAR LE DÉCA-GRAMME...

L'étude de l'Unité dualiste ne serait pas complète si on ne se conformait pas au Sepher Yezirah qui dit :

> «La décade d'existence sortie du néant a sa fin liée à son commencement et son commencement lié à sa fin, comme une flamme est liée à un charbon ardent; car le Seigneur est seul et n'a pas de second, il ne peut y avoir de second 1, et avant un que peux-tu compter ?»
>
> (chapitre 1, section 6)

---

[*] c.f. Sepher Yezirah, chapitre 1, section 2 : «Dix sephiroth Belima».

Or, le chapitre **1** du Sepher Yezirah renvoie à l'**Unité dualiste** et la section numérotée **6** à l'**Hexagramme**. Un lien direct et simple entre le premier chapitre du tome I et ce présent chapitre doit donc unir les principes, le nombre et la forme : nous le trouvons dans le symbolisme.

Dans le tome I, j'ai montré que le Pentagramme était issu du triangle et qu'il donnait naissance à l'Hexagramme. Démontrons maintenant, en suivant le Sepher Yezirah, que si l'Unité dualiste se dynamise à travers 10, Un et Zéro ou encore le Décagramme, ce dernier en retour matérialise l'Hexagramme. Ainsi, l'Unité se mord bien la queue (l'Ouroboros) pour que «la décade d'existence sortie du néant ait sa fin liée à son commencement...».

Prenons le nombre 10 dans sa véritable représentation symbolique, **le point dans le cercle** (fig. 5). La lame 10 du Tarot (LA ROUE-DE-FORTUNE) représente en effet une roue (zéro) tournant autour d'un moyeu (point).

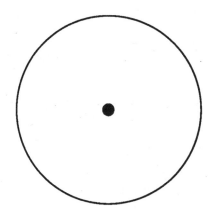

Fig. 5: Le 1 dans le 0

LA·ROUE·DE·FORTUNE

Le Sepher Yezirah dit :

> «La décade sortie du néant est analogue à celle des dix doigts ou des dix orteils de l'homme en ce que **cinq sont parallèles à cinq**.»

(chapitre 1, section 2)

Du cercle symbolisant le «Néant», plaçons dix sephiroth symbolisés par 10 nombres (sepher signifie nombre) de telle manière que «cinq soient parallèles à cinq» (fig. 6).

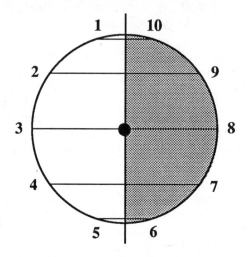

**Fig. 6 : 5 nombres 1-2-3-4-5
parallèles aux 5 nombres 6-7-8-9-10**

Le Décagramme apparaît (fig. 7) en reliant tous les points.

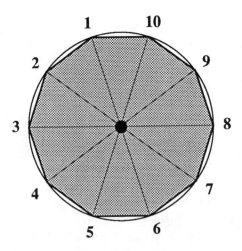

Fig. 7 : Le Décagramme

88

Mais en fait, s'il y a parallélisme, il n'y a pas pour autant dynamisme ni pénétration des cinq nombres 1-2-3-4-5 et 6-7-8-9-10 à l'origine de l'évolution, conformément aux deux axiomes exposés dans le tome I :

- L'Univers n'existe qu'en fonction de l'opposition complémentaire de ses contraires.
- Le moteur du Cosmos fonctionne grâce à l'énergie de ses oppositions.

Dans le Décagramme, où trouve-t'on l'opposition complémentaire des nombres dans leurs contraires et comment le moteur du Cosmos peut-il fonctionner sans opposition ?

À partir du nombre 1, point de départ des dix autres nombres, traçons un Pentagramme révélant le nombre 5, autrement dit en reliant les points 1-5-9-3-7 (fig. 8).

À partir du nombre 10, finalité des dix nombres ramenant à l'unité, traçons un autre Pentagramme révélant l'autre 5, en reliant les points 10-4-8-2-6 (fig. 9).

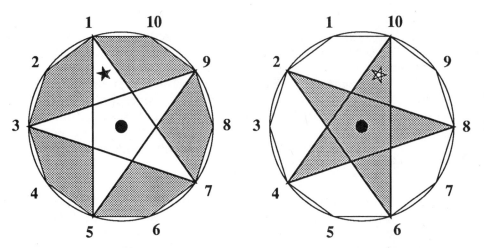

Fig. 8 : Le Pentagramme
1-3-5-7-9

Fig. 9 : Le Pentagramme
2-4-6-8-10

On découvre deux Pentagrammes semblables mais non superposés (fig. 10). Le décalage semble annoncer un mouvement en puissance.

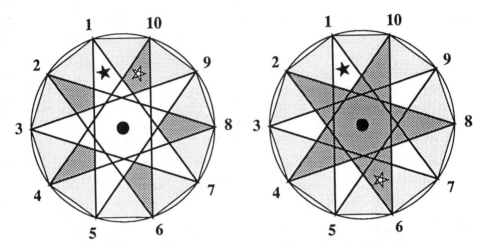

Fig. 10 : Les deux Pentagrammes côte à côte avec pour tête directrice 1 et 10

Fig. 11 : Les deux Pentagrammes côte à côte avec pour tête directrice 1 et 6

Les deux Pentagrammes ne sont **réellement** superposés (fig. 11), complémentaires et opposés que lorsque le sommet de référence (appelons-le «sommet ultime» et identifions-le par un *petit Pentagramme*) du Pentagramme 10-4-8-2-**6** est dirigé par le nombre 6. On obtient deux Pentagrammes superposés, dont le sommet ultime de l'un est dirigé par l'Unité, et le sommet ultime de l'autre par le nombre 6 de l'alliance. Depuis le tome I, nous savons que les deux Pentagrammes symbolisent l'Homme et sa dualité profonde, spirituelle et matérielle.

Remarquons que, dans cette disposition, la différence des nombres des sommets réciproques donne toujours 5 (fig. 12). Le Pentagramme peut **s'inverser*** et faire apparaître les forces dites du bien comme celles dites du mal (fig. 13).

---

*   Tome I, page 62.

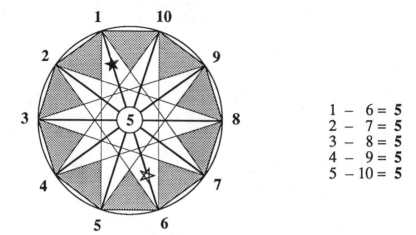

$$1 - 6 = 5$$
$$2 - 7 = 5$$
$$3 - 8 = 5$$
$$4 - 9 = 5$$
$$5 - 10 = 5$$

Fig. 12 : La soustraction des côtés opposés donne toujours 5

Fig. 13 : Les Pentagrammes du bien et du mal

Pourquoi une soustraction ? Nous avons vu* que la soustraction révélait une inertie permettant le dépassement puis l'évolution ultérieure par l'addition.

---

* Pages 54-55.

Dans le schéma des deux Pentagrammes, 1 jouxte 10. Le symétrique 2 indique que Un se reflétant dans 10 crée la dualité et l'opposition.

Par contre, l'inertie de la soustraction provoque une réaction évolutive en obligeant le Pentagramme dirigé par 10 à se retrouver dirigé par le 6. Ce Pentagramme a dorénavant la tête en bas. Le 10 a chuté pour devenir 6 et ce 6 vient naturellement s'opposer au 1. Le «sommet ultime» se retrouve «tête en bas» en 6 pour montrer la chute vers les forces inférieures. «LA ROUE-DE-FORTUNE» (lame 10 du Tarot) tourne à l'envers* (voyez la queue des animaux accrochés à la roue, page 87) décrivant l'involution, la réincarnation, mais aussi le désir de revenir au point de départ.

La chute de 10 entraîne l'évolution d'où addition. En effet, le désir d'intégration et d'unification des deux Pentagrammes apparaît dans l'addition des nombres des sommets situés sur le même méridien, à égale distance d'un axe de symétrie passant entre 1 et 10. Leur addition donne toujours 11 (fig. 14).

11 («LA FORCE» dans le Tarot) nous pousse à sortir du cycle de 10 dans un désir de réintégrer l'Unification supérieure. Les nombres de 11 à 22 nous en donnent les moyens**.

---

*   tourne à l'envers :
    Le Tarot apparaît officiellement dans la période médiévale. Certains auteurs remarquent que ce mot viendrait du mot «rota» signifiant «roue». Il faut signaler que le français s'écrit de gauche à droite, alors que par exemple l'hébreu et l'arabe se lisent de droite à gauche. Bien que nous soyons persuadés que le Tarot est l'expression en images symboliques de la Kabbale hébraïque exposant ésotériquement la Torah et que la lecture du mot Tarot à la mode hébraïque : de droite à gauche donne bien Torat, nous respectons le sens de la lecture de gauche à droite. Par conséquent, l'évolution des lames se fait dans le sens des aiguilles d'une montre. Cette conviction dans l'orientation du Tarot nous est confirmée par la base même du symbolisme de l'époque qui veut que tout ce qui se situe à gauche dans un symbole soit passif et ce qui est à droite soit actif. L'étude détaillée de chaque lame du tarot corrobore cette opinion.

**   cf. *Le livre du tarot, la clef de l'évolution.*

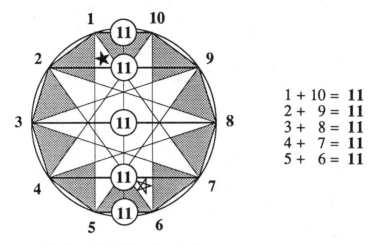

$$1 + 10 = 11$$
$$2 + 9 = 11$$
$$3 + 8 = 11$$
$$4 + 7 = 11$$
$$5 + 6 = 11$$

**Fig. 14 : L'addition des côtés
parallèles donne toujours 11**

Nota :

Signalons que la Kabbale identifie très bien ce phénomène en affirmant que la chute des anges conduits par Lucifer
était de la lumière sacrée, échappée du vase sacré et qu'elle était
destinée à y retourner.

La réintégration se réalisera lorsque la tête du Pentagramme 6 se sera redressée comme elle était à l'origine lorsqu'elle était dirigée par le 10 : lorsque le côté animal de l'homme
se sera divinisé, alors la lumière d'en bas réintégrera le vase
sacré.

Cependant, la tête 6 ne peut redevenir 10, puisque c'est
justement le côte à côte 1 et 10 qui a provoqué la division et
l'évolution, mais aussi l'inversion des deux Pentagrammes. La
réintégration aura lieu lorsque les deux Pentagrammes fusion-
neront en un Hexagramme (voir fig. 19, page 106) exposant la
totalité du Tout unifié, lorsque le bas se connaîtra par le haut et
quand le haut se connaîtra par le bas afin de matérialiser le UN
(il sera symbolisé par le nombre $7 = 1 + 2 + 3 + 4 + 5 + 6 + 7 =
28 = 10 = 1$).

La réintégration sera toujours possible tant que la division des forces sera freinée par les lois divines. C'est pour cette raison que la soustraction des deux Pentagrammes fait apparaître le nombre 5 symbolisé dans le Tarot par «LE PAPE». Ce dernier représente les lois divines dans la matière tentant de conjurer les forces du mal.

Ainsi les deux Pentagrammes inversés (fig. 11, page 90), 6 en opposition avec 1, symbolisent les forces d'en haut et les forces d'en bas, plus communément appelées le bien et le mal. Le Sepher Yezirah le confirme au **premier** chapitre, section **4. Un** pour l'Unité et **quatre** pour la réalité matérielle :

«La décade sortie du néant a les dix propriétés infinies suivantes :

1 - L'infini du commencement,
2 - L'infini de la fin,
3 - L'infini du **bien**,
4 - L'infini du **mal**,
5 - L'infini en élévation,
6 - L'infini en profondeur,
7 - L'infini à l'Orient,
8 - L'infini à l'Occident,
9 - L'infini au Nord,
10- L'infini au Sud.»

À la lumière des principes exposés au paragraphe 7 ci-dessus, nous savons que l'autopénétration de l'Unité dualiste installe la sphère infinie de son développement dans laquelle se répand sa diversité infinie en restant à l'image de l'Unité. Cette sphère, image de zéro, est déterminée dans toutes les directions de l'espace. C'est aussi celle du Soleil, symbole de vie et de lumière créatrice de l'Univers.

Mais dès qu'on annonce théoriquement* le commencement et son enchaînement vers l'inévitable fin, jaillit la notion de

---

* Le commencement est théorique... puisqu'il n'y en a jamais eu. L'idée de commencement impose celle de l'autogénération éternelle et infinie de 1 en lui-même.

bien et de mal qui élève ou abaisse, d'où «l'infini en **élévation**» (alinéa 5) et «l'infini en **profondeur**» (alinéa 6). Les forces de contraction ramènent à l'origine, les forces d'extension propulsent vers la finalité, le tout dans l'équilibre cyclique éternel.

Des deux Pentagrammes, l'un identifie le mal (sommet ultime vers le bas) et l'autre le bien (sommet ultime vers le haut).

Revenons aux deux Pentagrammes **inscrits** dans le Décagramme. Qu'avons-nous fait ? Simplement respecter le Sepher Yezirah :

> «Dix sont les nombres sortis du néant, dix et non neuf, dix et non onze. Saisis cette Grande Sagesse, pénètre cette Connaissance. Exerce ton esprit sur les dix, cherche, note, pense, imagine, rends les choses évidentes et reconduis le créateur à son trône.»
>
> (chapitre 1, section 3)

Dont acte ! Reconduisons le créateur à son trône. Et en cela l'évidence du texte devient lumière. L'allusion à la décade sortie du néant qui serait analogue à celle des dix doigts de la main ou des dix orteils de l'homme saute aux yeux.

Le Sepher Yezirah dit :

> «La décade sortie du néant est analogue à celle des dix doigts ou des dix orteils de l'homme en ce que **cinq sont parallèles à cinq**.»
>
> (chapitre 1, section 2)

Observez l'une de vos mains. Ouvrez-la de telle manière que le petit doigt se trouve dans le prolongement du pouce ou qu'il fasse entre eux un angle de 180° (se reporter à la fig. 15, page suivante). Que voyez-vous ?

Entre chaque doigt à l'exclusion du pouce apparaît approximativement l'angle «ß» qui est l'angle au sommet de chaque pointe du Pentagramme et entre l'index et le pouce se dessine l'angle «å» marquant l'ouverture entre chaque branche du Pentagramme. La main s'identifie bien au Pentagramme.

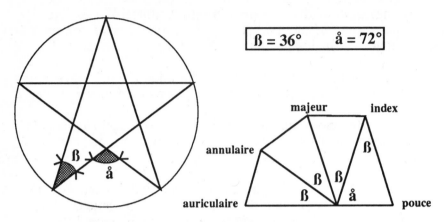

**Fig. 15 : Comparaison entre les angles du
Pentagramme et ceux des doigts d'une main**

Maintenant, regardez vos deux mains et que voyez-vous ?

Chaque pouce de chaque main, orienté à l'extérieur, dirige quatre doigts. C'est une bonne représentation de l'Unité dualiste dont les deux facettes dirigent deux réalités **4**.

À partir du pouce comme point de départ, comptons sur chaque doigt de 1 à 5 puis passons à l'autre main. Pour retrouver l'unité (le pouce), il faut **inverser** l'autre main sinon nous devrions passer d'abord par l'auriculaire 5. Cette inversion est bien indiquée dans le Décagramme par l'opposition des deux Pentagrammes.

Elle correspond à la torsade du ruban de Möbius qui «inverse» une extrémité. La division (10 en 5 + 5, l'unité divisée...) reconduit à l'Unité et non plus à la séparation en deux anneaux*. Il s'agit de savoir concrètement comment l'être humain peut retrouver l'Unité originelle en... s'inversant.

Maintenant, «au centre», entre les deux mains dont l'une est inversée, faisons «l'alliance avec la seule Unité». Cette seule Unité a été placée au centre du cercle au début de la démons-

---

* Voir page 63.

tration. Serrons les deux mains et établissons un pacte ou, en d'autres termes, entrecroisons les deux Pentagrammes pour les unifier. Nous obtenons l'Hexagramme (fig. 19, page 106), le Sceau de Salomon, la marque d'alliance de Dieu et d'Abraham*.

Du Pentagramme symbolisant le microcosme, nous passons à l'Hexagramme symbolisant le macrocosme. L'homme s'est déifié en rejoignant la seule Unité et en y participant «consciemment» par le mot de la langue et le rite d'Abraham.

Le rite d'Abraham, c'est la circoncision qui, chez les Hébreux, fait sortir l'homme de l'état animal : le Pentagramme **inversé** dont le sommet vers le bas subit la domination des instincts** s'élève pour fusionner avec l'autre Pentagramme et réaliser la vraie fusion du haut et du bas dans l'Hexagramme.

C'est effectivement le Pentagramme au sommet ultime dirigé vers le bas qui peut enclencher le mécanisme dynamique de la fusion car seule la matière possède le dynamisme actif, contrairement à l'Absolu qui ne détient qu'un dynamisme passif.

La circoncision nous projette aussi dans la créativité qui fait de l'homme un créateur à l'image de Dieu. La sexualité permet d'engendrer la vie non comme l'animal en rut dominé par l'instinct de reproduction, mais comme un être libre qui a créé l'Amour pour le besoin d'aimer et de s'élever dans l'harmonie parfaite avec le Tout en étant désormais le centre, l'Unité.

La fusion des deux Pentagrammes symbolise alors l'union complémentaire de la Femme et de l'Homme : deux cœurs, deux esprits, deux Âmes dans l'abandon total des corps enlacés fondent la vie d'un enfant en Amour et pour l'Amour. L'alliance est établie, l'Hexagramme en est le témoin et le Créateur rétablit sur son trône le garant.

Revenons au texte, car un point obscur demeure. Pourquoi le Sepher Yezirah se permet-il une redondance :

---

*   Tome I, p. 70.

**   Tome I, p. 62.

> «La décade sortie du néant est analogue à celle
> des *dix doigts* ou des *dix orteils* de l'hom-
> me...»
>
> (chapitre 1, section 2)

Nous avons maintes fois répété que rien n'existe en dehors de l'Unité et que par conséquent tout ce qui est à l'extérieur
ou à l'intérieur constitue une seule et même chose dépendant de
l'Unité dualiste. Or, si l'homme peut inverser ses mains de telle
sorte que les pouces soient tantôt à l'intérieur, tantôt à l'extérieur, il n'en va pas de même pour les pieds.

Les gros orteils sont toujours dirigés vers l'intérieur, indiquant la cristallisation, la condensation, le solide qui soutient,
mais aussi le contact permanent avec les énergies vitales issues
des forces telluriques de la matière. Les mains peuvent s'ouvrir à
la fois vers le haut pour capter l'énergie cosmique et vers le bas
pour la répandre. Ainsi l'Homme fait le pont entre le bas et le
haut. Mais il demeure libre de les orienter constamment vers le
bas et de devenir l'esclave des forces qu'il a déclenchées.

Il n'en reste pas moins que mains et pieds «liés» sont à
égalité, autrement dit que ni le haut ni le bas n'est supérieur à
l'autre car tous deux dépendent de l'Unité dualiste.

Les paroles de Jésus dans l'Évangile selon saint Thomas[*]
confirment la démarche du Sepher Yezirah :

> «Jésus vit des petits qui tétaient.
> Il dit à ses disciples :
> Ces petits qui tètent sont comparables
> à ceux qui vont dans le Royaume.
> Ils lui dirent :
> Alors, en étant petits,
> irons-nous dans le Royaume ?
> Jésus leur dit :

---

[*] Logion 22.

Quand vous ferez le deux Un
et le dedans comme le dehors,
et le dehors comme le dedans,
et le haut comme le bas,
afin de faire le mâle et la femelle
en un seul
pour que le mâle ne se fasse pas mâle
et que la femelle ne se fasse pas femelle,
quand vous ferez des yeux à la place d'un œil,
et une main à la place d'une main,
et un pied à la place d'un pied,
une image à la place d'une image,
alors vous irez dans le Royaume.»

Traduire : Quand les deux Pentagrammes symbolisant la dualité de toutes choses auront fu-
sionné dans l'homme pour faire **deux en**
UN, alors apparaîtra l'Hexagramme (fig.
19, page 106) délimitant le Décagramme,
symbole de l'immensité dans laquelle se
cristallise l'Unité dualiste.

Observons encore les deux Pentagrammes dans le Décagramme (page 90). Les deux unités directrices sont 1 et 6 dont
l'addition donne le mystérieux 7, symbolisant la maîtrise de
l'Esprit (3) sur la matière (4) ou tout simplement la puissance de
l'union du Pentagramme spirituel avec le Pentagramme matériel.

À l'instant même où l'autopénétration de l'Unité dualiste
engendre 1 et 10, Tout 1 et Rien 10, dès l'instant où 10 donne
vie à deux Pentagrammes, les nombres se divisent en deux catégories : les nombres impairs et les nombres pairs.

Le Pentagramme au *sommet ultime* dirigé vers le haut,
symbole du pouvoir créateur par 1 qui le dirige, est constitué des
nombres 1-3-5-7-9. Le Pentagramme au sommet dirigé vers le
bas, symbole de la force unificatrice du haut avec le bas par 6
qui le dirige, est constitué des nombres pairs 2-4-6-8-10.

Les nombres pairs, symboles de passivité et de réceptivité extérieure, sont actifs de l'intérieur. Les nombres impairs
sont actifs à l'extérieur et passifs de l'intérieur.

• Exemples...

2   passif dans la réceptivité de 1 lui permet de féconder activement 3.

4   la matière passive, soutient mais devient terriblement active pour engendrer la vie.

6   l'équilibre, établi par les deux triangles qui le composent, est terriblement actif dans son désir intérieur de créer la vie. Ce n'est pas un hasard s'il représente la jeunesse et la poussée hormonale de l'adolescence.

• Alors que...

3   l'esprit est actif dans l'élaboration des concepts, mais passif dans l'attente de la matérialisation 4.

5   qui délimite les forces de contraction et d'extension de l'univers, a besoin d'une attention active permanente, alors qu'à l'intérieur, dans les limites infinies qu'il impose, il doit laisser les énergies se combiner pour créer la multiplicité.

Les nombres impairs forment le flux et préparent le reflux. Les nombres pairs forment le reflux et préparent le flux.

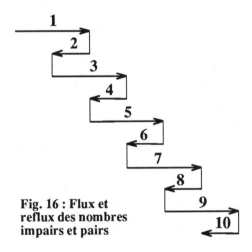

Fig. 16 : Flux et reflux des nombres impairs et pairs

L'analyse des nombres pairs et impairs sort du cadre imparti à cet ouvrage mais nous pouvons souligner qu'ils s'opposent et se complètent conformément aux axiomes énoncés :

- l'Univers n'existe qu'en fonction de l'opposition complémentaire de ses contraires.

- le moteur du Cosmos fonctionne grâce à l'énergie de ses oppositions.

Partant de ces principes, il relève de la pure hérésie de pratiquer dans un **système ordinal** une simple addition des pairs et des impairs comme s'il s'agissait d'un système cardinal. Dans le système ordinal, confondre l'homme et la femme est une absurdité car chacun constitue une unité dans deux ordres différents. Mais de leur addition **cardinale** jaillit la puissance créatrice engendrant un enfant.

* *
*

Résumons !

La dynamisation de l'Unité dualiste met en place *simultanément...*

- Tout et Rien, 1 et 0...

- dont la puissance de création par le triangle révèle ...

- le Pentagramme ou l'Homme double à l'image de l'Unité dualiste (**microcosme/macrocosme**) et qui matérialise...

- l'Hexagramme ou l'alliance de l'Unité dualiste avec l'Homme placé au cœur du...

- Décagramme conformément à sa dualité personnifiant...

- 1 dans 0 de façon dynamique et évolutive.

Que vaut l'ordre des figures géométriques : le Triangle vers le Pentagramme et l'Hexagramme, puis le Décagramme vers les deux Pentagrammes et l'Hexagramme ? Il ne faut pas perdre de vue que toutes ces figures existent et communiquent simultanément. Décider d'un ordre, c'est affirmer un commencement (d'où l'erreur des créationistes). L'ordre est personnel à celui qui effectue une recherche particulière, il sert d'instrument et non de but en soi.

On pourrait, par exemple, partir de l'Hexagramme et découvrir le Triangle et simultanément le Pentagramme, lui-même relié au Triangle, puis le Décagramme... Et les créationistes de s'écrier: «L'Hexagramme a tout créé». Mais il n'en n'est pas moins établi et irréfutable que UN est l'unique. Tout existe en lui, rien n'existe hors de lui. Il est l'UNIQUE CHIFFRE de tous les nombres. Le reste n'est que littérature pour appréhender la compréhension de notre unité, l'UNIQUE, l'unique UNITÉ DUALISTE dont nous sommes individuellement l'image parfaite.

La boucle est bouclée. Le serpent se mord la queue. Les nombres peuvent se matérialiser pour expliquer le tout. Les nombres pairs et impairs naissent de cette boucle infinie d'où semble s'échapper le 11 à l'origine de la spirale de l'éternel retour sans cesse différent du précédent. Retour symbolisé dans les études à venir par le nombre 22 qui ramène à 0 et 1. Le premier cycle apparent de 1 à 10 retourne à 0. Mais il s'enchaîne aussi sur un deuxième cycle qui retourne à son tour à un autre 0. Les deux 0 apparents mais indissociables s'autoforment dans 8. L'intérieur du premier 0 est l'extérieur de l'autre et vice versa, comme le ruban de Möbius à l'image de l'infini ∞ cyclique, l'infini de «l'autre monde» du nombre 22, double de 11.

Terminons par la magie du Tarot qui montre que 11 est bien un nouveau départ, vers une nouvelle fécondité des nombres jusqu'à 22.

Les personnages des lames 1 (LE BATELEUR) et 11 (LA FORCE) portent un chapeau en forme d'∞. (Remarquez que le chapeau de «LA FORCE» est construit en fonction d'une forme infinie matérialisant une spirale tel qu'indiqué plus haut). Le nombre dans son aspect 1 est symbolisé par un homme (principe pénétrant fécondeur), dans son aspect 11, par une femme (principe pénétré fécondant). «LE BATELEUR» dispose les outils de la création sur sa table, tandis que la Force en exprime la puissance par la maîtrise de la femme sur le lion, principe énergétique.

15. SUJETS DE RÉFLEXION POUVANT FAIRE L'OBJET DE DÉVELOPPEMENTS ULTÉRIEURS ET DE MÉDITATION...

• Hexagramme et nombre 6

Nous avons vu* que le nombre 6 a pour véritable symbole deux triangles en **opposition**, alors que deux triangles **enlacés** symbolisent le nombre 7. Or 7 n'est pas apparent mais sous-jacent, puisque seule l'addition des nombres des sommets opposés révèle sa présence (fig. 17). On retrouve le même dilemme géométrique dans l'Unité dualiste en dynamique 10, c'est-à-dire symbolisé par 10. Mais le point dans le cercle est le symbole de loin le mieux adapté (fig. 5, page 87).

---

* Tome I, p. 70.

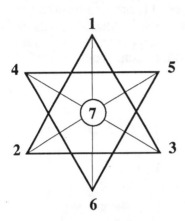

Fig. 17 : la somme des côtés opposés donne 7

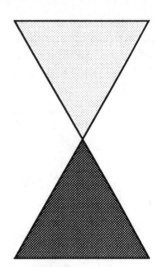

Fig. 18

Certes la tradition ne se perd point, mais le sens des symboles s'émousse. Le point dans le cercle symbolise communément le Soleil, source de toute vie, équilibre de tout système stellaire. Sa lumière est le produit de l'équilibre entre les forces d'extension et de contraction que l'on peut représenter par deux triangles en opposition instable. Or la force d'extension est à l'origine de la vie par ses photons car le feu embrasant l'univers résulte de l'autopénétration de 1 en lui-même matérialisant 0. Le Soleil est en équilibre dynamique, comme 1 dans 0, parce qu'une volonté constante contrôle et maîtrise le phénomène : l'Unique Unité dualiste.

Rien d'étonnant à ce que l'on ressente la présence permanente de l'Unité-Point lorsque le point 1 dans 0 révèle deux Pentagrammes fusionnés en Hexagramme (fig. 19, page 106). C'est la même chose pour 6 symbolisé par deux triangles (fig. 18). Lorsqu'ils s'équilibrent en Hexagramme, 7 apparaît (fig. 17). En clair, 7 est indissociable de 6 comme 3 de 4. Mais si 4 matérialise la pensée 3, 7 peut rester sous-jacent car il ne se révèle qu'à celui qui transcende l'intérieur ou le centre de lui-même.

C'est pourquoi l'autocréation biblique, décrite en six jours, se déroule en UN seul et véritable jour qui dure l'éternité.

Le septième réservé au Seigneur impose le Sabbat pour amener l'Homme, créé en six jours, à trouver son centre intérieur 7, la maîtrise totale de l'être à l'image de l'Unité dualiste autorévélée.

L'addition théosophique de 7 donne :

$$7 => 1 + 2 + 3 + 4 + 5 + 6 + 7 = 28 = \mathbf{10} = \mathbf{1}$$

7 caché dans 6 fait rejaillir dans ce dernier toute la beauté de l'Unité comme l'Homme est la beauté de l'UN éternel, Dieu. Mais il revient toujours à L'Homme de révéler Dieu.

* *
*

On a vu, page 84, que la division de 10 donne le premier 5 en tant que 5 et le second en tant que 6, *dans le système ordinal évidemment*. Parallèlement à cette division débute l'évolution des nombres au-delà de 10 par l'addition $5 + 6 = 11$:

$$\mathbf{1}\ 2\ 3\ 4\ \mathbf{5}\ \|\ 6\ 7\ 8\ 9\ \mathbf{10}$$

Il ne faut pas confondre la symbolique de l'évolution numérale de 1 à 22 qui «structure» l'Univers et celle qui lui donne naissance, les **dix premiers nombres**, les **émanations** ou **Sephiroth** des Kabbalistes. Mais puisque les Sephiroth engendrent les autres, il est naturel de découvrir des interactions.

Ainsi, 6 (fig. 19) est représenté par un Hexagramme formé de deux triangles $3 + 3 = 6$, mais aussi de deux Pentagrammes $5 + 5 = 10$. Alors 6 vaut-il 6 ou 10 ? Il vaut bien 6, mais sa «forme» symbolique le rattache à 10 qui est l'expression «dynamique» de l'Unité dualiste.

Comme il est composé de deux Pentagrammes 5 et 5, son existence est intimement liée à leur union. Lors de leur fusion l'un dans l'autre, il se retrouve de fait AU CENTRE DE 10, AU CŒUR de l'Unité dualiste. Il devient la LUMIÈRE qui jaillit de l'autopénétration de 1 donnant 0, rapproche les contraires complémentaires et opposés, il marie 1 à 0, assure l'UNIFICATION du TOUT dynamique de l'Unité dualiste exprimé par 10. Il permet encore aux Pentagrammes féminin et masculin de fusionner pour que de leur rencontre naisse l'AMOUR. Il réconcilie les contraires 5 et 5 et assure la TRANSITION entre les deux Hé du nom de Dieu, Y.H.V.H. (יהוה).

Nombre ou figure, 6 LIE les opposés par besoin d'équilibre : c'est l'Alliance du Sceau de Salomon, l'Étoile à six branches. On le retrouve au cœur de l'Arbre de Vie (fig. 20) sous le nom de Tiphéreth (sixième séphérah) signifiant ornement, parure, beauté, magnificence.

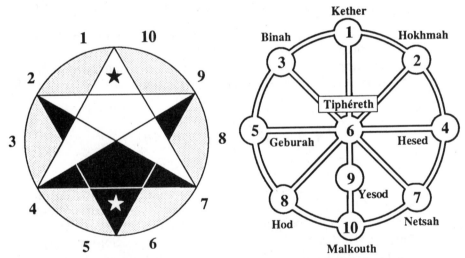

Fig. 19 : La fusion des 2 Pentagrammes en un Hexagramme

Fig. 20 : Roue séphirotique des kabbalistes

Mais 6 est aussi crochet d'unification comme la sixième lettre Vav, comme la conjonction «et» ! D'où vient l'énergie qui l'anime ? Qui se cache derrière l'étoile à 6 branches ?

Dieu dans le JE SUIS אהיה donne 21 par valeur ordinale.

L'addition théosophique de 6 donne :

$$6 = 1 + 2 + 3 + 4 + 5 + 6 = \mathbf{21}$$

Rapprochons encore אר (א = 1 et ר = 20 —> 2 + 1 = 21). אר (ar) forme la racine de אור (aur) dont le cœur contient Vav (sixième lettre). אר et אור signifient éclairer, répandre la lumière, allumer, brûler, flamme, feu... mais surtout, soleil, matin, éclat ... ou bonheur. אר apparaît dès les premiers versets de la Bible :

«Que la lumière soit, la lumière fut.»

(Genèse 1-3)

«ויאמר אלהים יהי אור ויהי־אור»

La traduction exacte serait :

«Et Dieu dit : sera lumière et lumière EST.»

La création de la Lumière survient au jour UN, seul jour-nombre et non numéro d'ordre comme le sixième jour qui connaîtra la naissance de l'Homme...

... cet Homme symbolisé par le Pentagramme 5.

... cet Homme avec qui Dieu établira son alliance !

• Le nombre 5

Faisons la preuve de l'Alliance de Dieu avec l'Homme 5 en démontrant le bien-fondé de l'inversion dans le Décagramme des deux Pentagrammes de telle manière que 1 dirige le Pentagramme au *sommet ultime* (identifié par un Pentagramme miniature dans les différentes figures) orienté vers le haut et que 6 dirige le Pentagramme au sommet ultime orienté vers le bas.

Reprenons les deux Pentagrammes dans le 0 puis soustrayons et additionnons les côtés respectifs (fig. 21) :

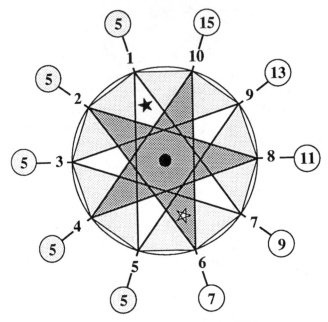

Fig. 21 : La soustraction et l'addition
des côtés opposés des deux Pentagrammes

Soustraction	Pentagrammes		Addition
	Haut	Bas	

5	=	1	<——>	6	=	**7**
5	=	2	<——>	7	=	**9**
5	=	3	<——>	8	=	**11**
5	=	4	<——>	9	=	**13**
5	=	5	<——>	10	=	**15**

Constatons :

- La soustraction donne toujours 5 sur les 5 lignes.
  5x5 ou encore 55, conformément au Sepher Yezi-
  rath qui dit : 5 parallèle à 5.

- L'addition donne 7, 9, 11, 13, 15. Si nous additionnons ces cinq nombres pour les fusionner, nous trouvons :

$$7 + 9 + 11 + 13 + 15 = 55$$

C'est-à-dire 5 et 5, 5 parallèle à 5.

Si, dans le 0 avec 1 au centre, nous mettons face à face 5 et 5 pour permettre le développement du dynamisme évolutif de 1 dans 0, nous constatons que la force d'inertie propre à la soustraction donne 5 en 5. Mais lorsqu'il se dépasse par l'addition, l'association donne encore 55.

Pour maintenir l'Union évolutive possible Dieu-Unité dualiste, 1 passe un pacte avec 6, c'est-à-dire accepte de se lier, de créer un lien, lui l'Unité, avec sa dualité unifiée ou encore, en expression numérologique, le lien de 1 avec 2... le lien de l'Unité avec son propre vide récepteur qui donne 12. 1 en 2 se liant est symbolisé dans le Tarot par «LE PEN-DU», symbole d'attachement.

Montrons que l'alliance du 5 et du 5 est possible en isolant 1 et son pacte 6 :

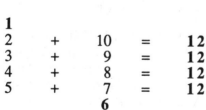

$$
\begin{array}{lllll}
\mathbf{1} & & & & \\
\mathbf{2} & + & 10 & = & \mathbf{12} \\
\mathbf{3} & + & 9 & = & \mathbf{12} \\
\mathbf{4} & + & 8 & = & \mathbf{12} \\
\mathbf{5} & + & 7 & = & \mathbf{12} \\
& & \mathbf{6} & &
\end{array}
$$

Maintenant regardons l'addition théosophique de 5 :

$$5 = 1 + 2 + 3 + 4 + 5 = \mathbf{15}$$

Dès qu'apparaît l'Homme, surgit «LE DIABLE» (lame 15 du Tarot).

La lumière qui se manifeste concrétise les ténèbres. Pour l'Homme, le terme «lumière» n'est pas exagéré. L'Unité décide de s'autopénétrer. Apparaît la dualité 1 et 0, Tout et Rien, Vide et Plein symbolisé par 10. L'Homme qui résout sa dualité (deux Pentagrammes) devient l'Hexagramme portant sa BEAUTÉ d'ÊTRE mais aussi sa LUMIÈRE intérieure ouvrant la porte à la divinité 21 = A.H.Y.H (אהיה) du JE SUIS.

LE·DIABLE

L'autopénétration de 1 dans 0 a créé le feu embrassant le désir de recomposer l'être original, l'Unité dualiste. Le feu est la lumière qui embrasse l'univers. Or l'addition théosophique de 10 donne :

$$10 = 1 + 2 + 3 + 4 + 5 + 6 + 7 + 8 + 9 + 10 = 55$$

- D'où 5 parallèle à 5, conformément au Sepher Yezirah.
- D'où 55 = 10 par 5 + 5 et qui ramène à l'Unité par 1 + 0 = 1.

On retrouve encore l'unification des deux Pentagrammes 5 et 5. Le corps spirituel et matériel ramène à l'Unité de l'être.

LE RETOUR NE PEUT AVOIR LIEU QUE PAR UN ACTE D'AMOUR LUMINEUX, acte de fusion embrassant l'être transmuté en un Soleil magnifique rayonnant l'harmonie. Le Soleil est, bien sûr, symbolisé par l'Hexagramme résultant de la fusion des deux Pentagrammes. Juste retour des choses en effet puisque la fusion ne peut se réaliser sans la connaissance de l'autre. Chez les Hébreux, connaître a le même sens qu'aimer. Car vouloir aimer, c'est connaître. Connaître l'autre, c'est apprendre à l'aimer.

Observez la sixième lame du Tarot. Un magnifique soleil domine la tête de «L'AMOVREVX».

Soleil en hébreu s'écrit «ש מ ש».
«ש» dans le système ordinal est la vingt et unième lettre et מ la treizième. Leur addition cardinale donne : 21 + 13 + 21 = **55**.

L 'AMOVREVX

10 permet donc aux 5 et 5 de s'embraSSer dans une fusion unificatrice d'où jaillit le Soleil de la Vie.

Le Pentagramme-Femme embraSe le Pentagramme-Homme et réciproquement dans une fusion d'Amour d'où jaillit un feu lumineux, un Soleil... l'enfant...

... l'enfant, objet de ce deuxième tome.

16. DU CHROMOSOME À LA CELLULE SOCIALE...

Le concept de l'Unité dualiste est superposable à l'être humain et à la date de naissance. L'homme possède en lui les caractéristiques dites féminines sans être pour autant homme **et** femme. Inversement, la femme détient les caractéristiques dites masculines sans être pour autant femme **et** homme.

L'enfant est une Unité dualiste. Il est conçu par un homme, principe masculin 1 pénétrant qui fournit par le spermatozoïde 1 son chromosome X ou Y et par la femme, principe féminin 0 pénétré qui fournit par l'ovule 0 son chromosome X. Dans un premier temps, le fœtus est conçu androgyne mais lors de sa différenciation sexuelle, il se polarise mâle ou femelle sur le plan du corps mais non sur le plan de la pensée.

C'est le spermatozoïde 1 de l'homme, par la présence ou l'absence du chromosome Y, plus précisément de son fragment SRY (Sex Determining Region Y), qui décide de l'orientation sexuelle et non l'ovule 0 de la femme par son chromosome X.

- le spermatozoïde porte un chromosome **Y** :
l'enfant sera un garçon.
- le spermatozoïde porte un chromosome **X** :
l'enfant sera une fille.

Ainsi, la femme et l'homme recomposent dans le feu de l'amour l'image de l'Unité dualiste et, comme le créateur Y.H.V.H., créent un enfant, lui-même à l'image de l'Unité dualiste. Ce fœtus se différencie physiquement mâle 1 ou femelle 0 et devra plus tard reconstituer l'image de l'Unité dualiste avec son complément... Ainsi va la vie !

Parallèlement, l'être, image de l'Unité dualiste, possède en lui la dualité de son Unité. Il doit s'autopénétrer pour découvrir ses caractéristiques féminines 0 passives et masculines 1 dynamiques et retrouver *consciemment,* en se fécondant, l'unification de sa dualité.

Ces concepts sont bien résumés dans la date de naissance. Le **mois** symbolise le MOI, l'Unité psychologique dualiste de l'enfant (que nous retrouverons dans la figure androgyne Yin et Yang). L'enfant devra découvrir sa polarité 0 par sa mère (correspondant au **jour**) et sa polarité 1 par son père (représenté par l'**année**), grâce aux interactions vécues-subies-agies avec ses parents ou ses représentants. Il ressentira son féminin-sensitif et son masculin-dynamique en lui MAIS c'est à la puberté seulement que s'opérera (ou non !) la différenciation physiologique et psychologique fixant définitivement son appartenance féminine ou masculine en fonction de son sexe chromosomique.

Cela n'enlève rien à la féminité sensitive et à la masculinité dynamique de tout individu puisque le principe de vie de l'Unité dualiste universelle fait naître l'enfant et le différencie en homme ou femme. La nouvelle donne, la nouvelle montée de vie survient à la puberté qui pousse à chercher sa complémentarité dans le sexe opposé de telle sorte que, de la rencontre, se dessine l'image nouvelle et sans cesse renouvelée de l'Unité dualiste dans l'enfant. Cette quête prédispose l'individu sur le plan supérieur de l'au-delà, après sa mort, à fusionner avec sa véritable Âme sœur, fusion sublime dans laquelle Dieu se reconnaît Unité dualiste unique.

L'adolescent devenu Femme ou Homme devra dorénavant et pour lui-même trouver ou retrouver un équilibre nouveau en fonction de sa féminité sensitive et de sa masculinité dynamique afin de s'assumer en tant que Dieu créateur dans ce monde de matière : la Personnalité extérieure affirmera l'identification sociale du Moi comme être unique et autonome, facette unique de l'Unité dualiste.

*　*
*

CHAPITRE II

RAPPELS
TECHNIQUES

La structure humaine

Nous avons abordé dans le premier tome de cette série les notions fondamentales de la numérologie à 22 nombres, en particulier l'élaboration du MOI chez l'enfant. Il m'apparaît indispensable d'en rappeler l'essentiel.

Les écoles ont toutes leur vocabulaire. Loin de les opposer, il faut les compléter. Le langage transcrit imparfaitement les concepts, d'où leur apparente opposition, leur incompatibilité sémantique. Qu'à cela ne tienne ! Faisons table rase de toutes significations antérieures et acceptons le jeu de nos définitions. Libre à chacun par la suite de transposer les sens et les mots pourvu que la construction reste cohérente.

L'Homme ou le genre homo, où qu'il se situe sur une quelconque planète de l'Univers, est l'image-reflet réelle de l'Unité dualiste. Unique il l'est, parce qu'il est le seul être doué de cette pensée abstraite qui permet de concevoir la dualité fondamentale d'un Vide absolu dans lequel «est/évolue» un Tout de Matière.

Ce Rien absolu correspond à l'*Immobile* et le Tout de Matière au *Mouvant*. D'où l'aphorisme :

«L'*Immobile* se connaît par le *Mouvant*.»

L'Homme permet à l'*Immobile* de se connaître par le *Mouvant* parce que lui-même est composé de cette dualité fondamentale sous la forme...

- d'un JE issu de la vitalité personnalisant le *Mouvant*.

- d'une Âme issue de l'Absolu personnalisant l'*Immobile*.

Le JE et l'Âme se reconnaissent l'un l'autre par l'intermédiaire d'un agent de liaison, un central informatique, le cerveau. Par ses propriétés physiologiques, le cerveau engendre une énergie pensante dirigeant le concept psychologique du Moi. Le Moi est le moyen dont dispose le *Mouvant* pour que l'*Immobile* se connaisse à travers lui.

Seul le Moi évolue dans le *Mouvant*. Il subit l'alternance de la dilatation et de la compression de la vie au cours de ses transformations. L'usure du temps déstructure le cerveau : perte de mémoire, lenteur de raisonnement, problèmes neurologiques et enfin mort de la machine humaine qui lui a insufflé son énergie.

Le rôle du Moi ?

Permettre au JE (aussi nommé : Maître intérieur) **de prendre sa véritable place dans sa demeure.**

Le JE à la naissance est à l'image d'un enfant qui grandit dans sa conscience d'être (sans évoluer pour autant) avec l'aide de son précepteur, le Moi, jusqu'à la maturité, lorsqu'il se révélera apte à prendre en charge son royaume. Le JE recomposera alors avec l'Âme l'image parfaite de l'Unité dualiste qui le conduira vers d'autres dimensions unitaires.

Le JE, même s'il est l'élément primordial issu du *Mouvant*, n'évolue pas, car c'est la conscience d'être Soi et pas un autre sans avoir besoin de penser pour le savoir. C'est la même conscience d'être qui est nôtre, enfant, adolescent, adulte et qui sera la même dans la vieillesse... ou après la mort. Le bonheur, le malheur, la plénitude physique ou la maladie, l'élévation de l'esprit ou la déchéance, rien, absolument rien n'enlèvera à un individu sa notion d'être.

Le rôle du Moi est de permettre au JE de se concevoir. Sa révélation à lui-même passe inévitablement par le Moi. Le JE s'actualise et se conscientise grâce au Moi. Mais le Moi doit aussi préparer le JE à désirer recomposer dynamiquement avec l'Âme, élément passif, une Unité dualiste lors du passage post-mortem. Encore faut-il que le Moi en soit informé et qu'à son tour il en informe le JE !

Le Moi y parviendra parce qu'il connaît la différence de chaque chose par la loi des contraires qui lui permet de raisonner et de comprendre qu'il subit deux pressions : celle de l'observateur qui perçoit le *Mouvant* par l'*objectif* des cinq sens et celle de l'Âme exprimant *subjectivement l'Immobile*.

Le Moi communique au JE la notion consciente du *Mouvant*. Dans son éveil dynamique, le JE la retransmet à l'Âme et par le fait même fusionne avec elle. Le JE et l'Âme issus des deux grands principes de l'Univers, la Matière (le *Mouvant*) et le Vide absolu (l'*Immobile*) se révèlent Unité dualiste par l'autre.

L'**Ego** est la conscience cellulaire du corps humain. L'Ego du plus beau mannequin du monde n'est à tout prendre qu'un tube digestif. Mais cette conscience prend sa valeur lorsqu'elle se révèle à travers les cellules du cerveau qui peuvent exprimer la pensée. L'Ego est la conscience animale, vitale, générale du corps. Le **Moi** ou Conscience cérébrale est la pensée-consciente-animale-vitale spécifique au cerveau.

Le véritable Maître intérieur qui doit s'éveiller et prendre possession de sa demeure, c'est le **JE**.

Comment va-t-il s'éveiller pour *prendre conscience CONSCIEMMENT de sa conscience d'être sans avoir besoin d'y penser ?*

Par le Moi ! Détruire le Moi, c'est détruire l'outil qui permet d'aller à SOI. SOI ? Le JE va s'éveiller à SOI, s'actualiser et se conscientiser (sans évoluer, sans se transformer) en utilisant obligatoirement les moyens originaux du Moi. D'où l'expression :

«Le JE, c'est la conscience d'être SOI et pas un autre.»

Le Moi est un assemblage de composantes sociales souvent contradictoires qui permet de nous définir par rapport aux autres. Il comprend nos craintes, nos fantasmes, nos perversions, mais aussi notre savoir, nos croyances et nos moyens d'expression. Le Moi a du «bon» et du «mauvais» en lui. Si on lui retire l'inutile et si on ne conserve que l'indispensable à la Conscience cérébrale, il reste une Unité psychologique de base tout juste capable de faire la distinction entre deux personnes : le SOI.

Éveiller le Maître intérieur (JE) pour l'actualiser et le ramener à la Conscience, c'est l'habiller du SOI. Le Soi donne au JE sa forme sur le plan de la raison.

Si le JE comme l'Âme ne peuvent se définir par des traits de psychologie, l'élément du Moi qui subsiste dans l'éveil du JE est le SOI ou PERSONNALITÉ PROFONDE.

Résumons :

- **L'Ego :**   Conscience cellulaire générale du corps humain.

- **Le Moi :**   Conscience des neurones permettant d'appréhender consciemment sous forme de processus de pensée le monde environnant.

- **Le Soi :**   Partie la plus profonde du Moi encore identifiable en termes de psychologie. Il constitue la Personnalité profonde qui conceptualise le JE.

- **Le JE :**   Conscience d'une existence supérieure, permettant à l'individu de savoir qu'il est lui sans avoir besoin d'y penser. C'est le véritable Maître intérieur, l'enfant qui sommeille en nous.

La trilogie évolutive de l'être humain s'articule autour de deux points fixes, le JE et l'Âme, et un point évolutif, le Moi. Le Moi est lui-même une trilogie : la Personnalité profonde (le Soi) la Personnalité extérieure (plus connue sous le terme Personnalité) et le Moi lui même... qui sont en fait trois facettes de la conscience.

* *
*

On ne peut définir le JE et l'Âme par des traits de psychologie. Ce sont des principes «énergétiques» identifiés par les concepts de *Mouvant* et d'*Immobile* qui fusionnent sur le plan de la conscience grâce au Moi. À la naissance, le Moi est vierge de toute impression. Il se développe en même temps que la conscience dans le centre cybernétique qu'est le cerveau, grâce à la tutelle de la mère et du père.

Nous pouvons codifier ces données dans la structure d'une date de naissance par l'opposition du JOUR et de l'ANNÉE, équilibrés autour du MOIS. Le Moi évolue vers l'affirmation d'une Personnalité extérieure grâce aux parents, seules références qu'a l'enfant pour développer ses caractéristiques féminine et masculine.

* *
*

La structure
de
la date de naissance

A. LA STRUCTURE GÉNÉRALE DE LA DATE DE NAISSANCE

Une date de naissance comprend le JOUR, le MOIS et l'ANNÉE.

Le jour s'identifie à la **lune,** principe attractif dont l'action est symbolisée dans le jeu de Tarot par les gouttes qui montent vers elle.

L'année s'identifie au **soleil,** principe répulsif répandant la vie symbolisé dans le jeu de Tarot par les gouttes qui descendent de lui.

Le Mois se définit par rapport à la Terre ou au Zodiaque représenté par ses douze signes.

Ainsi se dessine une structure d'opposition autour d'un point d'équilibre personnalisant le tout matériel :

JOUR	MOIS	ANNÉE
Lune	Terre Zodiaque	Soleil

D'où l'extrapolation suivante :

JOUR	MOIS	ANNÉE
attraction contraction –	*neutralité* —> neutre <— ∣ v dynamisme	répulsion extension +

En l'adaptant à l'être humain, et sans tenir compte du JE et de l'Âme, nous avons :

JOUR	MOIS	ANNÉE
féminin passif réceptif intuitif	*cerveau* intellect	masculin actif dynamique déductif

128

Retirons le **S** du MOIS ! Apparaît le MOI, résultat de l'activité cérébrale. Le cerveau est constitué de deux hémisphères : gauche logique et droit sensitif. Coïncidence et jeu de lettres facile ? Le cerveau droit élabore une pensée intuitive et le cerveau gauche une pensée déductive. L'ensemble forme la Pensée globale.

L'individu prend conscience dès son plus jeune âge de ces deux aspects et donc de ses caractéristiques féminine et masculine par deux pôles d'énergies contraires mais complémentaires, la Mère et le Père qui permettent au Moi de se développer.

JOUR	MOIS	ANNÉE
Mère féminin	Enfant Moi	Père masculin

Le Moi permet à l'Enfant de comprendre sa dualité, l'*Immobile* et le *Mouvant*. À l'âge adulte, il l'affirmera par son besoin de spiritualité et de réalisation sociale.

JOUR	MOIS	ANNÉE
spiritualité religion	individu	matérialisme société

L'individualité, vierge à la naissance, se développe et se révèle par l'évolution à travers deux pôles contraires et complémentaires. Elle possède en elle-même le potentiel des deux polarités.

L'individualité, identifiée au MOIS, peut être symbolisée par le Yin et le Yang. Le JOUR devient son révélateur Yin et l'ANNÉE son révélateur Yang. L'évolution du Moi révélera la structure suivante :

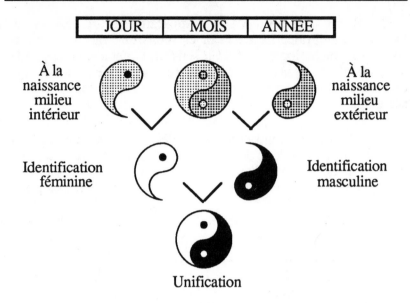

Unification

D'où la structure caractérielle de la date de naissance mise en place dans le premier tome :

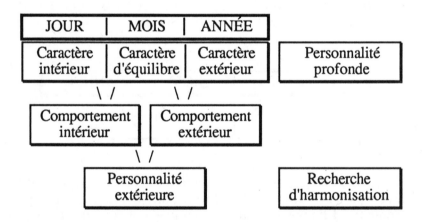

Connaissant maintenant la trilogie humaine (MOI-JE-ÂME), on comprend que le terme *Personnalité profonde* définit en fait le SOI qui va révéler le **JE** qui est l'ensemble des humeurs, des caractéristiques, des inclinaisons profondes.

Le JE est un tout personnalisant la raison d'être du *Mouvant;* on le représente par un cercle noir. L'Âme est aussi un tout et personnalise la raison d'être de l'*Immobile*; on la représente par un cercle blanc. Puisque l'Âme s'incarne dans le JE, l'ensemble des deux cercles reforme un autre symbole du Yin et du Yang. C'est l'heure de naissance qui identifiera l'Âme (elle sera traitée dans un autre volume). Le Soi demeure l'*enveloppe* qui englobe le JE et l'Âme.

Le Moi se développe par la connaissance de ses contraires jusqu'à ce qu'il se définisse comme une identité indépendante capable d'affronter la vie. L'affirmation du Moi apparaît donc comme l'affirmation d'un individu par rapport à un autre. C'est une entité sociale qui trouvera sa pleine expression dans la Personnalité extérieure («extérieure» pour marquer la différence avec la Personnalité profonde, Soi).

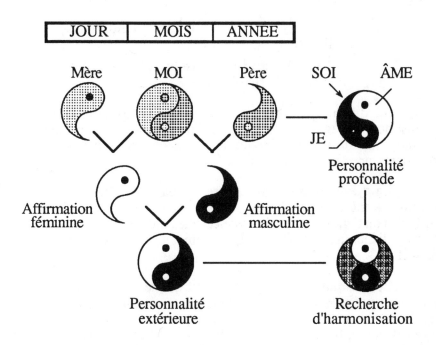

B. LE MASQUE ET LE MIROIR

Reprenons les principes de base du premier tome :

- L'Univers n'existe qu'en fonction de l'opposition complémentaire de ses contraires.
- Le moteur du Cosmos fonctionne grâce à l'énergie de ses oppositions.

L'être humain est un univers microscopique à l'image de l'univers macroscopique et est régi par les mêmes lois. L'opposition du jour et de l'année autour du mois conduit à la structuration d'une date de naissance qui se développe à partir du **Moi** et aboutit via la **Personnalité profonde** à la **Personnalité extérieure**.

Or, tout mouvement induit une force contraire qui s'oppose à lui d'où convergence de deux dynamiques opposées et complémentaires :

- Une **dynamique active** vers l'individualisation personnalisée.
- Une **dynamique passive** alimentant le moteur de l'évolution.

La dynamique *active* se traduit par l'élaboration d'un *Miroir* dont l'image représente ce que l'on est vraiment ainsi que les moyens utilisés pour affronter les problèmes de l'existence et parvenir à une action constructive.

La *dynamique passive* se traduit par l'élaboration d'un *Masque* derrière lequel chacun peut se cacher dans les situations instables ou délicates. Le *Masque* décrit les moyens utilisés pour fuir les difficultés et se donner une contenance sociale... ou personnelle.

Le *Masque* n'est pas plus négatif que le *Miroir* n'est positif. Qui pourrait vivre en permanence avec son double sans perdre la raison ? La vie à sens unique, sans exutoire, conduit au «spleen», à la «déprime», au «burn-out». Le *Masque* est un exutoire pour refaire ses forces, une ligne de défense extérieure qui permet un repli temporaire pour se «ressourcer» avant de reprendre la route. Il est vrai que certains l'utilisent pour fuir la réalité. Mais gardons-nous de généraliser. Bien des individus ne sont jamais aussi à leur aise et productifs que lorsqu'ils sont «ailleurs».

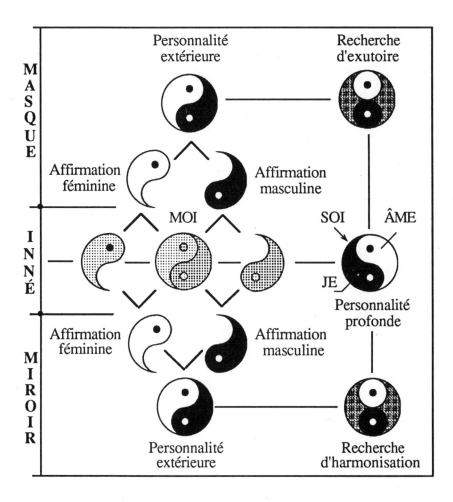

Le calcul explique la différence entre le *Miroir* et le *Masque* : on obtient le *Miroir* par **addition** et le *Masque* par **soustraction** des différents paramètres de la structure de base de la date de naissance.

L'énergie intrinsèque
des nombres

LES NOMBRES NE SONT NI BONS NI MAUVAIS EN SOI.

Chaque nombre a une énergie intrinsèque selon son rythme et sa séquence d'apparition. Le 1 est **UN** parce qu'il occupe la première place ordinale. De sa position découlent certains attributs et des potentialités propres à la position n° 1. Le même raisonnement s'applique à l'égard des 21 autres nombres.

Pour faciliter leur appréhension, on extrait les nombres de leur contexte et on les regroupe dans trois catégories désignées arbitrairement par les termes «atonique», «tonique» ou «hémitonique» selon la plus ou moins grande tension dont ils sont porteurs.

Les nombres «**atoniques**» ou sans tension sont des **nombres d'extension** qui orientent vers la fluidité et l'inconsistance.

Les nombres «**toniques**» ou générateurs de tension sont des **nombres de contraction** qui accroissent les forces de cristallisation et de gravitation avec, à terme, le risque de déstructuration.

Les nombres «**hémitoniques**» alternent de l'extension à la contraction en fonction des variations énergétiques de l'environnement.

Les nombres atoniques ne sont pas «meilleurs» que les nombres toniques. Un sujet «atonique» peut être charmant et agréable ou à l'opposé un individu tout à fait inconsistant. A contrario, un sujet «tonique» peut s'autodétruire ou réussir au-delà de toute espérance. Mais les nombres toniques sont plus difficilement contrôlables et induisent des comportements extrêmes ou à risques. Celui qui apprend à les dompter peut se dépasser, et donc dépasser les autres. On les retrouve souvent chez des personnalités publiques.

* *
*

LE TABLEAU
DES GRADIENTS DE POLARITÉ

Le tableau des **GRADIENTS DE POLARITÉ** permet de cerner les tensions dans une date de naissance. Il est construit en fonction du développement psychologique de l'être et non sur l'état d'avancement spirituel, qui exige une autre classification.

Les nombres atoniques et toniques sont classés de gauche à droite en ordre décroissant de puissance.

Le plus atonique	21	17 19	11	7 5	4	Le moins atonique
Le plus tonique	16	12	22 13	15 18		Le moins tonique

Hémi-toniques	20 positif 9 négatif	1 - 2 - 3 - 6 - 10 - 14

8

EXEMPLES

• **Nombres atoniques**

- 21 est plus puissant que 4, 5, 7, 11, 17 et 19.
- 11 est plus faible que 17, 19 et 21 plus fort que 5, 7 et 4.

• **Nombres toniques**

- 16 est plus fort que 12, 22, 13, 15, 18.
- 12 est plus faible que 16, plus fort que 22, 13, 18 et 15.

• **Équivalence**

Quatre paires sont constituées de nombres d'égale puissance :

$$17 - 19 \quad 7 - 5 \quad 22 - 13 \quad 15 - 18$$

- 17 est aussi fort que 19,
- 7 est aussi fort que 5,
- mais 17 et 19 sont plus forts que 11, etc...

• **Opposition atonique – tonique**

La position dans le tableau indique la puissance relative du nombre non seulement par rapport aux nombres de même signe mais aussi par rapport aux nombres de signe opposé.

7 est
- plus fort que 4 atonique
- de même force que 5, 15, 18 toniques
- plus faible que 11, 17, 19, 21 atoniques et que 22, 13, 12, 16 toniques

22 est
- plus fort que 18, 15 toniques et que 4, 7, 5 atoniques
- de même force que 11 atonique et que 13 tonique
- plus faible que 12, 16 toniques et que 17, 19, 21 atoniques

• **Les nombres hémitoniques**

Les nombres hémitoniques sont **tous d'égale puissance** et on ne peut leur appliquer aucun gradient, **à l'exception de 20 (tendance atonique) et de 9 (tendance tonique) qui les dominent... et du mystérieux 8.**

20 et 9 se neutralisent, mais sont plus forts que 1, 2, 3, 6, 10 et 14.

Tous les nombres hémitoniques sont **plus faibles** que n'importe quel nombre tonique ou atonique.

• **Cas du 8**

L'énergie n'est ni atonique, ni tonique, ni hémitonique mais structurale. Elle canalise les énergies environnantes.

- 8 assure le contrôle d'une énergie tonique, par exemple l'orgueil du 16.

- 8 amortit l'expansion d'une énergie atonique, par exemple la sensibilité du 17.

Le 8 est un rationnel, non émotif en soi, même s'il détient une grande sensibilité pour comprendre comment appliquer sa logique. C'est un analyste parfait à la disposition de l'esprit pour ouvrir des canaux aux autres énergies. Sa position d'équilibre, donc de neutralité, est hors de toute catégorie. Mais il ne faudra jamais oublier :

- qu'il est plus puissant que tous les nombres hémitoniques : 1 - 2 - 3 - 6 - 9 - 10 - 14 et 20.

- que son statut particulier le place à la charnière des nombres toniques ou atoniques.

*   *
*

L'arithmétique
numérologique

A. LOI FONDAMENTALE : La réduction sur une base 22

La numérologie repose sur une rythmie de 22 nombres et sur la **réduction** des termes composant la structure de la date de naissance.

Cette opération est simple. Tous les calculs de la structure de la date de naissance reposent sur cette arithmétique qu'il faudra respecter au... chiffre près :

LOI FONDAMENTALE :

Un nombre supérieur à 22 est réduit par simple addition des nombres le composant, de façon à obtenir un nombre compris entre 1 et 22.

Si la réduction donne un résultat supérieur à 22, une deuxième réduction sera nécessaire pour obtenir un nombre compris entre 1 et 22.

Exemples :

- 1970 = 1 + 9 + 7 + 0 = **17** —> 17 compris entre 1 et 22 est conservé.

- 1969 = 1 + 9 + 6 + 9 = **25** —> 25 supérieur à 22 est réduit de nouveau —> 2 + 5 = **7.**

- 1988 = 1 + 9 + 8 + 8 = **26** —> 26 supérieur à 22 est réduit de nouveau —> 2 + 6 = **8.**

- 1984 = 1 + 9 + 8 + 4 = **22** —> 22 compris entre 1 et 22 «inclus» est conservé.

- 30 = 3 + 0 = **3** —> 3 compris entre 1 et 22 est conservé.

- 28 = 2 + 8 = **10** —> 10 compris entre 1 et 22 est conservé.

- 11 —> **11** compris entre 1 et 22 est conservé.

- 22 —> **22** compris entre 1 et 22 «inclus» est conservé.

B. CALCUL DU CŒUR ÉNERGÉTIQUE

Le calcul de la structure de base ou **cœur énergétique** est une succession de réductions :

---

1. LA PREMIÈRE OPÉRATION EST UNE RÉDUCTION SIMPLE.

Suivant la loi fondamentale, ramener tous les nombres composant la date de naissance à **l'un des 22 nombres de la numérologie.** Reporter le résultat sur une ligne dite «**niveau primaire**», sous chaque terme de la date de naissance.

Exemple : 16 novembre 1982

JOUR	MOIS	ANNÉE
16	11	1982

CŒUR   **16**   **11**   **20**
ÉNERGÉTIQUE $(1 + 9 + 8 + 2 = 20)$

- 16 compris entre 1 et 22 est conservé.
- 11 compris entre 1 et 22 est conservé.
- 1982 supérieur à 22 est réduit à $1 + 9 + 8 + 2 = 20$ et 20 compris entre 1 et 22 est conservé.

Exemple : 31 mai 1977

JOUR	MOIS	ANNÉE
31	5	1977

CŒUR   **4**   **5**   **6**
ÉNERGÉTIQUE $(3 + 1 = 4)$ $(1 + 9 + 7 + 7 = 24)$

- 31 supérieur à 22 est réduit à $3 + 1 = 4$.
- 5 compris entre 1 et 22 est conservé.
- 1977 supérieur à 22 est réduit à $1 + 9 + 7 + 7 = 24$ et 24 supérieur à 22 est réduit de nouveau —> $2 + 4 = 6$.

---

2. LA DEUXIÈME OPÉRATION EST L'EXCEPTION À LA RÈGLE FONDA-MENTALE.

Si les nombres obtenus après la première réduction sont supérieurs à 10, ils seront encore réduits et reportés sur une seconde ligne, dite «niveau secondaire» du cœur énergétique.

Cette démarche dérogatoire à la Loi fondamentale provient de la Kabbale : les forces créatrices à l'origine des différentes formes de l'univers se dégradent progressivement et se réduisent à leur plus simple expression.

Exemple : 25 octobre 1943

JOUR	MOIS	ANNÉE
25	10	1943

1re réduction : $2 + 5 = 7$ 10 $1 + 9 + 4 + 3 = 17$

7	**10**	**17**

2e réduction :   7 $1 + 0$ $1 + 7$

7	**1**	**8**

• **1re réduction : niveau primaire**

- 25 supérieur à 22 est réduit à $2 + 5 = 7$.
- 10 compris entre 1 et 22 est conservé.
- 1943 supérieur à 22 est réduit à $1 + 9 + 4 + 3 = 17$ et 17 compris entre 1 et 22 est conservé.

• **2e réduction : niveau secondaire**

- 7 ne peut être réduit et est conservé.
- 10 peut être réduit pour donner —> 10
  —> $1 + 0 = 1$.
- 17 peut être réduit pour donner —> 17
  —> $1 + 7 = 8$.

D'où le Cœur énergétique final :

JOUR	MOIS	ANNÉE
25	10	1943

7	10	17
7	1	8

---

3. LA TROISIÈME OPÉRATION EST AUSSI L'EXCEPTION À LA RÈGLE FONDAMENTALE.

Si la deuxième réduction a donné des nombres supérieurs à 10, procéder à une **troisième réduction**. Inscrire le résultat en troisième ligne (**niveau tertiaire**). Ainsi, 19 donne 1 + 9 = 10 —> 1 + 0 = 1.

Exemple : 15 septembre 1945

JOUR	MOIS	ANNÉE
15	9	1945

	JOUR	MOIS	ANNÉE
1re réduction :	15	9	1 + 9 + 4 + 5 = 19
	|	|	|
	15	**9**	**19**
2e réduction :	1 + 5	9	1 + 9
	|	|	|
	6	**9**	**10**
3e réduction :	6	9	1 + 0
	|	|	|
	6	**9**	**1**

- **1ʳᵉ réduction : niveau primaire**

    - 15 compris entre 1 et 22 est conservé.
    - 9 compris entre 1 et 22 est conservé.
    - 1945 supérieur à 22 est réduit à $1 + 9 + 4 + 5 = 19$ et 19 compris entre 1 et 22 est conservé.

- **2ᵉ réduction : niveau secondaire**

    - 15 peut être réduit pour donner —> 15
      —> $1 + 5 = 6.$

    - 9 ne pouvant être réduit de nouveau est conservé.

    - 19 peut être réduit pour donner —> 19
      —> $1 + 9 = 10.$

- **3ᵉ réduction : niveau tertiaire**

    - 6 ne pouvant être réduit de nouveau est conservé.
    - 9 ne pouvant être réduit de nouveau est conservé.
    - 10 peut être réduit pour donner —> 10
      —> $1 + 0 = 1.$

D'où le Cœur énergétique final :

JOUR	MOIS	ANNÉE
15	9	1945

15	9	19
6	9	10
6	9	1

4. RÉSUMÉ

Le schéma en haut de la page suivante résume l'ensemble des calculs du cœur énergétique.

	JOUR	MOIS	ANNÉE
Niveau primaire	A 1	B 1	C 1
Niveau secondaire	A 2	B 2	C 2
Niveau tertiaire	A 3	B 3	C 3

- A1, B1 et C1 sont compris entre 1 et 22 inclusivement (Loi fondamentale).
- A2, B2 et C2 sont compris entre 1 et 10 inclusivement (1re exception).
- A3, B3 et C3 sont compris entre 1 et 9 inclusivement (2e exception).

C. LA PERSONNALITÉ PROFONDE

Additionner les nombres de même niveau en respectant uniquement la loi fondamentale (les résultats sont des nombres compris entre 1 et 22 inclus) **et en n'effectuant aucune autre réduction** (secondaire ou tertiaire).

JOUR	MOIS	ANNÉE	Pers. profonde	
A 1	B 1	C 1	A1 + B1 + C1 =	D 1
A 2	B 2	C 2	A2 + B2 + C2 =	D 2
A 3	B 3	C 3	A3 + B3 + C3 =	D 3

- D1 sont compris entre 1 et 22 inclusivement (Loi fondamentale).
- D2 sont compris entre 1 et 22 inclusivement (Loi fondamentale).
- D3 sont compris entre 1 et 22 inclusivement (Loi fondamentale).

Il n'y a pas d'exception ! D1, D2 et D3 sont conservés tels quels pourvu qu'ils soient compris entre 1 et 22 inclusivement.

151

• **Exemple : 19 mai 1912**

JOUR	MOIS	ANNÉE
19	5	1912

			Pers. profonde	
19	5	13 (1+9+1+2)	19+5+13= 37= 3+7	10
10	5	4	10+5+ 4=	19
1	5	4	1+5+ 4=	10

D. LE DÉVELOPPEMENT

Le calcul du développement s'appuie uniquement sur la loi fondamentale sans exception (1 à 22 inclusivement). Ne JAMAIS EFFECTUER de réductions secondaire ou tertiaire. Ce développement s'effectue selon deux axes :

- le Miroir
- le Masque.

1. LE MIROIR

La construction arithmétique du miroir repose sur l'addition des nombres du cœur énergétique en respectant la loi fondamentale :

1 à 22 inclusivement.

Les **additions** se font toujours ENTRE NOMBRES DE MÊME NIVEAU, PRIMAIRE, SECONDAIRE OU TERTIAIRE :

- Nombre primaire avec nombre primaire.
- Nombre secondaire avec nombre secondaire.
- Nombre tertiaire avec nombre tertiaire.

JOUR	MOIS	ANNÉE
A 1	B 1	C 1
A 2	B 2	C 2
A 3	B 3	C 3

A1 + B1 + C1 =	D 1
A2 + B2 + C2 =	D 2
A3 + B3 + C3 =	D 3

L E M I R O I R

A1 + B1 =	E 1
A2 + B2 =	E 2
A3 + B3 =	E 3

B1 + C1 =	F 1
B2 + C2 =	F 2
B3 + C3 =	F 3

E1 + F1 =	G 1
E2 + F2 =	G 2
E3 + F3 =	G 3

D1 + G1 =	H 1
D2 + G2 =	H 2
D3 + G3 =	H 3

Exemple : 20 janvier 1954

JOUR	MOIS	ANNÉE
20	janvier	1954
20	1	19 (1+9+5+4)
2	1	10 (1+9)
2	1	1 (1+0)

20 + 1 + 19 = 40	4
2 + 1 + 10 =	13
2 + 1 + 1 =	4

L E M I R O I R

20 + 1 =	21
2 + 1 =	3
2 + 1 =	3

1 + 19 =	20
1 + 10 =	11
1 + 1 =	2

21 + 20 = 41	5
3 + 11 =	14
3 + 2 =	5

5 + 4 =	9
14 + 13 =	9
5 + 4 =	9

153

2. LE MASQUE

La construction arithmétique du masque repose sur la **soustraction des nombres en valeur absolue du cœur énergétique en respectant la loi fondamentale :**

1 à 22 inclusivement.

Les **soustractions** se feront toujours ENTRE NOMBRES DE MÊME NIVEAU, PRIMAIRE, SECONDAIRE OU TERTIAIRE :

- Nombre primaire avec nombre primaire.
- Nombre secondaire avec nombre secondaire.
- Nombre tertiaire avec nombre tertiaire.

L E M A S Q U E

J1 – K1 =	L1
J2 – K2 =	L2
J3 – K3 =	L3

D1 – L1 =	M1
D2 – L2 =	M2
D3 – L3 =	M3

A1 – B1 =	J1
A2 – B2 =	J2
A3 – B3 =	J3

B1 – C1 =	K1
B2 – C2 =	K2
B3 – C3 =	K3

JOUR	MOIS	ANNÉE
A1	B1	C1
A2	B2	C2
A3	B3	C3

A1 + B1 + C1 =	D1
A2 + B2 + C2 =	D2
A3 + B3 + C3 =	D3

Les **opérations de soustraction se font sur des nombres en valeurs absolues, c'est-à-dire sans tenir compte du signe + ou −.**

$21 - 7 = + 14$ ou $7 - 21 = -14 \longrightarrow | 14 |$ en valeur absolue.

154

Exemple (suite) : 20 janvier 1954

L
E

19 – 18 =	1
1 – 9 =	8
1 – 9 =	8

1 – 4 =	3
8 – 13 =	5
8 – 4 =	4

M
A
S
Q
U
E

20 – 1 =	19
2 – 1 =	1
2 – 1 =	1

1 – 19 =	18
1 – 10 =	9
1 – 1 =	9

JOUR	MOIS	ANNÉE
20	janvier	1954
20	1	19 (1+9+5+4)
2	1	10 (1+9)
2	1	1 (1+0)

20 + 1 + 19 = 40	4
2 + 1 + 10 =	13
2 + 1 + 1 =	4

La soustraction donne 0. Que faire ?

Dans la tradition kabbalistique, 0 est le chaos d'où provient toute manifestation. Il n'a pas d'existence propre puisque toute structure se développe de façon dynamique et que le dynamisme est par définition $\neq 0$. Le nombre zéro exprime le potentiel inexistant du tout à venir qui trouvera son aboutissement dans le 21 pour s'enchaîner dans le 22, lui-même 0 d'un autre cycle à venir.

En conséquence, la structure d'un individu qui passe par 0 subit une modification de plan équivalant à 22.

> *Tout résultat*
> *d'une soustraction*
> *égal à 0*
> *est remplacé par 22.*

Exemple: 1er janvier 1950

L
E

22 – 14 =	8
22 – 5 =	17
22 – 5 =	17

8 – 17 =	9
17 – 8 =	9
17 – 8 =	9

M
A
S
Q
U
E

1 – 1 = 0	22
1 – 1 = 0	22
1 – 1 = 0	22

1 – 15 =	14
1 – 6 =	5
1 – 6 =	5

JOUR	MOIS	ANNÉE
1	janvier	1950
1	1	15 (1+9+5+0)
1	1	6 (1+5)
1	1	6

1 + 1 + 15 =	17
1 + 1 + 6 =	8
1 + 1 + 6 =	8

Exemple : 21 avril 1983

L
E

17 – 17 = 0	22
1 – 1 = 0	22
1 – 1 = 0	22

22 – 10 =	12
22 – 10 =	12
22 – 10 =	12

M
A
S
Q
U
E

21 – 4 =	17
3 – 4 =	1
3 – 4 =	1

4 – 21 =	17
4 – 3 =	1
4 – 3 =	1

JOUR	MOIS	ANNÉE
21	avril	1983
21	4	21 (1+9+8+3)
3	4	3 (2+1)
3	4	3

21 + 4 + 21 = 46	10
3 + 4 + 3 =	10
3 + 4 + 3 =	10

3. REMARQUES

La formulation arithmétique de la numérologie est lourde et répétitive. Mais l'analyse et la synthèse d'une date de naissance sont facilitées par la vision globale, limpide et **sans interférence** de la structure générale.

Avec l'expérience, chaque nombre devient un véritable archétype théâtral qui joue une pièce aux multiples tableaux. Dès qu'un autre nombre entre en scène, un dialogue s'installe entre eux. Mais si un spectateur chiffré vient se mêler aux protagonistes sans y avoir été invité, l'harmonie est rompue et on ne perçoit plus qu'une cacophonie indescriptible.

Après avoir assimilé les notions de base, il faut s'habituer à écrire la date de naissance en respectant la structure triangulaire, puis effectuer les calculs en dehors sur une autre feuille selon l'ordre suivant :

1. **Développer le Miroir**, concept capital de la numérologie, puisque c'est dans le miroir que s'observe, s'analyse, se voit.... s'admire l'individu.

JOUR	MOIS	ANNÉE
20	janvier	1954

20		1	19	4
2		1	10	13
2		1	1	4
	21	20		
	3	11		
	3	2		
		5		9
		14		9
		5		9

2. **Développer le Masque**, concept secondaire dans la mesure où personne ne le garde en permanence... on ne peut se fuir éternellement !

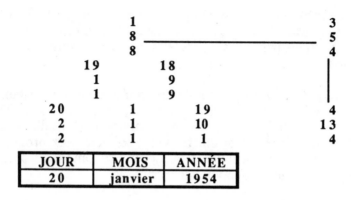

Suivant les besoins de l'interprétation, fusionner les deux développements en un seul :

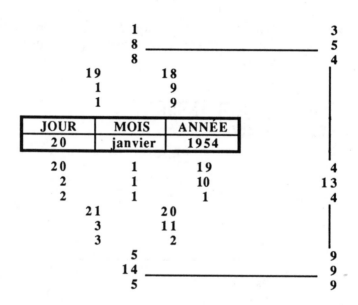

Rappelons une dernière fois la **LOI FONDAMEN-TALE** :

> Les nombres sont conservés tels quels dès l'instant qu'ils sont compris entre 1 et 22.
>
> **Seule exception** : ceux qui définissent les jour-mois-année seront réduits à leur plus simple expression.

Dans l'exemple ci dessus :

- seule la série (20 - 1 - 19) du niveau primaire sera réduite à sa plus simple expression au niveau secondaire (2 - 1 - 10) et tertiaire (2 -1 - 1).

- tous les autres nombres seront réduits sur la base 22 uniquement : on conservera donc dans le Masque (1 - 8 - 8), (3 - 5 - 4), (19 - 1 - 1), (18 - 9 - 9) et dans le Miroir (21 - 3 - 3), (20 - 11 - 2), (5 - 14 - 5), (9 - 9 - 9), ainsi que dans la Personnalité profonde (4 - 13 - 4) puisque les nombres sont compris entre 1 et 22.

Au cours de l'interprétation, ne jamais oublier que les nombres de tous les niveaux élémentaires de **A1** à **F1** et **J1** à **K1** sont plus importants que ceux des niveaux secondaire (A2 à F2 et J1 à K1) et tertiaire (A3 à F3 et J3 à K3), qui ne sont que des nuances modulant les nombres principaux.

* *
*

CHAPITRE III

LES DOUZE MOIS
DE L'ENFANCE

Généralités

	Développement de la féminité		Développement de la masculinité	
M	A1 – B1 =	**J1**	B1 – C1 =	**K1**
A				
S	A2 – B2 =	**J2**	B2 – C2 =	**K2**
Q				
U	A3 – B3 =	**J3**	B3 – C3 =	**K3**
E				

	JOUR	MOIS	ANNÉE	Personnalité profonde	
I	**Mère**	**Enfant**	**Père**		
N					
N	**A 1**	**B 1**	**C 1**	A1 + B1 + C1 =	**D 1**
É	**A 2**	**B 2**	**C 2**	A2 + B2 + C2 =	**D 2**
	A 3	**B 3**	**C 3**	A3 + B3 + C3 =	**D 3**

	Développement de la féminité		Développement de la masculinité	
M	A1 + B1 =	**E 1**	B1 + C1 =	**F 1**
I				
R	A2 + B2 =	**E 2**	B2 + C2 =	**F 2**
O				
I	A3 + B3 =	**E 3**	B3 + C3 =	**F 3**
R				

Ce livre est consacré à l'enfant et aux «attentes parentales». Il s'adresse autant aux éducateurs et aux parents qui veulent connaître les bases et les mécanismes qui président à l'existence et à l'évolution d'un enfant, qu'aux adultes qui veulent analyser leur propre enfance. C'est en effet l'un des apports les plus importants de la numérologie.

L'expression «attentes parentales» recouvre dans notre acception ce que l'enfant attend de ses parents et non pas les projections, désirs, espoirs ou fantasmes des parents pour leur enfant. Cette précision me paraît capitale pour éviter tout malentendu : le point focal du début à la fin de ce livre est l'enfant et ce qu'il découvre, perçoit ou croit percevoir dans l'entité biologique et sociale constituée par son père et sa mère ou leurs substituts.

Un enfant se développe selon deux composantes à travers lesquelles il cherche à s'identifier : le père et la mère. Les parents ont naturellement tendance à élever leurs enfants en fonction de leur propre éducation, soit en y adhérant de près, soit en la contestant, ce qui revient au même au fond puisque l'héritage familial ou social est le substrat à partir duquel ils puisent consciemment ou non les éléments pédagogiques qu'ils transmettent à leur progéniture. Mais ils doivent aussi s'adapter aux besoins réels de l'enfant dans son désir constant de grandir.

Le psychiatre William Reich, reprenant un thème cher à Rousseau mais s'appuyant cette fois sur le symbolisme christique*, affirme qu'un nouveau-né est vierge et pur. Les adultes le pervertissent pour qu'il ressemble à leur image... parce qu'il dérange. Les hommes attirés par sa pureté ont assassiné Jésus parce que sa lumière dérangeait. Le meurtre du Christ se perpétue depuis 2 000 ans à travers l'éducation des enfants. Reich s'interroge alors sur l'intérêt de soigner un malade pour ensuite le renvoyer dans le milieu social à l'origine de sa névrose.

La théorie de Reich** est osée mais elle met l'accent sur l'erreur d'une pédagogie qui veut faire de l'enfant la copie conforme des parents et sur les réactions du jeune adulte à l'égard de ses géniteurs. Celui-ci leur reprochera son propre assassinat, ceux-là l'accuseront de ne pas s'adapter au monde. Reste une question : pourquoi un enfant naît-il avec le sourire alors que les adultes en sont devenus incapables ?

L'enfant est un être vierge. Il doit acquérir les moyens d'évoluer et non rester livré à lui-même. Une plante sauvage ne donne pas les mêmes fruits qu'un greffon. Voyez la rose et l'églantine ! Certes, l'enfant n'est pas une plante mais il faut l'aider à conserver sa pureté originelle. L'enfant doit s'appuyer sur des valeurs de référence grâce auxquelles il acceptera — quitte à les rejeter ou à les faire siennes par la suite — de se déstructurer pour inventer ses propres valeurs et renaître à lui. Un mouton dans une meute de loups accepte de se faire croquer et hélas, «l'homme est un loup pour l'homme» puisque la vie est un éternel combat pour la survie. L'enfant doit s'ouvrir avec ses intimes mais se battre pour conquérir sa place. «LE MAT», la lame sans nombre du Tarot, et de la même façon le nombre 22 enseignent que l'évolution est la véritable condamnation de l'être humain. Il est typique de constater que l'adolescent aspire à refaire sa société alors qu'il ne connaît encore rien de l'existence au lieu de chercher dans un *premier temps* à s'y adapter.

L'homme veut-il être **le** monde ou **du** monde ? En clair, doit-il se conduire comme un mouton ou comme un Homme libre à travers d'autres Hommes libres dans un contexte social

---

*   c.f. : *Le meurtre du Christ*.

**   C'est à partir des théories de Reich que son ami O'Neill a fondé une école modèle à Summerhill en Angleterre.

donné ? Pour cela, il doit accepter la remise en question et jeter à la poubelle ses préjugés. Einstein disait : «Il est plus facile de réaliser la fission nucléaire que de supprimer un préjugé.» La numérologie va nous aider à tordre le cou aux vieilles idées en gardant en mémoire que les enfants n'appartiennent à personne. Ils nous sont prêtés pour que nous les aidions à grandir *à eux-mêmes*.

Dans une date de naissance, le **mois** est la pierre angulaire de l'inné individuel. C'est une pellicule sensible vierge qui se révèle par la chimie des parents **quels qu'ils soient**. L'enfant est en attente de ces tuteurs pour se comprendre lui-même. **Sa Personnalité profonde chapeaute l'inné et l'habille de son originalité.**

Schéma simpliste qui fait fi de l'inconscient, protesteront les psychologues ! La psychologie n'en est pas à une contradiction près. À défaut d'aborder l'humain de façon globale, elle se perd dans des concepts mouvants charcutant l'esprit en Moi, Ça et autre Sur-Moi, toutes expressions définissant les sous-couches d'un même principe. Or, la psychologie, du grec *psukhé,* (âme) et *logos,* (étude) étudie tout... sauf l'âme. C'est, selon le dictionnaire, la science de l'esprit, non pas la substance divine des ésotéristes, mais l'esprit humain, produit phénoménal de l'activité chimique du cerveau. Bien peu, somme toute !

Que les psychologues aient assez d'humour (d'esprit ?) pour redécouvrir la définition de 1690 : psychologie, «science de l'apparition des esprits» ! Et le rire en l'occurrence libère les... esprits de l'obscurité-obscurantisme des mots. Ils découvriront en effet un schéma de raisonnement simple... allez ! va pour «simpliste» ! abordant des problèmes complexes qui dépassent la psychologie comportementale ou des profondeurs, au choix !

La numérologie n'est qu'un outil de raisonnement neutre. Les tests psychologiques classiques ne tiennent pas assez compte de la subjectivité du sujet et de l'arbitraire involontaire (disons «inconscient») de l'examinateur. La numérologie par contre donne une *direction objective* pour comprendre l'individu, précise les **attentes** spécifiques d'un enfant vis-à-vis de ses parents **en fonction** de sa nature profonde.

Un humoriste a déclaré avec raison que la vie est une maladie mortelle, sexuellement transmissible. Adaptons ! Très... simplement :

- **jour :** **Mère/** sensibilité–passivité oriente le développement de la féminité.
- **année :** **Père/** rationalité–activité oriente le développement de la masculinité.
- **mois :** **MOI** chapeauté par la personnalité profonde et identifiant l'enfant.

Affirmer que la mère est responsable du développement de la sensibilité d'un enfant ne surprendra personne : douce ou autoritaire, dominatrice ou retirée, «maternante» ou sergent-major, médaillée de la famille ou «mère indigne», aucun système, aucune théorie ne changera rien au fait que le fœtus a grandi dans son ventre en établissant une communication avec elle et son environnement. Cette communication sensible est profondément enracinée dans l'inconscient de l'enfant qui recherche à tout instant la chaleur maternelle. La façon dont la mère entretient cette relation pourra orienter, par exemple, la sensibilité profonde de l'enfant avec l'irrationnel ou l'extra-sensoriel en fonction de ses caractéristiques innées.

Problématique opposée... et complémentaire du père ! À ce stade, qu'il soit un «Papa-Poule» plein de tendresse ou un affreux tyran importe peu. Devant une difficulté, l'enfant recherche d'abord sa mère et l'abri des jupes à défaut de chaleur utérine. Le père est une pièce rapportée en quelque sorte, un élément extérieur qui environne sa mère, à la limite la protège. Dès l'instant où l'enfant commence à rayonner au-delà du cercle maternel, le père apparaît comme un soutien devant l'inconnu, l'élément dynamique qui l'aide à développer son assurance à affronter la difficulté.

Au-delà de l'aspect sentimental, affectif et fantasmatique que le père transpose sur le futur bébé, l'enfant demeure pour lui une abstraction. Si sa fierté de mâle le pousse à hurler à la lune à la naissance de sa progéniture, à voir de plus près, cette... chose étrange et gigotante lui est totalement étrangère et d'aspect plutôt végétal au fond. L'amour paternel apparaît progressivement après des heures d'observation inquiète, d'interrogations et d'un obscur désir de protection. Et puis, il y a le sourire aux anges !

L'amour maternel est d'une autre nature. La mère vit neuf mois en symbiose avec un petit étranger qui se développe insidieusement en même temps que le sentiment de possession qu'elle découvre à la naissance. Des femmes, et non des moindres, contestent ce concept et prétendent qu'il est un pur produit de la société — on pourrait contre-argumenter que leur contestation est aussi un pur produit social — certaines plus rares le refusent catégoriquement.

On reconnaît aussi qu'un enfant s'attache à celui qui le nourrit... un peu comme le petit canard de Konrad Lorenz. Le père peut donc faire office de mère et inversement la mère de père, ce qui rejoint les plus récentes conceptions éthologiques en matière de comportement animal ou humain. Certes chaque enfant est un cas à part. Mais c'est moins le statut social des parents — mariés, divorcés, concubinage — que le fait incontournable qu'une relation s'établit entre l'enfant et celui ou celle qui **représente** l'autorité et/ou la sensibilité parentale, qui pose le cadre des options possibles de développement. Reste à savoir selon quelles modalités s'établit cette relation. C'est l'objet de la numérologie à 22 nombres.

La multiplicité des dynamiques propres à chaque socioculture nous empêche bien sûr d'examiner tous les cas de figures possibles dans lesquels peut évoluer un enfant. Au demeurant et au risque de heurter bien des conceptions de pédagogie purement formelle, nous répétons que c'est moins la forme sociale qu'adopte la cellule familiale (matriarcat ou patriarcat, ou à l'extrême «l'élevage en cage» de Skinner par exemple) que l'intensité de la relation. C'est pourquoi la structure familiale de type occidental encore largement majoritaire servira de point de repère. Dans ce schéma, la mère est **symbolisée** par «le jour», le père par «l'année» et l'enfant par «le mois». Maintenant comment fonctionne ce postulat ?

Le JOUR représente le besoin de sensibilité, de tendresse et de protection de l'enfant. Le plus souvent, ce besoin est couvert par la mère mais il ressort aussi d'un archétype qui pousse inexorablement l'enfant à accepter, juger, voire, au pire, à rejeter sa «mère», qu'elle soit naturelle ou adoptive.

L'ANNÉE représente le besoin d'autorité, d'agressivité et de confrontation à l'environnement et donc le besoin de soutien devant l'adversité. Ce besoin est traditionnellement couvert par le père, mais il ressort aussi d'un archétype qui pousse inexorablement l'enfant à accepter, juger, voire, à l'extrême, à rejeter son «père», qu'il soit naturel ou adoptif. Le même cadre dynamise autant les phénomènes d'acceptation de l'autorité que la tendance à la rébellion.

L'interaction des deux pôles (jour/contraction et année /extension) donne naissance[*] à une féminité et une masculinité **propres à l'enfant** qui s'affirmeront à la puberté au moment de l'identification sexuelle.

LES RÈGLES DE L'INTERPRÉTATION

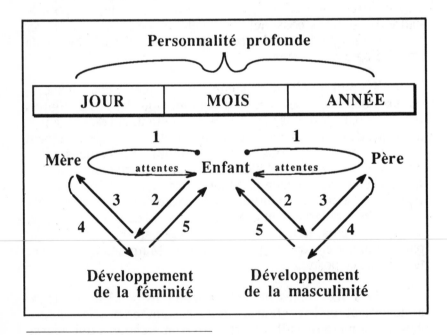

---

[*] cf. tome I, page 95.

Le schéma indique :

---

1. Les **attentes** de l'enfant en fonction de son **être** potentiel.

2. Les tensions (ou absence de tensions) induites par ces attentes en fonction de ce qu'il **est vraiment**.

3. La perception **réelle** et **personnelle** qu'il a de ses parents.

4. Le message qu'il **retiendra** de ses parents et ses réactions comportementales **d'affirmation** de sa féminité/sensibilité et de sa masculinité/dynamisme.

5. Comment il **jugera** ses rapports avec ses parents durant l'enfance.

Revoyons ces points plus en détail :

1. Les attentes de l'enfant en fonction de son être potentiel :

L'enfant attend de ses parents certaines caractéristiques en fonction de ses propres besoins. Qu'ils les possèdent ou non est une autre affaire et l'examen de la date de naissance des parents pourra nous renseigner à ce sujet. Mais l'enfant se donnera tous les moyens, même imaginaires, pour retrouver chez ses «parents» les éléments indispensables à son développement et ce, quels que soient les parents (naturels ou adoptifs), l'environnement ou les éducateurs. On peut ainsi expliquer :

- Pourquoi les enfants d'une même famille ne perçoivent pas et ne gardent pas la même image de leurs parents. S'ils sont décédés, l'enfant s'en fera une image idéalisée qu'il cherchera à dynamiser à travers ses proches.

- Comment les parents, connaissant les **besoins** réels de l'enfant, sauront s'ajuster pour répondre au mieux à leurs attentes.

2. Les tensions (ou absence de tensions) induites par ces attentes en fonction de ce qu'il est vraiment :

Évoquer les tensions parentales subies par l'enfant indépendamment de l'identité des parents semble accorder du crédit à la prédestination du plus mauvais goût. Mais il n'y a pas plus de prédestination dans le passage obligé par les stades oral ou anal que dans les phases de croissance inhérentes à sa constitution physique. La numérologie met en évidence ces phases et indique comment peuvent se cristalliser les différentes tensions; **elle ne détermine pas le vécu mais l'aide seulement à le comprendre.** Seuls les faits de l'existence orientent la résolution plus ou moins harmonieuse des tensions. Le rôle des parents, des éducateurs, des psychologues et des numérologues est de les utiliser pour comprendre l'enfant ou tout simplement pour se comprendre personnellement.

3. La perception réelle et personnelle qu'il a de ses parents :

La connaissance de la perception des parents par l'enfant n'explique pas l'amour, la tendresse et le respect filial. Elle ne justifie pas non plus le fait que les parents correspondent ou non à ces besoins. Mais l'enfant a **besoin** de créer une image paternelle et maternelle comme une référence utile à sa propre identification. Il la fixe en fonction de ses aspirations et au cours de son autonomisation, elle servira de référence à ses désirs ou à ses refus. Cette image se cristallise selon les deux pôles :

- sa sensibilité : la mère en sera inconsciemment l'expression lui rappelant la période anténatale.

- sa volonté de conquête : le père, élément extérieur à la mère, doit être conquis, quel que soit l'amour prodigué; de son attitude découle chez l'enfant le courage ou la crainte de la vie.

Cette connaissance permet donc de dédramatiser le théâtre de l'existence en permettant de couper le cordon ombilical et de clarifier la sensibilité de l'enfant et son désir de se prendre en charge. Mais la fiction noie souvent la réalité et l'enfant en route vers l'adolescence peut être la proie obsessionnelle d'une image stéréotypée : il s'imaginera réellement que ses parents sont tels qu'il les conçoit. Il pourra à loisir contester, voire «assassiner» ces boucs émissaires de première main qu'il tient pour responsables de ses difficultés à vivre en adulte, à moins qu'il «n'assassine» en retour ses propres enfants.

4. Le message qu'il retiendra de ses parents et ses réactions comportementales d'affirmation de sa féminité/sensibilité et de sa masculinité/dynamisme :

Ce point est la suite logique des précédents. La leçon tirée des attentes, des tensions et de l'image parentale pousse l'enfant devenu adolescent à découvrir sa propre dualité féminine et masculine. Qu'elle soit plaisante ou non, il devra vivre avec elle puisqu'elle constitue l'héritage androgyne personnalisé et cristallisé par ses parents qui le conduira à se dépasser ou à dépendre, à rechercher ou à rejeter un type de femmes, d'hommes, de spiritualité et de sociétés.

5. Comment il jugera ses rapports avec ses parents durant l'enfance :

L'impression que reçoit l'enfant de sa propre attitude envers ses parents alimente son comportement adulte à leur égard, comportement pouvant aller de la réaction de défense à la surprotection en passant par le désintérêt apparent, réel ou simulé.

De ce schéma de base découlent plusieurs conséquences que nous aborderons dans les chapitres et les tomes suivants; en particulier, la dynamisation de l'enfant laisse des traces en filigrane dans toutes les circonstances de sa vie. Ainsi la façon dont l'enfant vit la microsociété familiale le poussera à la dynamiser dans sa société d'adulte. Il cherchera à s'affirmer dans sa spiritualité/jour identifiant la mère, et dans son travail social/année identifiant le père. C'est l'Ouroboros, le serpent qui se mord la

173

queue : à la naissance, il était un enfant sans en prendre conscience; il devra dans son affirmation extérieure retrouver l'enfant qui sommeille en lui. Ce serpent ne cache-t-il pas la maxime alchimiste TOUT EST DANS TOUT comme tout dans la structure d'une date de naissance cache tout d'un individu suivant la manière dont elle est dynamisée ?

Comprendre son enfance, c'est comprendre sa vie d'adulte. Un adulte authentique a su retrouver le sourire originel du nouveau-né.

*   *
*

Les tableaux

Tout classement est arbitraire. Distinguer dans l'enfance douze catégories l'est tout autant. Mais la psychologie comportementale ou la programmation neurolinguistique ne procèdent pas autrement quand elles distinguent chez les êtres humains des auditifs, des visuels ou des kinesthésiques.

Quoi qu'il en soit, une technique reproductible d'analyse de l'individu exige forcément une ossature. L'ossature de la numérologie à 22 nombres est le MOIS dont les douze types de base sont modulés par le jour et l'année. L'ensemble est chapeauté par la Personnalité profonde. L'heure de naissance enfin entraîne d'autres variations que nous verrons dans un autre volume consacré à la spiritualité par les nombres. Il convient au préalable de retenir les lignes directrices des douze mois de référence avant d'affiner l'interprétation individuelle et le chapeautage de la Personnalité profonde.

Contrairement au premier tome où nous avons décrit trois niveaux d'interprétation (élémentaire, simplifié, détaillé), nous n'utiliserons qu'un seul niveau complété par le modulateur de la Personnalité profonde.

* *
*

Les tableaux suivants ont été conçus pour comprendre comment aborder le monde de l'enfance. Ils mettent donc l'accent sur la perception que l'on doit avoir de l'enfant et de ses besoins, des problèmes éventuels qui rejailliront à l'âge adulte et surtout des précautions à respecter pour l'aider à évoluer harmonieusement. Les douze premiers nombres correspondent aux douze mois de l'année. À raison d'un volume pour chaque mois, on pourrait moduler les définitions à l'infini en fonction des jours et des années. Épargnons-nous cette peine et ne retenons que le fil conducteur indiquant comment l'énergie d'un nombre prend racine dans la structure psychologique d'une personne. Nous évoquerons la dynamique au cours de l'interprétation.

*   *
*

A- LE TABLEAU DE SITUATION

1

1 engendre tous les autres nombres. Il symbolise le potentiel inné de l'enfant. Or peut-on prendre conscience de ses possibilités sans une phase de repli ? La découverte de son potentiel passe par un stade égocentrique et narcissique car la prise de conscience de soi précède nécessairement la découverte des autres. Pour le petit 1, tout doit en priorité transiter par lui.

Il ressemble tantôt à un 4 (le chef qui dirige), tantôt à un 7 (l'indépendant) ou encore à un 11 (l'envahissant). Son désir de se découvrir le pousse à toucher à tout, à imposer ses vues, à négliger les réactions de son entourage et à l'envahir de son insatiable besoin de savoir. Il est sans arrêt dans les jambes de ses parents pour demander quelque chose... ou crier au secours ! Cet individualiste collant gère ses petites affaires comme il l'entend, en vrai dictateur qui manipule son environnement à sa guise.

Or le 1, créateur actif et dynamique, n'est pas foncièrement autodidacte, même s'il manifeste une curiosité innée à l'égard de tout ce qui l'environne. Il manque de constance car il ne finit rien et n'agit qu'en fonction de son intérêt immédiat. Tout lui paraît si simple, pourquoi en faire plus et se compliquer la vie ? Désordonné, il agit selon l'impulsion du moment et se donne les moyens d'obtenir ce qu'il veut.

Individualiste, indépendant, voire fainéant, ce nombre universel est un créateur qui ne veut pas se fatiguer et refuse la contradiction devant laquelle il oppose un mur borné. Pourquoi rendre des comptes ? D'où la tendance au secret comme un 2. Mais cela ne dure jamais longtemps.

En général, le 1 ignore les conflits des parents ou ne les voit pas puisque que tout doit se rapporter à lui. C'est un égoïste possessif qui semble rester en dehors des drames familiaux. Attention ! Il enregistre les tensions et devra souvent en subir le contre coup au cours de l'adolescence.

Le 1 adulte gardera de belles images de son enfance. C'est tout simple : il n'en faisait qu'à sa tête.

En résumé, l'enfant 1 évoque la combinaison 4 - 7 - 11 - 15.

- 15 égoïste et possessif ramenant tout à lui,
- 11 déterminé à obtenir ce qu'il désire,
- 7 indépendant
- 4 autoritaire pour que tout aille dans son sens.

À l'opposé du 1 créateur, actif et dynamique, l'enfance du 2 est dominée par l'irrationnel passif et réceptif et l'ouverture à l'hermétisme (Kabbale, Gnose), autrement inabordable sans un cœur transcendant la raison. Le petit 2 n'a pas l'intelligence cérébrale d'un 3. Il ressent et attend passivement les événements. Même s'il se tourne vers l'extérieur, par le langage par exemple, il reste sur la réserve, plein de retenue et garde ses angoisses pour lui-même. Introverti, il paraît inerte, inaccessible, paresseux et peu disposé à la communication exubérante. Un 6 dans sa structure de naissance le poussera peut-être à participer à de nombreuses discussions mais il ne révélera rien de ses interrogations.

Le petit 2 peut être pris pour un solitaire 9. Passivité identique, certes, même dans la réflexion, mais :

- le 2 épouse le monde de l'aperception (intuition, introspection, méditation sur des concepts non rationnels) et s'ouvre vers le Tout qui EST. Le 9 symbolise UNE parcelle du Tout, l'âme.

- le 9 n'ose pas communiquer de peur d'être incompris mais il est plus réfléchi. Le 2, plus instinctif, se tait car il n'a pas les outils intellectuels pour assimiler ce qu'il appréhende psychiquement. Tous deux n'ont d'autre option à leur disposition que le temps... le temps d'examiner comme des observateurs muets incapables de s'exprimer.

- le 9 veut s'extérioriser mais ses tentatives sombrent dans le ridicule et l'incompréhension. Il se referme en attendant d'acquérir les moyens d'expression adaptés ou la confirmation qu'il pense «normalement». Le 2 ne cherche aucune confirmation. Il lui suffit d'être «connecté».

Bien sûr, l'entourage le comprend mal et s'attache aux apparences aux dépens de sa profondeur. Il paraît sournois, mystérieux, énigmatique (comme le 20), buté (comme le 4), dissimulateur ou carrément vicieux et menteur. Ses parents ne savent jamais où ce combinard qui s'amuse à abrier* la vérité veut en venir. Cachottier, il rappelle le 18 (trafic louche, louvoiement) mais il y a loin du sournois au méchant. Le terme «surprenant» est plus adapté et on dit facilement de lui : «Il a vraiment pu me faire ÇA !»

---

* Abrier : Canadianisme, de l'ancien français, XIIe siècle, signifiant abriter, mettre à couvert. Fig. camoufler, dénaturer : abrier la vérité !

Sa force s'affirmera avec l'âge car l'observation est le tremplin de l'intuition, de l'illumination, de la prise de conscience irraisonnée. Le 2 dépasse souvent son entourage et demeure un mystère toute son existence. S'il ne peut expliciter son avis, il ne faut pas le négliger car à la longue, en allant au-delà des mots, on constate qu'il a souvent raison.

Curieusement, alors qu'il est peu porté à la critique, qu'il observe sans comprendre et ne vit que d'intuitions, à l'adolescence il porte une appréciation intuitive sur ses parents et, adulte, il tend à juger son enfance. D'où le malaise devant l'argumentation sans fondements qu'il développe pour justifier ses reproches.

3

Par définition, le petit 3 devrait être la huitième merveille du monde pour ses parents : un petit chien savant assoiffé de découvertes servi par une excellente mémoire. Il aura un côté charmeur voire manipulateur, tant il saisit les nuances avec lesquelles il s'amuse à jongler sans méchanceté. Il comprend vite, mais n'est pas un fainéant. En général, les enfants doués semblent paresseux parce qu'on ne réalise pas qu'ils cherchent le moyen le plus facile de réaliser ce qu'ils veulent. Par exemple, le 1, nombre universel, est fainéant.

Le développement intellectuel du 3 n'est pas toujours parallèle au développement physique. C'est un petit ordinateur qui éprouve des difficultés à se situer dans l'espace et à prendre conscience de son corps. On décrit deux pôles d'expressions. L'un conduira à un développement visible et extériorisé qui fera la fierté des parents avec acquisition précoce du langage. L'autre, plus intériorisé, fera craindre un déficit intellectuel avec retard à l'apparition du langage. En fait, ce dernier ne ressentira pas le besoin de parler parce qu'il sait parfaitement se faire comprendre et qu'il n'a pas besoin de demander ce qu'il sait déjà. Mais le jour où il se décidera, les parents seront surpris de constater qu'il a parfaitement assimilé la syntaxe et qu'il parle comme n'importe quel autre 3.

Il comprend tous les conflits des parents mais n'a pas la maturité de les assumer. Il ne faut pas tricher avec lui. Un enfant 12 (qui donne 3 par 1 + 2 = 3) les comprend aussi et se culpabilise de ne pouvoir les réconcilier. Le petit 3, après avoir analysé la situation, garde son avis pour lui, non comme un 2 secret qui saisit «intuitivement», mais parce qu'il raisonne. D'ailleurs ses réponses spontanées ressemblent à celles du 1.

La profondeur du petit 3 fait penser à l'enfant 9. PRUDENCE ! Il ne possède pas encore comme le 9 les moyens d'assumer ses prises de conscience. En dépit d'un rapport au monde fragile, le 9 possède une maturité fondée sur la confrontation de la situation et de son expérience. Le petit 3 au contraire n'est qu'un cerveau incapable d'opérer un quelconque rapprochement à l'exception de ses références intellectuelles. Ne le raccrochez pas à des valeurs morales trop mûres. Apprenez-lui plutôt à lire et à écrire, à faire des jeux d'association. Il faut lui répondre exclusivement dans les limites de ses questions sur le plan de l'intellect et minimiser celui du sensitif. Sinon, les parents qui croient exiger plus de lui parce qu'il comprend comme un adulte découvriront à leurs dépens un enfant aux prises avec des troubles de type névrotique. Avec un enfant 9 ou 12, on peut se permettre la maturité qu'ils réclament d'ailleurs, mais pas avec le 3.

C'est un enfant nerveux et brusque qui peut prendre des allures de solitaire puisque tout se passe dans sa tête — lectures, jeux, attitudes d'intense réflexion — mais il ne l'est pas fondamentalement. Il a besoin constamment d'une présence qui le sécurise sur le plan émotionnel.

En général à l'âge adulte, le 3 considère que son enfance a été belle et facile car il a tout «compris» même si les parents sont séparés.

4

Voici le petit chef qui dirige son monde, le dictateur en herbe qui veut imposer sa volonté. L'adulte 4 prétend souvent avoir eu une enfance merveilleuse en dépit de tous les problèmes qu'il a dû subir et dont, au fond, il se fichait puisqu'il pouvait diriger son environnement à sa guise.

Le petit 4 n'accepte pas la contradiction. Animé d'une extraordinaire spontanéité, il tape du poing, s'obstine avec aisance, se bute. Inutile de le raisonner. Suivant les autres nombres, notamment le 15 (intensité), le 16 (orgueil), le 11 (impatience), le 22 (refus de reconnaître ses torts) et le 12 (nervosité comme le 22), il peut être sujet à de fabuleuses crises de nerfs. Donc pas de tergiversations ! «Ouste ! Dans ta chambre, va réfléchir un moment et reviens quand tu te seras calmé !» Au bout d'un moment, il rebondit en oubliant facilement toutes les rancœurs.

D'une manière générale, il aime toucher du doigt, sentir, appréhender physiquement, d'où un développement sensuel précoce assimilable à celui du 15. Moins cérébral qu'un 3, il a besoin en priorité de chaleur et de contact jusqu'à l'affirmation de son indépendance, proche du 7. Dans les premiers jours de sa vie, il a un immense besoin d'être bercé jusqu'au moment où il le refuse de lui-même. Et le voilà, le lendemain, qui en redemande. Pour une heure ? Pensez-vous ! Juste une minute et ça suffit. Il ressent une insécurité qui le pousse à rechercher des bases solides pour l'aider à s'édifier concrètement. Mais après s'être situé et avoir fait connaissance avec son monde, il en prend possession avec toute l'autorité d'un Roi.

Pourquoi donc l'enfance d'un 4 serait-elle malheureuse ? Parce qu'il n'a pas su édifier sa personnalité sur des bases solides par exemple ? Qu'importe puisqu'en véritable conquérant, il les trouve d'une façon ou d'une autre. Il peut vivre des conflits incroyables; il n'en retient que ce qu'il a obtenu. Il suffit que les messages de la mère et du père soient bien perçus pour qu'après une adolescence normale, il contemple sa jeunesse avec satisfaction et ne regrette rien, même si aux yeux de tous, son enfance a été difficile.

Il existe plusieurs variétés d'enfance 4, mais toutes s'appuient sur le besoin de bâtir sur des fondements solides, non pas des bases irrationnelles, mais un cadre établi respectant l'environnement visuel ou tactile : sa maison, sa chambre, son royaume entouré de l'univers concret des poupées ou des jouets. Ce besoin du solide matériel est l'expression concrète de l'amour. Le petit 4 s'y attache physiquement comme un possessif 15 qui ramène tout à lui pour se sécuriser le temps de devenir adulte.

5

Quel enfant difficile ! Ce petit 5 met son grain de sel partout où il peut. Il ne vous lâche pas, vous pousse dans vos derniers retranchements afin de se définir lui-même. Il est insupportable.

Tout enfant veut connaître ses limites. Ce n'est pas assez pour lui qui a besoin certes de fixer son cadre de valeurs et de le confirmer mais également d'évaluer celui de son entourage et ce, sur n'importe quel plan. Il joue sans vergogne avec ses parents et s'ils sont incohérents, il les pousse au bout de leurs contradictions, quitte à traverser un mur pour qu'ils parviennent à se situer. Leur réponse comportementale en fera un être ouvert ou borné.

Ne commettez pas l'erreur de vouloir lui faire gober n'importe quoi. Ses valeurs reposent essentiellement sur l'observation et il ne se gênera pas pour vous l'envoyer dire. On peut toujours le raisonner, au moins une fois. Pas deux ! Donc pas de contradictions et n'employez pas des arguments fallacieux, changeants ou contradictoires. Vous vous heurterez à un mur! Répondez clairement sans mentir et sachez qu'il vous relancera plus tard pour vous tester.

Sa vie doit être réglée comme du papier à musique : coucher, lever, pipi ! Surtout, ne pas le déboussoler ! Bien sûr si sa référence est le désordre — celui de la famille, par exemple — il érigera le laisser-aller en principe. Il faut donc le mettre au pas et ensuite conserver le rituel fixé au départ, d'où une concertation de tous les instants de la part des parents.

Le petit 5 ne recherche pas un cadre physique mais moral où il peut s'accomplir dans la rigueur et le sens du devoir. Sa force de caractère lui permet de tout supporter. Par son aspect 12 et son besoin de se sentir utile dans son univers, il veut bien se dévouer dans les conditions qu'il fixe lui-même et coordonner l'action comme un chevalier protecteur des autres enfants et défenseur de la veuve et de l'orphelin.

Le petit 5 est intelligent et veut tout savoir. Association de 3 et 2, il développe une intelligence intuitive et une capacité de raisonnement dans l'irrationnel qui lui procure une maturité sans expérience. Ses réflexions dépassent son âge et il peut saisir la complexité dans un cadre précis qu'il sait s'imposer. C'est pourquoi il ne passe rien à ses parents qui ne devront pas hésiter à aborder des sujets profonds avec lui.

Il n'est pas vraiment aussi fainéant que le 2 mais peut passer pour un enfant 1 vantard alors qu'il cherche seulement à comprendre et à affirmer ce qu'il a bien assimilé. S'il se met en valeur, contrairement au 2 secret ou au 3 indifférent, c'est en raison de son sens de la justice morale.

Bien souvent les conséquences de ses actes s'opposent à son vouloir. Son entourage a tendance à le rejeter d'autant qu'il se bute facilement et qu'il a tendance avec l'âge à se mettre des œillères. Il ressemble donc au 4 non comme un réaliste, mais comme une personne déterminée qui veut bâtir sa demeure, solide et robuste, avant de l'habiter. Devant un refus, il se braque et ne veut plus rien savoir. Les parents doivent donc l'aider très tôt à ouvrir son esprit.

6

Symbole du soleil, le petit 6 extériorise ses émotions à la grande joie de ses parents. Un cadeau le comble de plaisir et de surprise sans retenue. Très expressif dans ses mimiques, il sait rendre le bonheur qu'on lui offre. Enfant du bonheur, enfant artiste, c'est un créateur sensible aux couleurs qui peint, dessine, touche la matière (jeux de construction, pâte à modeler...) ou se déguise avec un soin consommé.

La période des «pourquoi» dure très longtemps d'autant qu'il est du genre «câlin-collant». Son besoin permanent de sécurité le rapproche du 10. Mais chez le 10, l'insécurité se manifeste dans la propension à vivre et à subir les mouvements de l'existence, tandis que chez le 6, elle est due au manque de confiance en soi et en ses moyens personnels.

Bavard invétéré, il réclame des encouragements qui confirment le bien-fondé et l'innocuité de chaque geste, chaque mot ou chaque réalisation personnelle. Un modèle équivalent peut se greffer sur ce schéma initial : pour vérifier la satisfaction de ses proches, l'enfant prend les devants et demande à longueur de journée qui est le meilleur, le plus grand, le plus beau ou le plus intéressant, si ce qu'il fait est bien. On dira de lui qu'il est vantard ou frimeur comme un 1, à tort d'ailleurs puisqu'il s'agit d'une attitude propre à taire ses inquiétudes. Dans le même registre, le petit 6 peut faire une fixation au stade oral (sucette, gâteries, bonbons).

Comme pour un 5, les parents doivent éviter d'étaler leurs différends devant cet enfant extraverti hypersensible qui serait déchiré à l'idée de devoir prendre parti. Incapable de statuer et de porter une appréciation, il se contente d'analyser tout en assumant ce qu'il constate sans le comprendre. Le divorce lui paraît absurde et la déchirure provoquée par l'impossibilité de vivre avec les deux pôles qui lui permettent de grandir peut le pousser à refouler une détresse qui retentira profondément sur toute sa vie. Le petit 6 présente aussi une fragilité inhérente à sa grande sensibilité propre à un 19. Si, dans sa date de naissance, aucun nombre n'assure le refoulement, les émotions jailliront sans contrôle d'où la vulnérabilité d'un enfant saule pleureur et dépourvu de carapace qui se réfugie dans un questionnement permanent.

Très sociable, d'une sincérité désarmante et naïve (similitudes avec le 17), très jovial, d'un naturel démonstratif, il possède du 20 la spontanéité, le besoin de voir le monde pour être entouré et le côté comédien sans hypocrisie. Du 21, il a le raffinement, la méticulosité et le goût de l'habillement avec un soupçon de l'extravagance du 22.

Les vibrations du 4 et du 9 s'associent chez le petit 7 pour donner un aspect de Maître du monde, indépendant, solitaire et soucieux de n'avoir aucun compte à rendre. Certes, un bébé a des besoins fondamentaux, à commencer par la présence de sa mère, primordiale dans les premières années car elle est le tremplin vers la maîtrise. Mais dès que son Moi commence à s'affirmer, il ne tolère aucune autorité. Le petit 7 s'assume sans se plaindre et règle ses comptes tout seul. Il fait preuve de maturité et sait prendre ses responsabilités pourvu qu'on lui fiche la paix.

Les parents pourront penser qu'il n'a besoin de rien et auront tendance à le négliger mais sa fermeté apparente ne doit pas faire oublier qu'il a aussi besoin de marques d'affection comme tous les enfants du monde. À défaut d'effusions, le petit 7 apprécie une présence silencieuse comme pour se procurer par lui-même la tendresse ou...pour disposer d'un sous-fifre sous la main.

Pourtant, il apprécie qu'on lui réponde du tac au tac. Le 7, c'est aussi 3 + 4. Son intelligence vive ne se développe que lorsque le 4* prend le dessus pour établir des bases solides. Il ne comprend que ce qu'il a envie de comprendre et qui est nécessaire à son autonomie.

Il faudra le pousser malgré lui à l'effort et à la discipline. Cet enfant peut être un nerveux à cause d'inquiétudes structurelles qu'il veut supporter sans les partager. Il a aussi l'aspect 2 d'un enfant introverti qui n'aime pas expliquer les raisons de ses actes ni se justifier (9 solitaire + 2 fermé). On le croit fainéant car il aime diriger et déléguer : le petit 7 élabore des projets pour que d'autres les réalisent à sa place. En fait, il ne s'intéresse qu'à ses petites affaires et daigne donner son opinion pour qu'on ne lui casse pas les pieds. Mais on se retourne souvent vers lui pour lui demander des comptes.

Il ne s'implique pas réellement dans la vie de famille. Il n'a rien de l'enfant modèle 12 : il n'est pas serviable en soi et ne prend des initiatives que si elles ne l'obligent pas à adopter une norme. Il n'aime pas recevoir des ordres ou des directives d'aucune sorte.

Face aux conflits parentaux, il tend à se replier sur lui dans une attitude solitaire, voire craintive. À chacun ses problèmes ! Il ne se mêle de rien, sauf si cela l'arrange. S'il se trouve impliqué dans la vie des parents, le petit 7 peut se servir d'eux

---

* Voir l'enfance du petit 4, pour saisir les véritables similitudes (page 184).

comme jouets et s'amuser à les réconcilier mais sans s'investir. Plus tard, en discutant avec lui, les parents constateront qu'après en avoir pris conscience, il a tiré un trait sur ces difficultés. D'ailleurs, devant les bêtises des autres, il prend sur lui, ne porte aucune accusation et ne dénonce personne. Il n'aime pas l'injustice, non pas dans une optique morale mais dans celle de l'équité. Il s'assume et ne voit pas pourquoi les autres ne feraient pas comme lui.

Adulte, il trouvera son enfance belle, même s'il l'a vécue de l'intérieur, parce qu'il a agi comme il l'entendait et s'est pris en charge. Lui seul décide de ce qui lui convient. En somme, un petit «patron» qui veut diriger son monde en prenant ses responsabilités sans y participer.

Étrange petit 8, souvent perçu comme un être catégorique, raisonneur, ergoteur, distant ou indifférent et que rien ne peut atteindre. Ce froid logicien (qui peut être hyperémotif) peut réfléchir sans tenir compte de ses émotions. Sa conduite cohérente est celle d'un enfant comblé et précoce qui ne manque de rien et dont les besoins se résument à leur plus simple expression. Mais il dérange parce que ses parents ne savent pas comment le prendre, tout comme un 7. Il fait preuve d'auto suffisance et sait trouver par lui-même ce dont il a besoin. Au cours de l'apprentissage de la marche, par exemple, il refuse l'aide d'un adulte car il tient à s'en sortir seul comme le 1 (autodidacte) et le 7 (autonome).

Il est intelligent, comprend vite... trop vite. Pas la peine de lui expliquer deux fois. Pourquoi expérimenter ce que sa logique déductive lui permet de saisir sans autre explication ?

Mais attention, il s'agit là d'une «logique d'enfant» et non d'adulte.

Il y a beaucoup de similitudes entre les petits 5 et 8, notamment la nécessité d'une structure, d'où un aspect 6 questionneur à la recherche de ses propres limites, non pas morales mais structurelles. L'analyse et la compréhension de la succession des causes alimentent et renforcent sa propre logique. Si sa Personnalité Profonde amplifie son naturel introverti, il passera pour un silencieux de type 2 qui n'en pense pas moins. Si elle le pousse à s'ouvrir, on verra un casse-pieds qui veut tout décortiquer comme un 5. Erreur ! Dans un cas comme dans l'autre, il observe et veut comprendre. Autant un petit 5 a besoin d'un cadre, autant un 8 a besoin de comprendre ce cadre pour trouver son équilibre. Il ose même dénoncer l'incohérence de ses parents afin de comprendre la sienne. Une fois les réponses trouvées, il montre avec un brin de suffisance qu'il a bien compris le problème, qu'il en a fait le tour... mais non qu'il sait.

Quant à agir, il laisse ce soin aux autres. Fainéant et disponible à la fois, il est plutôt adepte de la facilité et de l'économie de l'effort. Pourquoi participer au chaos si le plan familial est incohérent ? Mais sans être aussi dynamique qu'un 4, un 7, un 11 ou même un 12 (par sa serviabilité), il peut comprendre la nécessité du plan et s'y impliquer. C'est pourquoi sa vie doit être rythmée comme celle d'un 5 : repas, coucher, lever à heures fixes... contre son gré et son goût de la liberté parfois. Ces habitudes feront plus tard le lit d'un perfectionnisme routinier. Routine ? C'est selon, soit la méticulosité extrême, soit le «foutoir» intégral, conformément à la double polarité du 8.

Il aime l'harmonie et la paix comme un 19. Tout doit être à sa place dans son univers. Même s'il ne laisse pas paraître ses émotions, il est fidèle comme un 17. La trahison d'une affection est la pire des insultes et il s'en voudra de ne pas l'avoir envisagée avant d'ouvrir son cœur. Les parents pourraient croire qu'il manque de confiance en lui alors qu'il développe une grande sûreté dès le plus jeune âge. Ce manque de confiance apparent lui laisse le temps de structurer sa pensée car il a besoin de recevoir la confirmation qu'il est sur la bonne voie après quoi, en bon individualiste, il n'aura plus besoin de personne.

9

Le petit 9 subit plus qu'il ne réalise ce qu'il vit. Très mûr, il ressemble au petit 3 mais, faute de moyens d'assimilation, saisit sans comprendre : c'est un sensitif qui expérimente pour vérifier ses sensations. Ses objets personnels, la place qu'il occupe dans le tissu familial lui permettent de s'identifier. Ce solitaire, fragile sur le plan émotionnel, se sent souvent incompris; comme un 7, il a grand besoin de tendresse et s'accroche à ses parents, non pour réclamer de grandes effusions mais de simples gestes d'affection. Il ne faut pas lui imposer plus lourd qu'il ne peut porter ni le brusquer mais lui laisser le temps de réaliser, aller au-devant de lui, le complimenter.

Il dérange par des réflexions profondes et précoces. Comme le 1, il veut voir, observer, faire le tour d'un problème sans l'aide de personne. Il est très curieux mais contrairement au 6, il n'impose pas sa curiosité. Il peut apprendre de lui-même au risque de s'ouvrir tardivement à la vie ou au contraire, se prendre en charge très tôt. Ses innombrables questions auraient besoin d'autant de réponses. Les parents ne savent pas toujours comment réagir mais ils doivent l'aider à toucher du doigt ce qu'ils veulent lui faire comprendre par l'exemple plus que par les paroles. Leur attitude en fera un fort en thème ou un cancre, un enfant ouvert ou renfermé.

Les jeux d'associations développent sa vivacité d'esprit. Comme un 6, c'est un artiste qui a besoin d'un médium pour exprimer sa grande richesse et une hyperémotivité introvertie (peinture, écriture, musique) et éviter la rupture avec le monde, source de misanthropie. La nature et les promenades lui sont indispensables. Plutôt sur la défensive, il paraît facile à diriger mais se mêle peu aux autres enfants et préfère vivre dans son monde intérieur. Les colonies de vacances, l'internat et les sports d'équipe sont à éviter car il doit apprendre à se combattre et non à se comparer à d'autres qui le décourageraient. Imaginatif comme un 18 qui se raconte des histoires ou idéaliste comme un 6, le petit 9 veut croire qu'il existe et qu'il est quelqu'un.

Il paraît nonchalant. Erreur ! Pour lui tout est important — même si les parents pensent le contraire — mais il n'aime pas être envahi. S'il se sent incompris, il rejettera sa famille et cherchera ailleurs la compréhension qu'il ne trouve pas chez lui. Malgré son air renfermé (comme un 2), on lit facilement en lui, dans ses gestes ou ses expressions. Contrairement au 7 qui voit son indépendance menacée ou au 5 qui se sent dérangé dans son univers, le petit 9 accepte la garde des gens d'expérience ouverts aux enfants (grands-parents, oncles ou tantes). Il retrouve auprès d'eux chaleur, sécurité, affection et les valeurs traditionnelles du cercle de famille. Son savoir-vivre, sa délicatesse et sa grande discrétion le rapprochent du 21. D'un jugement sûr et sans parti pris, il ne condamne personne : il constate, acquiesce parfois trop facilement mais n'oublie pas. Il sent les difficultés de ses parents, veut les prendre sur lui au risque de se culpabiliser s'il ne fait pas leur bonheur (l'association à des nombres de violence peut conduire à des conduites suicidaires).

Son enfance est donc une période tranquille et refoulée qu'il faut surveiller car à l'adolescence, le petit 9 voudra couper le cordon ombilical (comme un 2 et un 12). Il a certes besoin d'être couvé pour éclore mais il devra briser sa coquille en douceur ou il s'effondrera s'il ne supporte plus son fardeau.

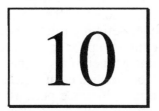

Le vent souffle où il veut. Les enfants hyperactifs se retrouvent dans le 1, le 10 et le 11. Le 10 est un oiseau sur une branche : être là ou ailleurs est secondaire. Seuls comptent plaisir et aventure. Bohème et plutôt fainéant, il réagit au coup par coup, oublie l'instant d'avant, se satisfait d'un rien et ne pose pratiquement pas de questions angoissantes. Son enfance passe comme le vent car il fait corps avec le mouvement. Il en retire une impression d'insécurité pas désagréable au fond parce qu'il se sent en harmonie avec une nature en éternelle transformation. Or le petit 10 ne cherche pas à être, il se laisse aller et vit au jour le jour. Les déménagements, les voyages sont autant de sources d'amusement. Il perçoit l'instabilité dès l'instant où les parents tentent de le freiner ou de l'encadrer.

Certes la vie est mouvement mais l'individu doit s'abstraire de cette dynamique car la société oblige à s'établir et à posséder plus qu'à se trouver. Réfléchir et méditer implique l'arrêt, le retour sur soi. Il faut se donner le droit de participer au mouvement sans le subir. Le 10 en est bien incapable d'où l'insécurité qui jaillit quand on s'arrête hors du mouvant.

Comme tout enfant qui prend conscience de son corps en priorité, c'est un créateur manuel, comme un 1 ou un 4, qui a besoin de toucher, de jouer avec ses mains, de se débrouiller seul. Spécialiste d'un système «D» souvent original qui le sort d'embarras comme un aventurier, c'est un inventeur comme le 20. Sa débrouillardise lui permet de tout dépanner même au prix du rafistolage ! Imaginatif comme un 18, comédien comme un 6, le petit 10 s'invente des histoires comme un 1 et fabule mais sans hypocrisie, adore les jeux de piste ou d'aventures, les randonnées, les cabanes en forêt, les bonnes blagues...

Ce casse-cou trompe-la-mort par imprévoyance doit toujours être surveillé parce qu'il n'est pas conséquent dans ses gestes et réagit avec insouciance. Il ne se pose pas de questions, il fait : goût du risque, défis pour défis, pour se rendre intéressant mais sans prétention ou pour épater la galerie en jouant son propre cinéma. Il aime gagner, mais l'échec ne le dérange pas si la foule applaudit. L'orgueil n'a aucune prise sur lui. S'il perd, il passe à autre chose et oublie. Le petit 10 ne juge pas, il s'en fiche. Il prend la vie comme elle vient avec spontanéité et opportunisme. Il ne cherche pas à comprendre mais joue avec les circonstances sans malice ni rouerie pour profiter de la situation. Un divorce ? Belle occasion de se laisser aller à l'imprévu !

Prendre conscience, c'est orienter. Il faut toujours être derrière lui mais sans rien imposer. Pas de prison ni de cage dorée, il étoufferait ! Il faut lui apprendre à canaliser ses mouvements avec une main de fer dans un gant de velours, installer des garde-fous souples, sans la rigidité d'un 5 mais néanmoins avec vigilance. Il en saura gré plus tard.

Mais devenu adulte, il découvrira qu'il a peu de racines. Devant une difficulté, il se penchera sur son enfance pour retrouver une vision de plaisir, d'insouciance, de joie de vivre, de plaisanterie et cette insécurité naturelle qui ne l'a guère aidé à s'établir sur des fondations solides. Il aura alors tendance à reprocher à ses parents les changements et les remises en cause familiales qu'il considérait auparavant comme une aventure merveilleuse.

Un double schéma définit le petit 11. Une énergie immense anime le dynamisme d'un enfant hyperactif ou le fabuleux contrôle d'un enfant très... très calme. Mais l'énergie est là et il va au bout de ce qu'il entreprend. On retrouve chez lui le 4 de la solidité et le 7 du petit «patron» indépendant mais qui en impose par son autorité ou sa détermination. Ici il épuise ou étouffe les parents, là il les contrôle par l'image d'un enfant sans problème. Quelle que soit sa polarité, les parents devront avoir une grande force de caractère pour échapper à sa domination car il gère et même très bien. Il peut même être pervers et sournois (11 = 1 + 1 = 2) si le milieu étouffe sa soif d'affirmation. Il a besoin d'être admiré, cité en exemple, sinon il s'acharnera tant qu'on n'aura pas reconnu son importance.

Il est aussi difficile à cerner que le 2. Même s'il se dynamise à l'extérieur, il vit essentiellement de l'intérieur. On s'interroge. Est-il sournois et hypocrite ? Où veut-il en venir ? On le trouve épuisant ou on l'accepte tel quel. S'il ne peut dominer, il déclenche un «cloche-merle» qu'il observe de loin ou dont il se veut le conciliateur.

Il doit absolument dépenser et canaliser sa grande puissance de travail car il se complaît dans l'autosatisfaction ou se laisse aller à sa trop grande facilité à imposer et à réaliser ses désirs. Il faut piéger ce côté manipulateur propre à un 1 en ne reconnaissant sa valeur que s'il sublime son égocentrisme. Il vous en saura gré toute sa vie. Hyperconfiant, les compliments ne flattent qu'un vain orgueil qui pourrait en faire un «frustré» à l'âge adulte. Ce véritable leader expérimente déjà son ambition la plus profonde : être à son propre compte. Le sport de compétition peut lui apprendre à se dépasser.

Les parents comprennent mal cet enfant responsable et n'acceptent pas toujours ses ingérences dans les affaires du foyer. Bien qu'indépendant comme un 7, il aime se sentir impliqué. Il fera preuve d'intrépidité au lieu de réagir avec l'impatience d'une soupe au lait, ou fera son cinéma pour attirer l'attention. Pourquoi déclenche-t'il tant d'a priori ? Parce qu'une double énergie (les deux 1 du 11), l'une intérieure et spirituelle, l'autre physique et sexuelle, fusionne en lui avec une telle intensité qu'aucun autre enfant n'est aussi survolté. Suivant son combat personnel, il sera comme un 2 - 9 intérieur et psychique ou comme un 10 - 15 sensuel incapable de rester en place.

Une mise en garde — de valeur relative, tous les cas de figures étant possibles — s'adresse à titre d'**indication** et de **réflexion** aux éducateurs. Le 11 crée une ambiguïté pouvant, faute d'ouverture, entraîner des comportements sexuels hors norme. L'énergie sexuelle non canalisée du garçon dominé peut induire des tendances féminines qui dégénéreront à la puberté. Elle amplifie la féminité de la fille qui, en cas de blocage, deviendra mangeuse d'hommes ou... lesbienne. Cette ambiguïté renvoie au schéma de l'affirmation du Moi en fonction des parents (voir début de l'introduction). Si le Père fait défaut, l'énergie féminine domine au bénéfice de la fille et au détriment du garçon. Si la mère fait défaut, l'énergie masculine domine au bénéfice de l'homme et **non** aux dépens de la fille car l'énergie sexuelle d'un 11 est une ouverture vers l'autre. Les problèmes apparaîtront si le père rejette sa fille. Le 11 est pratiquement l'opposé du 9. Le 9 craint d'affirmer ses tendances, le 11 a besoin de prouver sa dualité sexuelle. Cette dualité existe dans le 1 qui possède les tendances de tous les nombres.

12

Enfant idéal pour les parents, le petit 12 fera tout pour les satisfaire, même un peu trop au point d'en être collant. Mais comme il ne sait pas dire non, on ne sait s'il se plaît à rendre service car il a tendance à subir et à acquiescer même contre son désir profond, juste pour faire plaisir. À l'adolescence, lorsqu'il s'affirmera, on sera surpris de découvrir un être bien différent de ce qu'on imaginait.

Cet enfant «idéal» est un rafistoleur qui cherche toujours à relier les problèmes même à son détriment. Il fait, comme un 6, un très mauvais enfant de divorce, déchiré entre le père et la mère qu'il aime sans partage pour ce qu'ils sont sans les juger car il ne peut les distinguer l'un de l'autre. Quelle torture si d'aventure on s'avise de les critiquer ! Il passe sa vie à les raccommoder contre toute évidence. Sans prendre parti, il veut protéger celui qui est en difficulté. Le sentiment de culpabilité qu'il retire de ne pouvoir les réconcilier peut rejaillir sur son propre couple et ses enfants.

Il s'attache aux valeurs, aux objets, à son environnement et surtout aux rêves. Le deuil lui est insupportable. Il n'hésite pas à se sacrifier si on lui conserve une place dans le cœur, faute de quoi la déchirure le renfermera comme un 2 hypocrite. Ce problème se retrouve souvent au moment d'une deuxième naissance dans la famille. Il a un besoin viscéral de garder sa place, car c'est un grand rêveur, souvent déconnecté de la réalité et presque toujours en désordre. S'il sait souffrir sur le plan moral, sur le plan physique, il est très douillet à cause de son imagination débordante et de ses peurs inconscientes comme le 18.

Il faudra dès le plus jeune âge lui extirper le germe du fatalisme qui se nourrit de ses impuissances et de ses rêves. Sinon dans la vie adulte, il risque de se placer sous la coupe du premier venu sans pouvoir réagir. Il ruminera qu'il est un incompris.

Comme le 3, le petit 12 aime lire et apprendre. Sa sensibilité artistique à fleur de peau le fait fondre comme une madeleine (19). Une âme d'artiste aspire à traduire l'absolu visualisé, quête difficile risquant de causer de nombreuses frustrations et du découragement. Les parents doivent faciliter son expression en lui faisant prendre conscience des réalités jusqu'à ce qu'il parvienne à couper le cordon. Tâche difficile car bien des réactions aux moments de la puberté traduiront plus la fuite qu'un réel désir d'indépendance. Il reviendra de lui-même car tel un 18, il ne peut vivre hors de son nid traditionnel.

Les éducateurs doivent savoir que cet enfant attachant n'a guère de problèmes dans son jeune âge. Mais il faudra lui montrer comment s'en créer pour qu'il se dépare très tôt de sa tendance naturelle à la soumission et comment développer son indépendance car il est excessivement influençable. Fidèle dans ses amitiés comme le 17, il est plein d'innocence et de naïveté. Les parents surveilleront ses fréquentations car de mauvaises influences pourront l'abuser. Il faut développer très tôt son intelligence pour qu'il érige des lignes de défense utiles plus tard. Le bénévolat, sous prétexte qu'il a un sens humanitaire, est donc à déconseiller. S'il s'intéresse aux sciences humaines, il aura bien le temps de consacrer sa vie aux autres. Pour l'instant, il vit dans le merveilleux. Qu'il ne passe pas à côté sous prétexte de chercher une plus grande maturité.

* *
*

B- LES TABLEAUX SIMPLIFIÉS

Dans le premier tome, nous avions construit un tableau simplifié pour le Miroir et un tableau simplifié pour le Masque :

- le premier exposait un **état** au moyen de substantifs,

- le second définissait des **désirs** ou des **actions** au moyen de verbes.

Ces tableaux seront repris sans termes nouveaux puisqu'il suffit de bien assimiler le principe d'un nombre en fonction de l'application pratique, en l'occurrence ici l'enfance.

Signalons qu'un seul tableau : celui de l'**État (I)** pourrait suffire à l'interprétation de l'enfance. Dans un premier temps, j'encourage le numérologue débutant à laisser de côté le tableau de l'**Action (II)**.

Dans cet ouvrage, l'utilisation de deux tableaux permettra...

- de mettre en évidence, au cours de multiples exemples, d'indispensables nuances à connaître pour bien maîtriser l'Art de l'interprétation;

• d'entraîner le numérologue à ne pas tomber dans le piège du mot vide de sens, mais à mieux ressentir l'essence du principe symbolisé par un nombre.

* *
*

LE TABLEAU D'ÉTAT

I	LES PRINCIPES	LES ASPECTS
1 -	L'autodidacte, la potentialité, la facilité.	+ habileté, ambition, débrouillardise. − arrivisme, vantardise, agitation.
2 -	Le secret, l'intuition, l'observation.	+ réserve, discrétion, méditation. − dissimulation, introversion, hypocrisie.
3 -	L'intelligence, le charme, l'élégance.	+ compréhension, culture, intelligence. − prétention, coquetterie, condescendance.
4 -	La matière, la réalité, les fondements.	+ volonté, ténacité, amour du commandement. − entêtement, intransigeance, tyrannie.
5 -	La morale, le devoir, la philosophie.	+ conseil, rigueur, honnêteté. − sévérité, intolérance, étroitesse d'esprit.
6 -	La jeunesse, la curiosité, l'interrogation.	+ enthousiasme, interrogation, discussion. − doute, manque de confiance, justification.
7 -	La maîtrise, l'indépendance, la responsabilité.	+ réussite par le mérite, goût de la direction, progrès. − suractivité, inquiétude, despotisme.

I	LES PRINCIPES	LES ASPECTS
8 -	La logique, la froideur, l'impartialité.	+ grande logique, esprit de méthode, pondération. − déséquilibre, manque d'ordre, esprit querelleur.
9 -	La solitude, la prudence, le sens profond de la vie.	+ temps de réflexion, sagesse, discrétion. − timidité, crainte, repli sur soi.
10 -	Le mouvement perpétuel, la jovialité, l'entrain.	+ aventure, opportunisme, spontanéité. − insécurité, vie de bohème, insouciance.
11 -	L'énergie, l'autonomie, la confiance en soi.	+ résolution, force de réalisation, intrépidité. − impatience, irritation, colère.
12 -	Le sacrifice, le dévouement, l'humanisme.	+ serviabilité, attachement, désintéressement. − utopie, esclavage, fatalisme.
13 -	Le changement radical et définitif, la décision.	+ esprit de décision irréversible, inflexibilité, sensibilité. − mélancolie, tristesse, découragement.
14 -	L'accommodement, les loisirs, la communication.	+ goût de l'amusement, souplesse, conciliation. − agitation, influence, négligence.
15 -	L'intensité, la passion, l'instinct.	+ ardeur, captivé, sensualité. − violence, égoïsme, surexcitation.
16 -	La fierté, l'amour-propre, le défi.	+ orgueil, présomption, audace. − mégalomanie, imprudence, coups de tête.

I	LES PRINCIPES	LES ASPECTS
17 -	L'idéal, l'amitié, la sensibilité.	+ douceur, idéalisme, optimisme. − naïveté, désorientation, rêverie.
18 -	La famille, la tradition, le passé.	+ création, imagination, habitude. − fuite de la réalité, conscience trouble, peur.
19 -	L'émotion, la paix, l'harmonisation.	+ générosité, franchise, sentiment. − hyperémotivité, impres- sionnabilité, susceptibilité.
20 -	Le public, les relations sociales, l'inspiration.	+ spontanéité, amour de la foule, esprit spirituel. − illuminisme, exaltation, manque de pondération.
21-	La féminité, la perfection, les honneurs.	+ délicatesse, soin, savoir-vivre. − mondanité, obstacle insurmontable, distraction.
22 -	L'extravagance, l'inconnu, le hors-norme.	+ aptitude à porter son fardeau seul, individua- lisme, impulsion. − dépression, fragilité, apathie.

*　　*
*

LE TABLEAU
DE L'ACTION

II	LES PRINCIPES	LES ASPECTS
1 -	Se découvrir, s'universaliser, toucher à tout	+ affirmer ses potentialités, prendre une initiative, convaincre. − se mettre en valeur, se persuader, illusionner.
2 -	S'intérioriser, devenir secret, méditer	+ observer, écouter, se fier à ses intuitions. − se dissimuler, se masquer, être méfiant.
3 -	Intellectualiser, conceptualiser, charmer par l'esprit	+ comprendre , apprendre, être avisé. − être prétentieux, dédaigner, se surestimer.
4 -	Se matérialiser, se réaliser, concrétiser	+ devenir solide et responsable, se stabiliser. − s'entêter, s'acharner, devenir autoritaire.
5 -	Philosopher, se délimiter, conseiller	+ être respectable, tolérer, faire preuve de civisme. − moraliser, critiquer, être catégorique.
6 -	S'exprimer, se différencier, se remettre en question	+ s'enthousiasmer, parler, séduire. − s'éparpiller, manquer de confiance, être gamin.
7 -	Se maîtriser, progresser, réussir	+ se prendre en charge, se reconnaître, diriger. − s'inquiéter, se préoccuper, paraître.

II | LES PRINCIPES |	LES ASPECTS
8 - Se normaliser, se discipliner, être logique	+ être intègre et conséquent, se structurer. − se bureaucratiser, devenir froid, contester.
9 - S'isoler, réfléchir, mûrir	+ être sage et simple, se calmer, approfondir. − se taire, devenir énigmatique, se replier sur soi.
10 - Bouger, oser, se débrouiller	+ s'aventurer, tenter sa chance, plaisanter. − s'insécuriser, devenir inconséquent, tourbillonner.
11 - Se contrôler, se réaliser, se prendre en charge	+ afficher sa certitude, être confiant, vaincre. − envahir, s'impatienter, s'imposer.
12 - Se dépasser, se sublimer, devenir utile	+ se dévouer, se sacrifier, se lier. − s'attacher, se justifier, se soumettre.
13 - Se rectifier, se détacher, changer de plan	+ se décider définitivement, trancher, se transformer. − devenir inflexible, nostalgique, incrédule.
14 - Se renouveler, s'adapter, se divertir	+ devenir souple et arrangeant, communiquer. − devenir insouciant, oisif, influençable.
15 - Se passionner, posséder, jouir	+ fasciner, dominer, adorer. − se rendre intéressant, réagir instinctivement, s'exciter.
16 - Relever les défis, être fier, s'affirmer	+ s'imposer, affronter l'adversité, vouloir être considéré. − ambitionner, réagir brusquement, être arrogant.

II	LES PRINCIPES	LES ASPECTS
17 -	S'orienter, espérer, idéaliser	+ être optimiste, amical, doux. − rêvasser, être naïf, s'abandonner.
18 -	Créer, s'attacher au passé, avoir un esprit de famille	+ s'apparenter, imaginer, s'habituer. − s'illusionner, s'imaginer, être impressionnable.
19 -	Pacifier, harmoniser, vivre	+ être chaleureux et généreux, fraterniser. − paraître, être impressionnable et susceptible.
20 -	Aimer le public, se dégager, fréquenter ses relations	+ être spontané et sociable, jouer la comédie. − s'exaspérer, se prendre pour un autre, manquer de pondération.
21 -	S'unifier, se raffiner, se distinguer	+ être délicat, prévenant et perfectionniste. − jouer le mondain, snober, s'admirer.
22 -	Évoluer, être extravagant, affronter l'inconnu	+ se décider, être insouciant, lâcher prise. − ne pas reconnaître ses torts, déraisonner, errer.

* *
*

CHAPITRE IV

LE MIROIR

Méthode
d'interprétation

<table>
<tr><td rowspan="5">I N N É</td><td>JOUR</td><td>MOIS</td><td>ANNÉE</td></tr>
<tr><td>Mère</td><td>Enfant</td><td>Père</td></tr>
<tr><td>A 1</td><td>B 1</td><td>C 1</td></tr>
<tr><td>A 2</td><td>B 2</td><td>C 2</td></tr>
<tr><td>A 3</td><td>B 3</td><td>C 3</td></tr>
</table>

Personnalité profonde	
A1 + B1 + C1 =	D 1
A2 + B2 + C2 =	D 2
A3 + B3 + C3 =	D 3

<table>
<tr><td rowspan="6">M I R O I R</td></tr>
</table>

Développement de la féminité	
A1 + B1 =	E 1
A2 + B2 =	E 2
A3 + B3 =	E 3

Développement de la masculinité	
B1 + C1 =	F 1
B2 + C2 =	F 2
B3 + C3 =	F 3

A. PRINCIPES DE L'INTERPRÉTATION DU MIROIR

Revenons au schéma de la page 170 et revoyons ses règles d'interprétation.

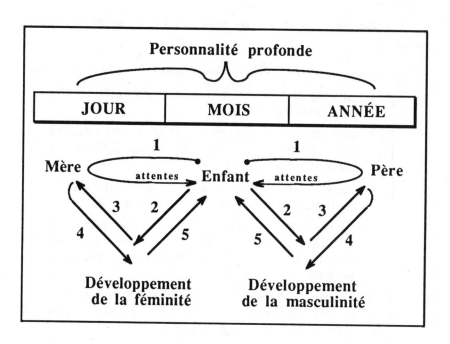

1. Les **attentes** de l'enfant en fonction de son **être** potentiel.

2. Les tensions (ou absence de tensions) induites par ces attentes en fonction de ce qu'il **est vraiment**.

3. La perception **effective** et **personnelle** qu'il a de ses parents.

4. Le message qu'il **retiendra** de ses parents et ses réactions comportementales d'**affirmation** de sa féminité/sensibilité et de sa masculinité/dynamisme.

5. Comment il **jugera** ses rapports avec ses parents durant l'enfance.

Je rappelle que le Miroir constitue la partie la plus importante d'une date de naissance. Il est le reflet dynamique de l'évolution de l'être.

Adaptées au Miroir, les règles de l'interprétation deviennent :

---

1. Les attentes de l'enfant **à la découverte** de son **être potentiel**.

2. Les tensions (ou absence de tensions) induites par ses attentes et qui le pousseront à s'assumer **au cours de son évolution**.

3. La perception **effective** et **personnelle** qu'il a de la **responsabilisation** de ses parents.

4. Le message qu'il **retiendra** de ses parents pour **accepter** sa féminité/sensibilité et sa masculinité/dynamisme et les répercussions sur son comportement.

5. Comment il **jugera** ses **interventions** à l'égard de ses parents durant l'enfance et l'impression qu'il en gardera à l'âge adulte.

B. MÉTHODE D'INTERPRÉTATION

Pour faciliter la compréhension de la méthode, remplaçons les divers paramètres de la structure de la date de naissance par les lettres A, B, C, D, E, F*.

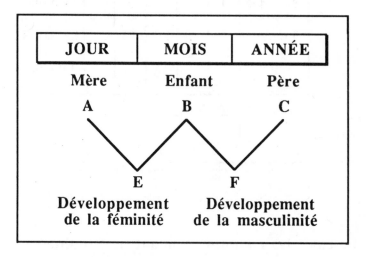

1° Analyser dans l'ordre

- les attentes paternelles...   (nombre **C** de l'année)
- ... et maternelles   (nombre **A** du jour)

—> en fonction de l'enfant   (nombre **B** du mois)

- Pour l'enfant, utiliser le tableau d'**État**, **(I)****.

- Pour le Père et la Mère, utiliser le tableau de l'**Action, (II)*****.

• **Exemple : personne née le 25 mai 1986**

Mère : **A** = 7 (2 + 5);
enfant : **B** = 5 (mai);
Père :   **C** = 6 (1 + 9 + 8 + 6 = 24 = 2 + 4).

---

*   Voir page 153.
**   Page 201.
*** Page 205.

2° Se référer au tableau des gradients de polarité*

Le plus atonique	21	17 19	11	7 5	4	Le moins atonique
Le plus tonique	16	12	22 13	15 18		Le moins tonique

Hémi-toniques	20 positif 9 négatif	1 - 2 - 3 - 6 - 10 - 14

8

3° Calculer les nombres résultant de l'addition :

- du mois (nombre **B**) + l'année (nombre **C**) —>
  Développement de la **masculinité** (nombre **F**)

- du jour (nombre **A**) + mois (nombre **B**) —>
  Développement de la **féminité** (nombre **E**).

Les nombres **E** et **F** identifiaient jusqu'à présent** les Comportements intérieur et extérieur. Ils s'appliquent ici au Développement de la féminité et au Développement de la masculinité. Le calcul est **rigoureusement identique**.

• **Exemple 1** : personne née le 25 mai 1986

Mère : **A** = 7 (2+5)
enfant : **B** = 5 (mai)
Père : **C** = 6 (1+9+8+6=24)
Développement de la féminité : **E** = A + B = 7 + 5 = **12**
Développement de la masculinité : **F** = B + C = 5 + 6 = **11**

• **Exemple 2 :** personne née le 23 mars 1987

Mère :   **A** = 5 (2+3)
enfant : **B** = 3 (mars)
Père :   **C** = 7 (1+9+8+7=25)
Développement de la féminité : $E = A + B = 5 + 3 = 8$
Développement de la masculinité : $F = B + C = 3 + 7 = 10$

4° Déterminer le niveau de tonicité (ou tension) des nombres E et F par le tableau ci-dessus.

Quatre cas de figure peuvent se présenter :

1. a) Le nombre **F** de la **masculinité** est *atonique* : L'enfant **a su prendre** chez son Père ce qu'il attendait pour **réussir à se dynamiser.**

   b) Le nombre **E** de la **féminité** est *atonique* : L'enfant **a su prendre** chez sa Mère ce qu'il attendait pour apprendre à **accepter sa sensibilité.**

   *Interpréter le nombre d'après son **principe** et son **aspect positif** (tableau d'État).*

   • **Exemple 1 :** personne née le 25 mai 1986

   Le nombre **F** du Développement de la masculinité est = **11**. Dans le tableau des gradients de polarité, 11 est *atonique*. L'enfant **a su prendre** chez son Père ce qu'il attendait pour **réussir à se dynamiser.**

2. a) Le nombre **F** de la **masculinité** est *hémitonique* : L'enfant **a su prendre en partie** chez son Père ce qu'il attendait pour **réussir à se dynamiser.**

   b) Le nombre **E** de la **féminité** est *hémitonique* : L'enfant **a su prendre en partie** chez sa Mère ce qu'il attendait pour apprendre à **accepter sa sensibilité.**

   *Interpréter le nombre d'après son **principe** et ses **aspects positif ET négatif** (tableau d'État).*

217

• **Exemple 2 :** personne née le 23 mars 1987

> Le nombre **F** du Développement de la masculinité est = **10**. Dans le tableau des gradients de polarité, 10 est *hémitonique*. L'enfant **a su prendre en partie** chez son Père ce qu'il attendait pour **réussir à se dynamiser.**

3 . a) Le nombre **F** de la **masculinité** est *tonique* :
L'enfant **n'a pas su prendre** chez son Père ce qu'il attendait pour **réussir à se dynamiser.**

b) Le nombre **E** de la **féminité** est *tonique* :
L'enfant **n'a pas su prendre** chez sa Mère ce qu'il attendait pour apprendre à **accepter sa sensibilité.**

> *Interpréter le nombre d'après son **principe** et son aspect négatif (tableau d'État).*

• **Exemple 1 :** personne née le 25 mai 1986

> Le nombre **E** du Développement de la féminité est = **12**. Dans le tableau des gradients de polarité, 12 est *tonique*. L'enfant **n'a pas su prendre** chez sa Mère ce qu'il attendait pour apprendre à **accepter sa sensibilité.**

4 . a) Le nombre **F** de la **masculinité** est le nombre 8 :
L'enfant a su **canaliser*** ce dont il avait besoin pour apprendre à se **dynamiser.**

b) Le nombre **E** de la **féminité** est le nombre 8 :
L'enfant a su **canaliser** ce dont il avait besoin pour apprendre à **accepter sa sensibilité.**

> *Interpréter le nombre d'après son **principe seulement** (tableau d'État). Les aspects positif et négatif seront exprimés en termes de constat et non de jugement.*

---

* canaliser : Le nombre 8 oriente et structure tout ce avec quoi il est en rapport*. Dans le cas présent, on dira que l'enfant a

---

*   Voir tome I, page 111.

su dépasser les conflits vécus avec son Père et sa Mère. La vision qu'il aura de ses parents sera *objective* , sans parti pris et non subjective.

• **Exemple 2 :** personne née le 23 mars 1987

Le nombre E du Développement de la féminité est = **8**. L'enfant a su **canaliser** ce dont il avait besoin pour apprendre à **accepter sa sensibilité.**

5° Revenir au Père (nombre C) et à la Mère (nombre A) et, à partir des données recueillies au point 4°, analyser en fonction du tableau d'État, comment l'enfant a cru percevoir ses parents. (Le tableau d'État dresse un constat alors que le tableau de l'**Action** décrit les attentes.)

Interpréter les caractéristiques de ces nombres comme des traits de caractères dominants du Père et la Mère **vus par l'enfant.**

1. a) Le nombre **F** de la **masculinité** est *atonique* : Interpréter positivement le nombre **C** du Père.

b) Le nombre **E** de la **féminité** est *atonique* : Interpréter positivement le nombre **A** de la Mère.

*Interpréter le nombre d'après son **principe** et son **aspect positif** (tableau d'État).*

• **Exemple 1 :** personne née le 25 mai 1986

Le nombre **F** du Développement de la masculinité est **11**. Dans le tableau des gradients de polarité, 11 est un nombre atonique. Les caractéristiques dominantes que l'enfant a cru percevoir chez son Père (nombre C = 1986 —> 6 de l'année) sont :

6 -	La jeunesse, la curiosité, l'interrogation	+	enthousiasme, interrogation, discussion.	tableau d'État

2. a) Le nombre **F** de la **masculinité** est *hémitonique* :
Interpréter avec nuance le nombre **C** du Père.

b) Le nombre **E** de la **féminité** est *hémitonique* :
Interpréter avec nuance le nombre **A** de la Mère.

*Interpréter le nombre d'après son **principe** et ses aspects **positif ET négatif** (tableau d'État).*

• **Exemple 2 :** personne née le 23 mars 1987

Le nombre **F** du Développement de la masculinité est **10**.
Dans le tableau des gradients de polarité, 10 est un nombre hémitonique. Les caractéristiques dominantes que l'enfant a cru percevoir chez son Père (nombre **C** = 1987 —> 7 de l'année) sont :

7 - La maîtrise, l'indépendance, la responsabilité	+ réussite par le mérite, goût de la direction, progrès. – suractivité, inquiétude, despotisme.	tableau d'État

3. a) Le nombre **F** de la **masculinité** est *tonique* :
Interpréter négativement le nombre **C** du Père.

b) Le nombre **E** de la **féminité** est *tonique* :
Interpréter négativement le nombre **A** de la Mère.

*Interpréter le nombre d'après son **principe** et son aspect **négatif** (tableau d'État).*

• **Exemple 1 :** personne née le 25 mai 1986

Le nombre **E** du Développement de la féminité est = **12**.
Dans le tableau des gradients de polarité, 12 est un nombre tonique. Les caractéristiques dominantes que l'enfant a cru percevoir chez sa Mère (nombre **A** = 25 —> 7 du jour) sont :

7 - La maîtrise, l'indépendance, la responsabilité	– suractivité, inquiétude, despotisme.	tableau d'État

4. a) Le nombre **F** de la **masculinité** est le nombre 8 :
Interpréter avec des propos *objectifs, critiques et sans parti pris* le nombre **C** du Père.

b) Le nombre **E** de la **féminité** est le nombre 8 :
Interpréter avec des propos *objectifs, critiques et sans parti pris* le nombre **A** de la Mère.

*Interpréter le nombre d'après son **principe uniquement** (tableau d'État). Exprimer les aspects positif et négatif sous forme de constat et non de jugement.*

• **Exemple 2 :** personne née le 23 mars 1987

Le nombre **E** du Développement de la féminité est = **8**.
Les caractéristiques dominantes que l'enfant a cru percevoir *avec objectivité* chez sa Mère (nombre **A** = 23 —> 5 du jour) sont :

5 - La morale, le devoir, la philosophie		tableau d'État

6° Toujours avec l'information du point 4°, revenir au niveau de l'enfant (nombre B) et exprimer ses tendances réactionnelles envers ses parents.

Tirer les conclusions en fonction du tableau de l'**Action** (tableau II).

1. a) Le nombre **F** de la **masculinité** est *atonique* :
Interpréter positivement le nombre **B**.

b) Le nombre **E** de la **féminité** est *atonique* :
Interpréter positivement le nombre **B**.

*Interpréter le nombre d'après son **principe** et son **aspect positif** (tableau de l'**Action**).*

• **Exemple 1 :** personne née le 25 mai 1986

Le nombre **F** du Développement de la masculinité est = **11**. Dans le tableau des gradients de polarité, 11 est un nombre atonique. L'enfant (nombre **B** = 5 du mois) était porté à avoir vis-à-vis de son Père l'attitude suivante :

5- Philosopher, se délimiter, conseiller	**+** être respectable, tolérer, faire preuve de civisme.	tableau de **l'Action**

2 . a) Le nombre **F** de la **masculinité** est *hémitonique* : Interpréter avec nuance le nombre **B**.

b) Le nombre **E** de la **féminité** est *hémitonique* : Interpréter avec nuance le nombre **B**.

*Interpréter le nombre d'après son **principe** et ses aspects négatif ET positif (tableau de l'Action).*

• **Exemple 2 :** personne née le 23 mars 1987

Le nombre **F** du Développement de la masculinité est = **10**. Dans le tableau des gradients de polarité, 10 est un nombre hémitonique. L'enfant (nombre **B** = 3 du mois) était porté à avoir vis-à-vis de son Père l'attitude suivante :

3- Intellectualiser, conceptualiser, charmer par l'esprit	**+** comprendre, apprendre, être avisé. **–** être prétentieux, dédaigner, se surestimer.	tableau de **l'Action**

3 . a) Le nombre **F** de la **masculinité** est *tonique* : Interpréter avec négativité le nombre **B**.

b) Le nombre **E** de la **féminité** est *tonique* : Interpréter avec négativité le nombre **B**.

*Interpréter le nombre d'après son **principe** et son aspect négatif (tableau de l'Action).*

• **Exemple 1** : personne née le 25 mai 1986

Le nombre **E** du Développement de la féminité est = **12**.
Dans le tableau des gradients de polarité, 12 est un nombre tonique. L'enfant (nombre **B** = 5 du mois) était porté à avoir vis-à-vis de sa Mère l'attitude suivante :

5 - Philosopher, se délimiter, conseiller	– moraliser, critiquer, être catégorique.	tableau de **l'Action**

4 . a) Le nombre **F** de la **masculinité** est le nombre **8** : Interpréter avec des propos *objectifs, critiques et sans parti pris* le nombre **B**.

b) Le nombre **E** de la **féminité** est le nombre **8** : Interpréter avec des propos *objectifs, critiques et sans parti pris* le nombre **B**.

*Interpréter le nombre d'après son **principe uniquement** (tableau de l'Action). Les aspects positif et négatif peuvent exprimer des attitudes naturelles de joie ou de friction chez l'enfant.*

• **Exemple 2** : personne née le 23 mars 1987

Le nombre **E** du Développement de la féminité est = **8**.
L'enfant (nombre **B** = 3 du mois) était porté à avoir vis-à-vis de sa Mère l'attitude suivante :

3 - Intellectualiser, conceptualiser, charmer par l'esprit		tableau de **l'Action**

7° Revenir au niveau des nombres E et F identifiant le Développement de la féminité et la masculinité.

Tirer les conclusions suivantes en fonction du tableau de l'**Action** :

a) Les nombres **F** (Développement de la **masculinité**) expriment ce que l'enfant parvenu à l'adolescence a retenu comme message de son Père *en fonction de ses attentes* pour **réussir à se dynamiser**.

b) Les nombres E (Développement de la **féminité**) expriment ce que l'enfant parvenu à l'adolescence a retenu comme message de sa Mère *en fonction de ses attentes* pour **accepter sa sensibilité.**

8° **Toujours avec les nombres E et F et en fonction des attentes de l'enfant (point 1°), tirer une conclusion qui permettra de comprendre ses réactions vis-à-vis de ses parents et comment il va chercher à affirmer sa sensibilité et sa détermination dans son existence.**

Avertissement

La méthode d'interprétation exposée ici est progressive et dans un premier temps, la technique prime sur les nuances. Or, celui qui voudrait interpréter sa date de naissance en même temps qu'il lit ce livre risque d'avoir quelques surprises s'il ne va pas au bout de l'ouvrage. C'est qu'un modulateur, «la Personnalité profonde», chapeaute toutes les données et dirige tout le développement jusqu'à 21 ans, époque où un autre modulateur, la «Personnalité extérieure», prendra le relais. Nous reviendrons en détail sur ces deux types de modulateurs (il y en a d'autres) dans le tome consacré aux cycles de la vie. Mais on peut d'ores et déjà comprendre globalement leur action.

Un nouveau-né vit de façon naturelle avec sa notion d'être profonde. Qu'il en soit conscient ou non importe peu. Petit à petit, le développement du «Moi» en une Personnalité extérieure (que les Hébreux nomment *Rouah* et définissent comme l'Âme à l'état de veille) se fera au détriment de la réalité du «Soi» qui va tranquillement se mettre en sommeil. L'individu devra réveiller l'enfant qui dort désormais au plus profond de lui s'il aspire à retrouver son identité. Pour atteindre cet objectif, une vie entière lui sera nécessaire.

Pour l'instant, nous nous préoccuperons uniquement de la Personnalité profonde qui dirige le développement de l'enfant : elle en est le modulateur. Ainsi un enfant 6 (juin) exubérant modulé par une Personnalité profonde 9 (timidité) donne une exubérance refoulée. De même un enfant 7 (juillet) indépendant sous l'influence d'une Personnalité profonde 8 rationnelle, donne un enfant autonome avec logique.

Je reviendrai plus loin sur cette subtilité.

C. APPROCHE GLOBALE DE L'INTERPRÉTATION

Le sentiment de l'enfant lui est personnel et ne correspond pas nécessairement à une réalité objective. Il ne permet pas de conclure a posteriori que ses parents furent ou non de mauvais parents mais simplement que la frustration ressentie est susceptible d'entraîner de sa part un jugement négatif à leur égard.

L'enfant reçoit complètement, partiellement ou pas du tout la réponse souhaitée à ses attentes parentales. Dans le cas positif, il gardera l'impression que ses parents savaient être présents à lui et réagissaient spontanément à ses besoins : l'enfant se sera senti aimé. Dans le cas contraire, il restera persuadé qu'ils manquaient d'écoute et ressentira leur incapacité à vibrer au même diapason que lui au point d'en éprouver le sentiment d'une profonde solitude.

D'où le schéma suivant :

Mère ou Père	—> amour <—	Enfant
Mère ou Père	<— solitude —>	Enfant

Or, il est capital de comprendre progressivement, par une interprétation absolument neutre reposant sur le concept «était présent à moi» ou «était absent à mes attentes», comment l'enfant en vient à porter un jugement partisan sur ses parents. C'est pourquoi un raisonnement clair est préférable aux belles phrases synthétiques qui en masqueraient toute la logique. Cette démarche semblera une redite aux yeux de quelques lecteurs qui auront bien assimilé la méthode générale de la numérologie. Elle m'apparaît cependant essentielle afin de bien fixer les idées. Ce raisonnement progressif suit six étapes :

1. Deux personnes sont en présence : le parent (jour ou année) et l'enfant (mois), chacun symbolisé par un nombre.

2. L'enfant attend de son parent la définition du nombre qui représente ce parent (jour = Mère, année = Père) en fonction du nombre qui le représente, lui (mois = Enfant).

3. Additionner les deux nombres.

4. Définir la tension du nombre résultant : tonique, atonique, hémitonique (page 139).

5. En déduire les conclusions tirées par l'enfant :

- la somme est un nombre **tonique** :

> Le parent n'a pas été disponible à l'enfant. En partant du concept *«était absent à mes attentes»*, on comprendra le jugement négatif de l'enfant.

- la somme est un nombre **atonique** :

> Le parent a été disponible à l'enfant. En partant du concept *«était présent à mes attentes»*, on comprendra le jugement positif de l'enfant.

- la somme est un nombre **hémitonique** :

> Le parent a été tantôt disponible, tantôt indisponible à l'enfant. Le jugement de l'enfant à l'égard de ses parents sera mitigé.

6. Conclure : l'enfant **juge** la présence ou l'absence de ses parents à partir des constats initiaux et en conclut qu'il a été ou non aimé.

• EXEMPLE 1 : 5 octobre 1945

Laissons la parole à l'enfant et suivons le cheminement de ses impressions personnelles.

a) Avec la Mère :

1. Constat : Mère 5, enfant 10

«Ma Mère était une femme de moralité et de principes 5. Moi, j'étais un enfant qui aimait bouger et vivre dans l'insouciance du moment qui passe 10.»

2. Attentes :

«J'attendais qu'elle utilise sa morale 5 pour m'aider à mieux vivre mon insouciance, pour mieux orienter mon goût de bouger 10.»

3. Mère + enfant —> 5 + 10 = 15, nombre **tonique**...

... d'où «**solitude**» de l'enfant vis-à-vis de sa Mère.

4. Conséquence :

«Je n'ai pas obtenu ce que j'attendais de ma Mère.»

5. Déduction :

«Ma Mère était une femme de moralité et de principes 5 qui ne parvenait pas à admettre mon désir de bouger et de vivre dans l'insouciance du moment qui passe 10. Elle ne pouvait pas comprendre que sa morale 5 structure mon goût de la liberté autrement que par une restriction sévère et intolérante à seules fins de faire respecter ses principes 5 au détriment de ma joie de vivre 10. Donc, elle n'était pas à l'écoute de mes désirs et de mes attentes... parce que sa belle morale 5 était trop rigide pour s'adapter à mes besoins, cette morale dont elle faisait l'éloge était plus étroite, ses principes plus intolérants, plus sévères. Ses valeurs n'étaient pas tournées vers autrui, sinon elle m'aurait compris...»

6. Jugement :

«Donc, ma Mère ne savait pas m'aimer, elle m'aimait mal, tant elle était prise dans sa morale de pacotille. J'ai ressenti son ABSENCE parce qu'elle n'était pas présente à moi quand j'en avais besoin et de la manière dont j'en avais besoin. Elle avait une vue trop basse de sa philosophie et un trop grand respect des convenances pour comprendre qu'un enfant a juste besoin d'un peu d'attention, COMME IL LE SOUHAITE.»

b) Avec le Père :

1. Constat : Père 19 (1+9+4+5), enfant 10

«Mon Père était un homme de paix et d'harmonie 19. Moi, j'étais un enfant qui aimais bouger et vivre dans l'insouciance du moment qui passe 10.»

2. Attentes :

«J'attendais qu'il soit généreux 19 pour me donner les moyens de bouger 10, qu'il me protège 19 pour me sécuriser 10 et qu'il aime les enfants comme un vrai 19.»

3. Père + Enfant —> 19 + 10 = 11 nombre **atonique**...

... d'où «**l'amour**» de l'enfant envers son Père.

4. Conséquence :

«J'ai obtenu ce que j'attendais de mon Père.»

5. Déduction :

«Donc pour moi, mon Père a su être généreux 19 pour me permettre de bouger. Il protégeait 19 mes mouvements et mes aventures 10... Il aimait vraiment les enfants.»

6. Jugement :

«Donc mon Père savait être *présent à moi*. Il m'a aimé.»

• EXEMPLE 2 : 20 juillet 1950

Maintenant que nous avons compris le déroulement du raisonnement, nous exposerons l'inteprétation de façon condensée.

a) Avec la Mère :

– Mère 20, enfant 7 —> 20 + 7 = 27 = 9.

– 9 est un nombre **hémitonique** qui expose des moments d'«**amour**» mais surtout (le 9 est plus négatif que positif) des moments de «**solitude**» de l'enfant vis-à-vis de la Mère.

La Mère aimait son enfant sans aucun doute... puisqu'elle répondait parfois spontanément 20 à son besoin d'indépendance 7. Mais la plupart du temps, elle agissait contre son désir d'affirmer son autonomie 7, comme si elle était plus préoccupée par les relations sociales 20 que par ses problèmes. C'est pourquoi il a progressivement pris en aversion ce qui le séparait d'elle car il en venait à penser qu'elle trouvait plus d'intérêt à la reconnaissance d'autrui 20 qu'à combler son attente et à être pleinement «présente à lui». C'est ainsi que l'enfant en arrive à juger sa Mère dans l'aspect négatif du nombre 20 et accessoirement dans son aspect positif.

b) Avec le Père :

• Père 15 (1+9+5+0) et enfant 7 —> 15 + 7 = 22.

• 22 est un nombre **tonique** exposant la **solitude** de l'enfant vis-à-vis du Père.

L'enfant avait l'impression que son Père était un homme de passion intense et sensuelle 15 qui avait tendance à empiéter sur son autonomie 7 et ne le laissait pas fonctionner par lui-même. Il en conclut qu'il ne s'intéressait à lui, qu'il ne jouait avec lui que lorsque ses activités ou ses jeux entraient dans le champ de ses propres intérêts égoïstes 15. Quand l'enfant réclamait sa présence, son Père pouvait réagir avec impatience et même violence 15.

Le Père n'était pas forcément violent mais l'enfant ne pouvait le considérer autrement dans sa frustration de ne pouvoir en disposer comme il le désirait. C'est ainsi qu'il en arrive à le juger dans l'aspect négatif du nombre 20 et accessoirement dans son aspect positif.

* *
*

L'approche globale devra toujours prévaloir sur toute autre forme d'interprétation car elle procure une indication générale qui facilite la compréhension des rapports de l'enfant avec ses parents. Mais l'évocation de l'enfance et des rapports parentaux dévoile des recoins secrets dont la découverte risque de raviver des blessures enfouies dans le subconscient. Certains sujets peuvent ressentir un viol de leur intimité. C'est pourquoi l'analyse détaillée ne sera faite qu'à la demande de la personne qui consulte après une approche globale préalable. C'est dire l'importance de ne pas porter d'appréciation trop directe et tranchant dans le vif en affirmant une vérité que la personne ne serait pas prête à accepter d'emblée. Il faut encore une fois rappeler que le jugement de l'enfant est une perception qui lui est propre indépendamment des qualités ou des défauts intrinsèques de ses parents.

* *
*

	JOUR	MOIS	ANNÉE		Personnalité profonde	
I	Mère	Enfant	Père			
N						
N	A 1	B 1	C 1	A1 + B1 + C1 =	D 1	
É	A 2	B 2	C 2	A2 + B2 + C2 =	D 2	
	A 3	B 3	C 3	A3 + B3 + C3 =	D 3	

	Développement de la féminité		Développement de la masculinité	
M				
I				
R	A1 + B1 =	E 1	B1 + C1 =	F 1
O	A2 + B2 =	E 2	B2 + C2 =	F 2
I	A3 + B3 =	E 3	B3 + C3 =	F 3
R				

RAPPELS

Observons le schéma de base de la date de naissance du Miroir pour l'enfance (page ci-contre) et rappelons-nous :

Les nombres du niveau primaire (A1-B1-C1) sont plus importants que les nombres des niveaux secondaire ou tertiaire (A2-B2-C2 ou A3-B3-C3) lesquels n'expriment que des nuances modulant les nombres primaires. Les nombres primaires correspondent de fait aux attentes de l'enfant vis-à-vis de ses parents, alors que les nombres secondaires ou tertiaires recouvrent des espérances, des souhaits ou des désirs parallèles.

Dans un souci de clarté, j'indiquerai régulièrement la référence du tableau correspondant, tableau d'**État (I)*** ou tableau de l'**Action (II)****.

Les facettes de l'interprétation sont si nombreuses que la compréhension des attentes d'un enfant vis-à-vis des parents est à la mesure du talent du numérologue et de la manière dont il a assimilé la technique. Puisqu'il faut respecter une méthodologie, je ne relèverai que les seules évidences en les complétant par des notes pour préciser des points clefs.

Contrairement au premier tome, je n'exposerai qu'un seul niveau d'interprétation et je conclurai par le modulateur, la Personnalité profonde. Une fois compris le principe général de la numérologie à 22 nombres, il n'y a plus qu'à adapter les directives de chaque chapitre à sa propre expérience. Ce procédé facilite l'exposé et la compréhension d'une technique qui n'a rien d'une recette de cuisine.

---

*   Voir page 201.
** Voir page 205.

L'Enfant
et le Père

Le mot «Père» englobe le père naturel, celui qui le remplace (le beau-père ou père adoptif) et d'une manière générale **l'autorité.**

L'interprétation cherche à comprendre les attentes de l'enfant vis-à-vis de son Père, l'image qu'il s'est faite de lui, les messages qu'il a su en tirer et ses actions et réactions pour **se dynamiser et accepter sa masculinité.**

Reprenons la date de naissance d'Isabelle, née le 8 juin 1956 et que nous connaissons déjà puisqu'elle a servi de modèle dans le premier tome. Le calcul du Miroir du chapitre 2 donne :

Jour 8		Mois juin		Année 1956	
Mère		Enfant		Père	
A1 = 8	8	B1 = 6	6	C1 = 1956	2 1
A2 = 8	8	B2 = 6	6	C2 = 21	3
A3 = 8	8	B3 = 6	6	C3 = 3	3

Personnalité profonde	
D1 = 8+6+21 = 35	8
D2 = 8+6+ 3 =	1 7
D3 = 8+6+ 3 =	1 7

Développement de la féminité	
E1 = 8+6 =	14
E2 = 8+6 =	14
E3 = 8+6 =	14

Développement de la masculinité	
F1 = 6+21 = 27	9
F1 = 6+ 3 =	9
F1 = 6+ 3 =	9

A. LES ATTENTES PATERNELLES

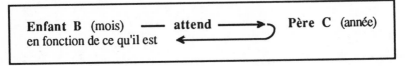

Enfant B (mois) —— **attend** ———→ Père C (année)
en fonction de ce qu'il est

Isabelle est 6 (mois de juin —> tableau d'**État**) et attend de son Père un 21 nuancé par un 3 (l'année : 1956 = 1 + 9 + 5 + 6 = 21 —> tableau de l'**Action**).

1. TECHNIQUE :

Analyser les nombres **C** de l'année symbolisant le Père (tableau de l'**Action**) en fonction des nombres **B** du mois personnalisant l'enfant (tableau d'**État**). On **rapporte** donc 21-3 (année) à 6 (mois) pour analyser et comprendre les définitions de 21 nuancé de 3 à travers celles du 6.

Les aspects positifs seront interprétés comme une attente particulière d'Isabelle vis-à-vis de son Père.

Les aspects négatifs seront interprétés comme des conseils de prudence qu'attend l'enfant de la part de son Père.

Comme dans le précédent tome, je précise que les interprétations ne sont pas des modèles littéraires mais des analyses brutes qui visent l'essentiel.

2. INTERPRÉTATION :

Isabelle...

6- La jeunesse, la curiosité, l'interrogation	+ enthousiasme, interrogation, discussion. – doute, manque de confiance, justification.	tableau d'**État**

... attend de son Père...

21- S'unifier, se raffiner se distinguer	+ être délicat, prévenant et perfectionniste. – jouer le mondain, snober, s'admirer.	tableau de **l'Action**
3- Intellectualiser, conceptualiser charmer par l'esprit	+ comprendre, apprendre, être avisé. – être prétentieux, dédaigner, se surestimer.	tableau de **l'Action**

Sens :

a. **En fonction du 21 vers le 6 :** *Pour apprendre à se dynamiser, Isabelle attend que son Père l'aide...*

- à s'unifier (21) *avec* tout l'élan de la jeunesse (6).

- à raffiner (21) sa curiosité (6), à aller au fond des choses, à être curieuse (6) de tout (le 21 symbolise la totalité) pour tout connaître à la perfection (comme dans une quête d'absolu proche de la passion).

- à se distinguer (21) *par* sa curiosité (6) ou *par* sa jeunesse (6), et à gagner l'estime de soi *par* la finesse (21) de ses questions (6 interrogation).

- à se mettre en valeur avec raffinement et distinction (21) *grâce à* une jeunesse d'esprit et une curiosité pleine d'à-propos (6).

- ou encore, à aiguiser la précision (21) de ses interrogations (6)*.

  * Si un 15 (intensité, égoïsme) ou un extrême comme un 12 (sacrifice, dévouement) apparaissent dans la structure de la date de naissance, cet art de l'interrogation frisera la torture morale à la limite du sadisme (15) ou du masochisme (12).

b. **En fonction du 3 vers le 6 :** *En parallèle, Isabelle espère que son Père l'aidera...*

- à découvrir le pouvoir charmeur d'un esprit (3) jeune (6), d'un regard vif et intelligent (3) débordant d'innocence et de pureté candide et à laisser croire sans être dupe qu'elle est un agneau prêt à se faire manger par le loup (voir note ci-dessous),

— à conceptualiser (3) ses interrogations (6), à les codifier (comme un 8) mais aussi à les imaginer (comme un 18),

— à intellectualiser (3) sa curiosité (6) et à trouver les outils intellectuels pour nourrir sa soif de connaissances.*

* Remarquer la nuance entre curiosité (6) intellectuelle (3) et intellectualiser (3) sa curiosité (6), c'est-à-dire en clair «organiser le cheminement de sa pensée et de ses recherches.»

c. En fonction des aspects 21-3 vers le 6 :

De façon plus nuancée, Isabelle veut savoir de son Père comment être délicate (21) et compréhensive (3) avec enthousiasme (6), atteindre la perfection (21) pour apprendre (3) à s'interroger (6) et être prévenante (21) avec intelligence (3 être avisé) dans les discussions (6).

d. En fonction des aspects 21-3 vers le 6:

Dans les périodes difficiles, Isabelle aimerait savoir comment jouer les mondaines (21) prétentieuses (3) quand elle perd confiance en elle (6), jouer à l'aristocrate (21 snober) dédaigneuse (3) dans les moments de doutes (6) et s'apprécier (21 s'admirer) en se surestimant (3) quand elle devra se justifier (6).

Note :

Cette phrase du paragraphe «b.» éclaire le paragraphe précédent au sujet du nombre 21. Mais, ce serait tomber dans l'excès de codifier la numérologie par une technique absolue qui doit au contraire s'interpréter avec nuance : le mot qui ne sert qu'à exprimer une facette d'un principe risque de cacher le principe comme l'arbre cache la forêt.

Ainsi le 21 symbolise l'énergie de la perfection androgyne personnalisée dans la tradition par la femme, parce que tout en elle est courbe à l'image de la divinité qui n'accepte pas la ligne droite ni l'angle. Dans ce sens, l'homme anguleux doit devenir femme, c'est-à-dire acquérir les caractéristiques «dites» féminines (savoir-vivre, galanterie, fusion dans un abandon consenti...).

Parallèlement, le 6 est soumis à la loi du 21 car l'addition théosophique donne 1+2+3+4+5+6=21. Cela exprime pourquoi la jeunesse est si attentive à ses formes naissantes à la puberté, mais aussi pourquoi elle tend à se perdre dans un idéalisme absolu et pourquoi elle est si sensible à la mode. L'adolescence est la période de différenciation où le sexe prend forme en fonction de l'orientation génétique, mais aussi la période charnière entre l'enfance et l'âge adulte, elle est prête à tout expérimenter mais aussi à s'éparpiller. D'où la conclusion que le 6 exprime la diversité, la multitude et l'interrogation. Si on rapproche le 21 avec le 6, on pourra dire :

> «Papa, explique-moi comment je peux être femme (21) de mille et une façons différentes (6)...»

Si l'enfant est une fille, elle peut chercher à courtiser son Père en jouant «la femme». Si le Père (ou l'autorité, oncle, cousin, grand-père...) n'a pas acquis la maturité sexuelle, l'enfant peut devenir une proie facile de l'inceste. C'est moins évident pour un garçon car l'orientation vers l'homosexualité dépend de la manière dont sera opéré le rejet du Père, son admiration ou sa fixation à la puberté, parallèlement au développement de la sensibilité en rapport avec la Mère. Ce pourrait être le cas si le 21 était le nombre du jour. Un 21 avec un mois de froideur comme le 8 n'ouvrirait pas la même porte au Père ou à la Mère sur les possibilités incestueuses. Il existe d'autres combinaisons telles qu'une année 15 avec un mois 1 :

> «Explique-moi comment développer ma passion (15) narcissique (1).»

Comme le 1 a de façon naturelle une sensibilité orale et anale... L'expérience vous fera découvrir ces combinaisons intéressantes.

B. LES ATTENTES PATERNELLES ONT-ELLES ÉTÉ EXAUCÉES ?

1. TECHNIQUE :

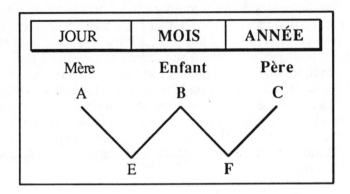

Vérifier dans le tableau des gradients de polarité si les nombres **F** du Développement de la masculinité (mois + année) dans le Miroir sont atoniques, hémitoniques ou toniques. Les nombres primaires indiquent si les attentes fondamentales **ont été exaucées**. Les nombres secondaires ou tertiaires précisent si les attentes secondaires ou tertiaires **n'ont pas été déçues**. D'une manière générale, c'est exclusivement le nombre primaire qui indiquera si les attentes ont été reçues et les nombres secondaires devront être négligés, **sauf** lorsque le nombre primaire est hémitonique et que le nombre secondaire est atonique ou tonique.

Exemple :

– **10-19 :** le 10 hémitonique a tendance à être légèrement atonique grâce au 19.

– **6-15 :** le 6 hémitonique a tendance à être légèrement tonique grâce au 15.

Ces nombres seront toujours considérés comme hémitoniques mais ils seront plus ou moins polarisés. Dans l'esprit des numérologues, ils devraient être notés **10+** ou **6–**.

Chez Isabelle, les nombres **F** représentant le Développement de la **masculinité** sont :

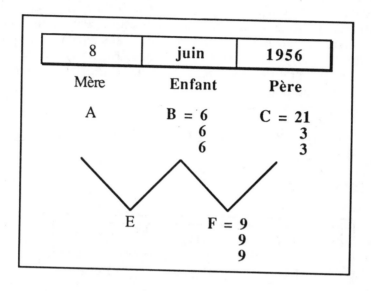

- Le nombre primaire : Le mois 6 **plus** l'année 21 donne 27. 27 supérieur à 22 est réduit à 2 + 7 = 9.
- Les nombres secondaire et tertiaire: Le mois 6 **plus** l'année 3 donne 9. 9 inférieur à 22 est conservé.

Soit le 9-9-9. Le 9 est nombre hémitonique à tendance négative, responsable sur un plan général d'une hémitonicité d'Isabelle vis-à-vis de son Père.

2. INTERPRÉTATION :

Sens :

Isabelle a reçu en partie ce qu'elle attendait de son Père, mais elle en a conservé aussi une impression de frustration.

Le nombre F = 9 présente à la naissance un aspect négatif qui s'atténuera avec l'âge. Ainsi, affirmer en accentuant le 9 négatif d'Isabelle qu'elle n'a pas obtenu *grand-chose* de son Père est une erreur partielle d'interprétation. Il s'agit de l'impression d'une adolescente. À 40 ans, Isabelle considérera que son Père a répondu à ses nombreuses attentes, même si ce ne fut pas l'idéal... Ce raisonnement général sur le 9 doit être adapté au vécu réel et à l'âge de la personne qui consulte. Par exemple, on présentera l'enfance d'une personne de 21 ans avec un peu plus de dureté que pour un sujet de 40 ans. En ce qui concerne Isabelle, les attentes exaucées ou non se chiffrent pour un nombre hémitonique à 50 %.

C. COMMENT ISABELLE A-T'ELLE PERÇU SON PÈRE ?

1. TECHNIQUE :

JOUR	MOIS	ANNÉE
Mère	Enfant	Père
A	B	C

Elle consiste à dresser le constat suivant :

«Comme l'addition de ce que je suis (le mois **B**) et de ce que j'attends de mon Père (l'année **C**) donne un nombre **F** (Développement de la masculinité, dynamisme)...

—> **atonique**, c'est que mes attentes ont été exaucées puisqu'il n'y a pas de tension.

—> **hémitonique**, c'est que mon Père a répondu à la moitié de mes attentes.

—> **tonique**, c'est que je n'ai pas vu mes attentes exaucées puisqu'il y a tension.»

On prend donc **les nombres C de l'année** (Père) et on les interprète en fonction du tableau d'État (I) de la manière suivante :

a) **Le nombre F du Développement masculin est atonique :**

La perception du Père est **positive**.
Ignorer l'aspect négatif des définitions de l'année **C** :

Principe : *L'impression générale que la personne a gardée de son Père est celle d'un homme qui **présentait les caractéristiques** (ou était)...*

Aspect + : *Elle conserve l'image d'un Père qui **détenait (ou avait, était)**...*

b) **Le nombre F du Développement masculin est tonique :**

La perception du Père est **négative**.
Ignorer l'aspect positif des définitions de l'année **C** :

Principe : *L'impression générale que la personne a gardée de son Père est celle d'un homme qui **voulait montrer (ou prouver)**...*

Aspect – : *Mais elle conserve l'image d'un Père qui **paraissait (ou passait pour)**...*

c) **Le nombre F du Développement masculin est hémitonique :**

La perception du Père est **mitigée**.
Tenir compte de l'aspect positif et de l'aspect négatif des définitions de l'année **C** :

Principe : *L'impression générale que la personne a gardée de son Père est celle d'un homme qui **présentait les caractéristiques** (ou était)...*

Aspect + : *Quand tout allait bien dans la vie de son Père, elle conserve l'image d'un homme qui **avait (ou était)**...*

Aspect – : *Mais quand tout n'allait pas dans le sens prévu, son Père lui **paraissait (ou passait pour)**...*

Note : On n'obtient pas toujours, tant s'en faut, un nombre hémitonique pour le Père (Année + mois) et pour la Mère (jour + mois). L'addition donne plus souvent du côté du Père ou de la Mère un nombre de la catégorie atonique ou tonique.

d) Le nombre F du Développement masculin est 9, 20 ou 8 :

Ces nombres ont le même effet que les autres nombres hémitoniques sur le nombre de l'**année** qui devra donc être interprété dans son aspect positif et négatif. Mais il faudra appliquer en plus un traitement spécifique :

• **Pour le 9, tenir compte de l'âge du sujet.**

    * **S'il est jeune,** interpréter le nombre de l'année **C** de façon légèrement négative en intervertissant les paragraphes des aspects positif et négatif et en commençant par :

        Principe : *L'impression générale que cette personne a gardée de son Père est celle d'un homme* **qui présentait** *les caractéristiques...*

        Aspect – : *Actuellement son Père lui* **paraît un homme...**

        Aspect + : *Mais plus tard, elle aura l'image d'un homme qui* **avait** *(ou était)...*

    * **S'il a dépassé la trentaine,** interpréter le nombre **C** de l'année de façon légèrement positive en commençant par l'aspect positif avant l'aspect négatif :

        Principe : *L'impression générale que cette personne a gardée de son Père est celle d'un homme* **qui présentait** *les caractéristiques...*

        Aspect + : *Aujourd'hui que le temps a passé, elle garde l'image d'un homme qui détenait (ou était)...*

        Aspect – : *Alors qu'autrefois, son Père lui paraissait un homme...*

• **Pour le 20, interpréter le nombre C de l'année de façon légèrement positive.**

Contrairement au 9 qui implique le repli pendant l'enfance puis l'ouverture en vieillissant, le 20 cherche dès son jeune âge à s'extérioriser et à faire en sorte que tout aille pour le mieux. Cette attitude sert à masquer les problèmes mais développe aussi une pensée positive qui conduit le sujet à considérer ses parents sous leur meilleur aspect et à minimiser les aspects négatifs. L'interprétation tiendra compte des deux aspects en minimisant l'aspect négatif.

Principe : *L'impression générale que cette personne a gardée de son Père est celle d'un homme **qui présentait les** caractéristiques...*

Aspect + : *Aujourd'hui, elle garde l'image d'un homme qui **détenait (ou était)**...*

Aspect − : *Mais elle est consciente que son Père pouvait **paraître**...*

• **Le 8 est le nombre d'exception.**

Il indique que la personne a dépassé les conflits avec ses parents et qu'il est conscient *objectivement* de ce qu'il attendait d'eux pour trouver sa propre identité. La perception des parents reste «neutre» et objective.

Principe : *L'impression générale que cette personne a gardée de son Père est celle d'un homme **qui présentait** les caractéristiques...*

Aspect + : *Quand tout allait bien dans la vie, son Père **savait se montrer**...*

Aspect − : *Mais quand tout n'allait pas dans le sens prévu, son Père se montrait aussi...*

2. INTERPRÉTATION :

8	juin	1956	Personnalité profonde
Mère	Enfant	Père	
8	6	21	8
8	6	3	17
8	6	3	17
	14	9	
	14	9	
	14	9	

247

Le Père d'Isabelle est représenté par un 21 (1956 = 21) nuancé par un 3 (21 = 3). Dans le tableau d'**État**, prendre les nombres 21 et 3 en tenant compte autant de leurs aspects positifs que négatifs, puisque le nombre résultant de l'addition du mois et de l'année : 6 + 21 = 27 = 2 + 7 = **9**, est hémitonique. De plus 9 impose de tenir compte de l'âge du sujet. Isabelle ayant passé trente ans, l'interprétation adoptera une teinte légèrement positive.

21- La féminité, la perfection, les honneurs	+ délicatesse, soin, savoir-vivre. – mondanité, obstacle insurmontable, distraction.	tableau d'État
3 - L'intelligence, le charme, l'élégance	+ compréhension, culture, intelligence. – prétention, coquetterie, condescendance.	tableau d'État

Sens :
    • *L'impression générale qu'Isabelle a gardée de son Père est celle d'un homme qui présentait des caractéristiques* féminines* (21). Il lui paraissait perfectionniste (21), aspirant aux honneurs (21). *Parallèlement elle ressentait chez lui* une intelligence (3) pleine de charme (3) et une certaine élégance (3) amplifiant le 21 féminin.

> * Caractéristiques féminines... et non pas efféminées. C'est la technique qui impose ce terme à un homme. En fait, son Père est un homme qui avait des caractéristiques dont notre culture se plaît à parer les femmes : savoir-vivre, distinction, délicatesse de bon ton... Rien à voir donc avec l'homosexualité que seule l'étude de sa propre date de naissance pourrait à la rigueur révéler.
>
> Remarquons au passage qu'Isabelle semblait rechercher sa féminité... chez son Père. Que cherchait-t'elle donc chez sa Mère ? Patience !

    • *Aujourd'hui que le temps a passé, elle garde l'image d'un homme* délicat (21) et d'un grand savoir-vivre (21) qui prenait un soin (21) particulier des choses qu'il affectionnait. Il se voulait compréhensif (3) et essayait de se cultiver (3) avec intelligence (3). Isabelle considère son Père de façon plus positive que négative : en somme, un type bien qui avait de la classe, qui a toujours su garder la tête haute et qui voulait ou a réussi à s'élever au-dessus de sa condition.

• *Alors qu'autrefois son Père lui paraissait* distrait (21) et mondain (21) avec cette tendance à grossir les problèmes et à se faire une montagne d'un rien (21 obstacle insurmontable) dans une ambiance prétentieuse (3) d'expressions condescendantes (3) et d'un besoin de se faire valoir (3 coquetterie).

D. COMMENT ISABELLE À-T'ELLE PERÇU SON ATTITUDE ENVERS SON PÈRE DURANT SON ENFANCE ?

1. TECHNIQUE :

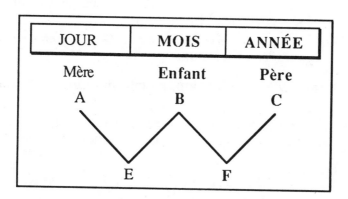

La méthode est la même, mais au lieu de l'appliquer au Père à travers l'année, il faut la dynamiser à travers le **mois** qui identifie le sujet durant son enfance.

Elle consiste à dresser le constat suivant :

> «Comme l'addition de ce que je suis (le mois **B**) et de la perception que j'avais de mon Père (l'année **C**) donne un nombre **F** (Développement de la masculinité, dynamisme)...

—> **atonique,** c'est que j'ai eu de bons rapports avec lui puisqu'il n'y a pas de tension.

—> **hémitonique,** c'est que j'ai eu, malgré certaines frictions, des relations acceptables avec lui... (ou vice-versa).

—> **tonique,** c'est que j'ai eu de mauvais rapports avec lui puisqu'il y a tension.»

On prend donc **les nombres B du mois** (enfant) et on les interprète en fonction du tableau de l'**Action** (II) de la manière suivante :

a) Le nombre F du Développement masculin est atonique :

Les relations avec le Père ont été **bonnes.**
Ignorer l'aspect négatif des définitions du mois **B** :

Principe : *L'impression que cette personne a gardée de son attitude envers son Père est celle d'un enfant qui pouvait facilement...*

Aspect + : *Elle conserve l'image d'un enfant qui avait avec son Père une attitude...*

b) Le nombre F du Développement masculin est tonique :

Les relations avec le Père ont été **mauvaises.**
Ignorer l'aspect positif des définitions du mois **B** :

Principe : *L'impression que cette personne a gardée de son attitude envers son Père est celle d'un enfant qui ne parvenait pas à...*

Aspect – : *Mais elle conserve l'image d'un enfant qui se devait d'avoir envers son Père une attitude...*

c) Le nombre F du Développement masculin est hémitonique :

Les relations avec le Père ont été **mitigées.**
Tenir compte des aspects positif ET négatif des définitions du mois **B** :

Principe : *L'impression que cette personne a gardée de son attitude envers son Père est celle d'un enfant qui éprouvait parfois une certaine difficulté à...*

Aspect + : *Quand tout allait bien, elle garde l'image d'un enfant qui avait avec son Père une attitude...*

Aspect − : *Mais quand tout n'allait pas dans le sens prévu, elle se devait d'avoir envers son Père une attitude...*

d) Le nombre F du Développement masculin est 9, 20 ou 8 :

Ces nombres ont le même effet que les autres nombres hémitoniques sur le nombre du **mois B** qui devra donc être interprété dans son aspect positif et négatif. Mais il faudra appliquer un traitement spécifique :

• **Pour le 9, tenir compte de l'âge du sujet.**

  * **S'il est jeune,** interpréter le nombre du mois **B** de façon légèrement négative en intervertissant les paragraphes des aspects positif et négatif et en commençant par :

Principe : *L'impression que cette personne a gardée de son attitude envers son Père est celle d'un enfant qui éprouvait souvent une certaine difficulté à être...*

Aspect − : *Actuellement, elle garde en mémoire que lorsque tout n'allait pas dans le sens prévu, elle se devait d'avoir envers son Père une attitude...*

Aspect + : *Mais plus tard elle conviendra qu'il avait aussi une attitude...*

  * **S'il a dépassé la trentaine,** interpréter le nombre du mois **B** de façon légèrement positive en commençant par l'aspect positif avant l'aspect négatif :

Principe : *L'impression que cette personne a gardée de son attitude envers son Père est celle d'un enfant qui avait parfois une certaine difficulté à être...*

Aspect + : *Aujourd'hui que le temps a passé, elle convient que lorsque tout allait dans le sens prévu, elle essayait d'avoir envers son Père une attitude...*

Aspect − : *Alors que durant son enfance, elle croyait devoir adopter envers son Père une attitude...*

• **Pour le 20, interpréter le nombre du mois B de façon légèrement positive.**

Contrairement au nombre $F = 9$ qui implique le repli pendant l'enfance puis l'ouverture en vieillissant, le 20 cherche dès son jeune âge à s'extérioriser et à faire en sorte que tout aille pour le mieux. Cette attitude sert à masquer les problèmes mais développe aussi une pensée positive qui conduit le sujet à considérer ses parents sous leur meilleur aspect et à minimiser les aspects négatifs. L'interprétation tiendra compte des deux aspects en minimisant l'aspect négatif.

Principe : *L'impression que cette personne a gardée de son attitude envers son Père est celle d'un enfant qui trouvait plaisant d'être...*

Aspect + : *Quand tout allait bien, elle garde l'image d'un enfant qui aimait adopter envers son Père une attitude...*

Aspect − : *Mais quand tout n'allait pas dans le sens prévu, elle avait tendance à l'égard de son Père à se dissimuler derrière une attitude...*

• **Le 8 est le nombre d'exception :**

Il indique que le sujet a su comprendre avec *objectivité* les rapports qu'il a eus avec son Père en fonction de sa propre identité. Par conséquent, la perception de son attitude reste «neutre» et objective.

Principe : *L'impression que cette personne a gardée de son attitude envers son Père est celle d'un enfant **cohérent**...*

Aspect + : *Quand tout allait bien dans les rapports avec son Père, elle savait se montrer...*

Aspect − : *Mais quand tout n'allait pas dans le sens prévu, elle se montrait aussi...*

2. INTERPRÉTATION :

L'attitude d'Isabelle vis-à-vis de son Père pendant son enfance est représentée par le mois $B = 6$. Dans le tableau de l'**Action**, prendre le nombre 6 en tenant compte autant de son aspect positif que négatif, puisque le nombre résultant de l'addition du mois 6 + l'année 21 = 27 = 2+7 = 9 est hémitonique*. De plus, 9 impose de tenir compte de l'âge du sujet. Isabelle ayant passé trente ans, l'interprétation adoptera une teinte légèrement positive.

8	juin	1956	Personnalité profonde
Mère	Enfant	Père	
8	6	2 1	8
8	6	3	1 7
8	6	3	1 7
	14	9	
	14	9	
	14	9	

6 - S'exprimer, se différencier, se remettre en question	+ s'enthousiasmer, parler, séduire. − s'éparpiller, manquer de confiance, être gamin.	tableau de l'Action

Sens :

• *L'impression qu'Isabelle a gardée de son attitude envers son Père est celle d'une enfant qui avait parfois une certaine difficulté à* s'exprimer (6) avec lui. Il ne lui était pas *toujours facile* d'assumer sa propre identité* (6 se différencier) en dehors de lui et de se remettre en question (6) *sans ressentir une pression** de sa part.

    *   sa propre identité : «se différencier» implique comprendre la différence entre soi et les autres. Cela équivaut pour un enfant à trouver sa propre individualité.

   **   sans ressentir une pression : le texte d'ouverture indique **une certaine difficulté à**... agir. Il faut en tenir compte dans les définitions et le développement du principe et des aspects positif et négatif, d'où les expressions «pas toujours facile...» et «sans ressentir une pression».

---

*   Voir page 139.

• *Aujourd'hui que le temps a passé, elle convient que lorsque tout allait dans le sens prévu, elle essayait d'avoir envers son Père une attitude* enthousiaste (6), accessible au dialogue et à la discussion et un tantinet séductrice (6).

• *Alors que, durant son enfance, elle croyait devoir adopter envers son Père l'attitude* d'une enfant dispersée (6 s'éparpiller) manquant de constance et de confiance (6) et par réaction très gamine (6)*.

> * Déjà la numérologie conduit à émettre des hypothèses qui exigent des réponses. Pourquoi Isabelle réagit-elle ? Pour attirer l'attention ou pour se défendre ! Le Père semble inaccessible, inaltérable, impressionnant pour ce petit bout de chou. D'un côté la classe, la perfection du 21, de l'autre un 6 naturellement fragile. De plus, Isabelle vit des rapports troubles qui l'amènent à jouer à la petite femme recherchant la considération de son prétendant; pour attirer l'attention, elle se montre faible, gauche et inattentive.

E. QUEL MESSAGE ISABELLE A-T'ELLE RETENU DE SON PÈRE POUR SE DYNAMISER ?

1. TECHNIQUE :

Un message est un conseil ou une orientation à donner à sa vie pour se dynamiser, donc une action.

La méthode consiste à mettre en rapport :

- les nombres **F** du **Développement de la masculinité** (tableau de l'**Action**),
- avec les **attentes paternelles** d'Isabelle, définies au paragraphe **A**, page 238.

L'exposé distingue donc :

- les attentes paternelles d'Isabelle, légèrement modifiées dans la forme d'une réponse théorique d'un Père à son enfant,

– en caractères **gras,** le **message** qu'a compris (ou cru comprendre) Isabelle,

– en *caractères italiques gras,* les modalités de la responsabilisation, de l'action et de la confrontation du sujet au milieu social environnemental grâce au Développement de la masculinité.

2. INTERPRÉTATION :

8	juin	1956	Personnalité profonde	
Mère	Enfant	Père		
8	6	2 1	8	
8	6	3	1 7	
8	6	3	1 7	
	14	9		
	14	9		
	14	9		

Le message dépend de l'année 21-3 (Père) et du mois 6-6 (Isabelle). L'**addition** donne 9-9 que l'on interprète d'après le tableau de l'**Action** (II).

Le message est...

9 - S'isoler, réfléchir, mûrir	+ être sage et simple, se calmer, approfondir. – se taire, devenir énigmatique, se replier sur soi.	tableau de l'**Action**

Sens :

a. En fonction du 21 vers le 6 :

• «**Pour t**'unifier (21) *avec* tout l'élan de la jeunesse (6), *pour agir,* **il te faudra dans un premier temps apprendre à mûrir (9).**»

• «**Pour r**affiner (21) ta curiosité (6), aller au fond des choses, être curieuse de tout (21 totalité), pour tout connaître à la perfection (comme dans une quête d'absolu proche de la passion), *pour construire ta place au soleil,* **apprends à réfléchir (9).»**

• **«Tu veux que je te** montre comment te distinguer (21) *par* ta curiosité (6) ou *par* ta jeunesse (6), gagner l'estime de toi *par* la finesse (21) de tes questions (6). **Il te suffit d'apprendre à t'isoler** *dans la passivité* (9)...»*

> * Un tel message n'est pas absurde si on cherche à le comprendre dans son contexte. Isoler dans la passivité signifie «observe en silence ce que font les autres et vois ce qui se passe autour de toi et tu sauras. Une telle attitude te fera remarquer par l'entourage dont les dispositions te donneront le moyen d'agir selon tes vœux.»

• **«Si tu veux que je t'**indique comment **tu peux** te mettre en valeur avec raffinement et distinction (21) *grâce à* une jeunesse d'esprit et une curiosité pleine d'à-propos (6) ou encore, à aiguiser la précision de tes interrogations *afin de te dynamiser socialement,* **apprends l'isolement, la réflexion et... mûris (9) !»**

b. En fonction du 3 vers le 6 :

• **«En parallèle, tu veux que je t'**aide à découvrir le pouvoir charmeur d'un esprit (3) jeune (6), **à conquérir ton entourage** d'un regard vif et intelligent (3) débordant d'innocence et de pureté candide et à laisser croire sans être dupe que **tu es** un agneau prêt à se faire manger par le loup.* **Eh bien, réfléchis (9)!»**

> * Une telle réponse donne le sentiment qu'Isabelle est livrée à elle-même et ne bénéficie d'aucun soutien.

• **«Tu me demandes aussi de t'aider** à conceptualiser (3) tes interrogations (6) *pour mieux assumer ton rôle social,* les codifier (comme un 8) mais aussi **parvenir à** les imaginer (comme un 18), et comment intellectualiser (3) ta curiosité (6)*de l'existence.* **Il suffit d'apprendre à t'isoler en toi (donc apprendre la concentration). De la sorte, tu pourras** trouver les outils intellectuels pour nourrir ta soif de connaissances, *pour te dynamiser à travers les au-*

tres.. **Le seul outil que je peux te donner est un conseil : mûris (9) !»** *

> * Ce conseil sous-entend qu'Isabelle est trop jeune pour comprendre. Ce sera peut-être (?) différent quand elle sera adulte.

c. En fonction des aspects 21-3 vers le 6 :

• **«De plus tu me demandes comment** *socialement* **tu peux** être délicate (21) et compréhensive (3) avec enthousiasme (6). **D'abord calme-toi, sois simple (9), et tu gagneras le respect** *des autres.»*

• **«Comment** atteindre la perfection (21) pour apprendre (3) à t'interroger (6) *pour te mettre en valeur ?* **Approfondis (9) ce que tu sais ou veux savoir.»**

• **«Comment** être prévenante (21) avec intelligence (3 être avisé) dans les discussions (6) **? Apprends la sagesse (9)** *qui t'ouvrira les portes du succès.»*

d. En fonction des aspects 21-3 vers le 6 :

• **«Dans les périodes difficiles, tu** aimerais savoir comment jouer *dynamiquement* les mondaines (21) avec un air prétentieux (3) quand **tu** perds confiance en **toi** (6). **Facile ! Apprends à te taire (9)** ! Comment te prendre *socialement* pour une aristocrate (snober du 21) dédaigneuse (3) dans tes moments de doutes (6) **? Joue l'énigmatique (9)** ! Comment t'apprécier (21) en te surestimant (3) quand **tu** auras besoin de te justifier (6) *vis-à-vis des autres* **? Parviens à te replier sur toi-même (9) !»**

Note : Les conclusions provoquent toujours une sorte de frustration confirmant, chez un sujet 9 jeune, une perception négative du parent. Quel enfant, quel adolescent aime s'entendre dire : «Attends, réfléchis !» ? Avec le recul, ce type de réponse paraît plus positif car le sujet comprend que son parent ne pouvait «répondre» autre chose.

F. SYNTHÈSE ET CONCLUSION

1. TECHNIQUE :

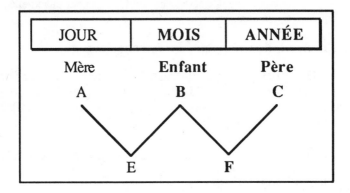

Il n'y a pas de méthode particulière pour tirer cette conclusion. Il suffit seulement d'un peu de bon sens, de compréhension et une grande expérience de la numérologie et des réactions psychologiques de l'être humain. En fait, on peut conclure en comparant les nombres en présence selon la loi du triangle : deux éléments en présence en créent un troisième. Les deux éléments sont connus : Isabelle (mois **B**) et son Père (année **C**). La conséquence aussi est connue : le Développement de la masculinité **F**. Reste à comprendre comment les deux éléments **B-C** ont pu donner de tels effets **F** ou comment un enfant devient adolescent en passant par le révélateur «Père».

Utiliser le tableau d'**État** pour «Isabelle» (mois **B**) et «le Développement de la masculinité» (nombre **F**) et le tableau de l'**Action** pour le révélateur «Père» (année **C**).

2. INTERPRÉTATION :

Isabelle...

6 - La jeunesse, la curiosité l'interrogation		tableau d'**État**

... par rapport à son Père...

21- S'unifier, se raffiner, se distinguer		tableau de l'**Action**
3- Intellectualiser, conceptualiser, charmer par l'esprit		tableau de l'**Action**

... réagit par...

9- La solitude, la prudence, le sens profond de la vie		tableau d'**État**

Sens :

On peut poser les questions suivantes :

• Comment une personne exubérante et jeune d'esprit peut-elle se réfugier dans la solitude (9) après s'être admirée (21) ?

—> L'éducation qui devait aider Isabelle à affronter la vie en se mettant en valeur (21 se distinguer) a pu refréner voire refouler (9 solitude) sa spontanéité (6 jeunesse).

• Comment une personne assoiffée de connaissances (6) peut-elle devenir prudente (9) en passant par le raffinement (21) ?

—> La spontanéité (6 jeunesse) qui la poussait à tout connaître a dû se plier au carcan de la bienséance (21 raffinement, noblesse) et Isabelle s'est repliée sur une défensive sécurisante (9 prudence).

• Comment un enfant interrogateur (6) peut-il développer le sens profond de la vie (9) par l'unification (21) ?

—> Son Père a pu orienter son besoin de savoir (curiosité du 6) pour qu'elle puisse dépasser ses limites (profondeur du 9).

• Comment Isabelle, enfant insouciante, rêveuse, idéaliste et innocente (6) peut-elle, à l'aube de sa vie d'adulte, s'isoler dans la prudence, mais aussi s'inhiber dans la crainte au moment de l'action et de l'ouverture (9) après être passée par l'Absolu caractéristique du 21 et alors que son Père lui permettait d'affronter **dynamiquement** son existence ?

—> Isabelle a peut-être vécu des événements très pénibles qui l'ont fait mûrir si rapidement que la confrontation aux réalités de la vie l'incite à se mettre sur la réserve.

—> son Père (21-3) était peut-être trop «parfait» et exigeant pour elle dont la joie de vivre a été brisée dans l'œuf (dans... l'9 !).

—> Ou encore, Isabelle a-t-elle élevé son Père sur un piédestal si haut qu'elle ne peut plus le dépasser ni agir de façon autonome.

• Avec l'apport du 3, on peut ajouter que cette enfant jeune et spontanée (6), donc plus instinctive, a acquis la maturité et la profondeur (9), donc la réserve solitaire, par l'intellect et la culture (3). Sa fraîcheur (6) raisonnée (3) est devenue **trop vite** adulte (9) car le propre de la jeunesse est l'accessibilité au monde du merveilleux. Mais l'intelligence (3) a aussi été l'outil qui lui a permis de bien poser les problèmes (6) et de trouver les réponses qui l'ont fait mûrir (9).

G. L'INFLUENCE DES MODULATEURS

L'interprétation détaillée constitue L'ÉLÉMENT CLEF de la technique numérologique. Elle sera exposée dans le quatrième tome. Mais comme indiqué plus haut*, il faut se rappeler qu'elle repose sur un *modulateur* variable en fonction de l'âge. De la naissance à 21 ans, ce modulateur est la «**Personnalité profonde**» qui chapeaute et oriente l'interprétation des forces qui structurent la vie d'un individu.

Voyons comment la Personnalité profonde 8-17 module l'interprétation ci-dessus dont nous reprendrons les trois premiers paragraphes :

---

* Voir page 224.

A. Les attentes paternelles d'Isabelle.

B. Les attentes paternelles lui ont-elles permis de se prendre en charge avec dynamisme ?

C. Comment a-t'elle perçu son Père ?

Il suffit de reprendre l'interprétation de chacun de ces paragraphes et de la chapeauter en **caractères gras** par **la Personnalité profonde** (tableau d'État).

Nous conclurons par une brève synthèse sur l'utilisation des modulateurs.

1. LES ATTENTES PATERNELLES

8	juin	1956	Personnalité profonde
Mère	Enfant	Père	
8	6	21	8
8	6	3	17
8	6	3	17
	2	15	
	2	3	
	2	3	

Isabelle, née le 8 juin 1956, est 6 (Tableau d'**État**) et attend de son Père un 21 nuancé par un 3 (Tableau de l'**Action**). La Personnalité profonde est 8-17-17, soit 8-17.

Le modulateur, la Personnalité profonde, est un état de fait qui symbolise la nature profonde d'un individu. Nous utiliserons donc le Tableau d'**État**.

INTERPRÉTATION :

Isabelle...

6 - La jeunesse, la curiosité, l'interrogation	+ enthousiasme, interrogation, discussion. – doute, manque de confiance, justification.	Tableau d'État

... attend de son Père

21-	S'unifier, se raffiner se distinguer	+ être délicat, prévenant et perfectionniste. – jouer le mondain, snober, s'admirer.	Tableau de l'**Action**
3 -	Intellectualiser, conceptualiser, charmer par l'esprit	+ comprendre, apprendre, être avisé. – être prétentieux, dédaigner, se surestimer.	Tableau de l'**Action**

...chapeauté par...

8 -	La logique, la froideur, l'impartialité	+ grande logique, esprit de méthode, pondération. – déséquilibre, manque d'ordre, esprit querelleur.	Tableau d'**État**
17-	L'idéal, l'amitié, la sensibilité	+ douceur, idéalisme, optimisme. – naïveté, désorientation, rêverie.	Tableau d'**État**

Sens :

a. **En fonction du 21 vers le 6 :** *Isabelle attend que son Père l'aide à...*

- s'unifier (21) avec tout l'élan de la jeunesse (6) **de façon logique et cohérente (8) mais aussi sensitive et amicale (17);**

- apprendre à raffiner (21) sa curiosité (6) **avec l'impartialité (8) idéale (17) c'est-à-dire la plus juste possible,** à aller au fond des choses, à être curieuse (6) de tout (21 totalité) **avec un esprit critique (8) et juste (18+17)** pour tout connaître à la perfection (comme dans une quête d'absolu proche de la passion), **en ayant le courage de reconnaître ses torts (8 logique + 6 doute) avec franchise (8+17);**

- se distinguer (21) *par* sa curiosité (6) ou *par* sa jeunesse (6), et à gagner l'estime de soi *par* la finesse (21) de ses questions (6 interrogation), **tout en modérant ses élans émotionnels (froideur du 8),**

- se mettre en valeur avec raffinement et distinction (21) *grâce* à une jeunesse d'esprit et une curiosité pleine d'à-propos (6) **vis-à-vis de ses amis (17)**;

- ou encore, aiguiser la précision (21) de ses interrogations (6) **en faisant preuve à tout instant de lucidité, d'esprit critique (8) et de franchise envers soi-même, ses idéaux et ses amitiés (17)**.

b. En fonction du 3 vers le 6 : *En parallèle, Isabelle espère que son Père l'aidera à...*

- découvrir le pouvoir charmeur d'un esprit (3) jeune (6) **bien qu'amicalement (17) réservé (8), à conquérir l'entourage froidement (8) mais gentiment (17 amitié)** par un regard vif et intelligent (3) débordant d'innocence et de pureté candide **(accentuées par 17)** et à laisser croire sans être dupe qu'elle est un agneau prêt à se faire manger par le «loup» **qui devra néanmoins garder poliment (17) ses distances (8 froideur)**;

- conceptualiser (3) ses interrogations (6) **avec une parfaite (17 idéal) impartialité (8), à les codifier réellement (la logique et l'impartialité 8 imposent le réalisme) parfaitement (17 idéal)** mais aussi à les imaginer **avec une cohérence (8 logique) profonde (17 sensibilité)** comme un 18-8-17;

- intellectualiser (3) sa curiosité (6) **sensible (17) et logique (8)** et à trouver les outils intellectuels **rationnels (8 a une connotation de pragmatisme) et francs (17 idéal)** pour nourrir **méthodiquement (8) et avec optimisme (17)** sa soif de connaissances.

c. En fonction des aspects 21-3 vers le 6 : *De façon plus nuancée, Isabelle veut savoir de son Père comment...*

- être délicate (21) et compréhensive (3) avec un enthousiasme (6) **logique (8) mais tempéré (17)**;

- atteindre la perfection (21) pour apprendre (3) à s'interroger (6) **avec méthode (8) et douceur (17)**;

- être prévenante (21) avec intelligence (3) dans les discussions (6) **avec pondération (8) et perfection (21 absolu + 17 idéalisme).**

d. En fonction des aspects 21-3 vers le 6: *Dans les périodes difficiles, Isabelle aimerait savoir comment...*

- jouer les mondaines (21) prétentieuses (3) quand, **naïve (17) et déséquilibrée (8)**, elle perd confiance en elle (6);

- se prendre pour une aristocrate (21 snober) dédaigneuse (3) dans les moments de doutes (6), **de querelles (8) et de désorientation (17)**;

- s'apprécier (21) en se surestimant (3) quand elle devra justifier (6) **son désordre (8) et ses rêveries (17).**

2. LES ATTENTES PATERNELLES ONT-ELLES PERMIS À ISABELLE DE SE PRENDRE EN CHARGE AVEC DYNAMISME ?

La Personnalité profonde ne modifie pas fondamentalement la tension du nombre résultant de l'addition Mois + Année. Elle n'annule pas, par exemple, un nombre tonique qui serait tout au plus légèrement atténué. Le jugement vis-à-vis du Père analysé au paragraphe C serait légèrement modéré. Mais le caractère tonique demeure.

Nous conviendrons donc que la Personnalité profonde ne change pas l'interprétation initiale.

3. COMMENT ISABELLE A-T-ELLE PERÇU SON PÈRE ?

La perception du vécu évolue dans le temps. Il paraît a priori impossible de décrire avec précision l'évolution de cette perception d'autant qu'elle est soumise aux expériences personnelles qu'aucun système de numérologie ne peut prétendre décrire : ce serait ou du charlatanisme ou de la voyance pure.

On peut néanmoins déterminer une orientation potentielle dans la mesure où toute perception se rattache au degré d'évolution où l'on se situe avec soi-même.

Nous savons que l'enfant vit en harmonie avec sa notion d'être «Soi» jusqu'à 21 ans. La Personnalité profonde module donc ses perceptions de 1 à 21 ans. Après que l'ego se soit affirmé dans la Personnalité extérieure*, l'individu aspire naturellement à s'établir dans le contexte social extérieur à son nid familial. Ses préoccupations plus dynamiques l'invitent à se confronter à une réalité différente qui l'amène à voir les choses sous un autre angle. La notion d'être «Soi» de la Personnalité profonde disparaît au profit de son affirmation, c'est-à-dire de sa Personnalité extérieure qui module dès lors ses perceptions de 22 à 48 ans. Passé 48 ans, l'individu se retrouve en équilibre entre ses croyances et ses découvertes, entre ce qu'il a été et ce qu'il est devenu. La Recherche d'harmonisation* symbolise cette nouvelle perception et la module à son tour.

Il faut toutefois éviter l'écueil d'une application trop rigide et dépourvue de sensibilité des modulateurs qui restent des indicateurs à utiliser avec doigté. Ainsi, la Personnalité extérieure ne remplace pas la Personnalité profonde à 21 ans pile car elle commence à exercer son influence dès la crise de l'adolescence, vers 14 ans. Les difficultés peuvent inciter à aller contre son évolution «normale» et à se réfugier le plus longtemps possible dans sa Personnalité profonde... au risque de demeurer en permanence un «vieux jeune». De même, la Personnalité profonde, paramètre fondamental, *est toujours présente* quel que soit le degré de conscience de la réalité. De plus, une période de transition s'étend entre 39 et 48 ans, durant laquelle la Personnalité extérieure est en bilan ou en conflit avec son devenir symbolisé par la Recherche d'harmonisation. Nous ne nous étendrons pas davantage car nous y reviendrons au tome IV.

Reprenons la question 3 : **Comment Isabelle a-t'elle perçu son Père ?** et analysons l'évolution de cette perception en fonction du modulateur.

---

* Se reporter au tome 1 pour revoir toute la signification psychologique de la Personnalité extérieure et la Recherche d'harmonisation.

- la Personnalité profonde au cours de l'adolescence;
- la Personnalité extérieure entre 21 et 48 ans.

Mais n'oublions jamais que l'analyse de la perception générale (paragraphe **C**, page 244) est la plus objective. Le numérologue devra l'adapter au cas de chacun.

Le Père d'Isabelle est représenté par 21 nuancé par 3. S'agissant d'un constat personnel, nous utilisons le tableau d'État puisque la Personnalité profonde et la Personnalité extérieure sont des «états d'Être» selon la période de l'existence. Mais afin de ne pas répéter les mêmes termes, nous modulerons avec des notions tirées du tableau détaillé*. La confrontation de mots qui en résulte illustre la polyvalence de l'interprétation numérologique et, partant, le sens esthétique du numérologue. Elle a aussi le mérite — espérons-le — d'éviter le courroux de critiques littéraires plus enclins à juger de la forme au détriment du fond.

Remarque : Le même texte de base illustrera les modifications techniques d'interprétation du paragraphe **C** induites par les modulations des deux personnalités. Nous ne tiendrons pas compte du cas particulier du 9 provenant de 6 (mois) + 21 (année) et dont l'interprétation change selon l'âge de la personne qui consulte**.

- **Rappel du calcul des modulateurs**

La Personnalité extérieure et la Recherche d'harmonisation ont été étudiées dans le premier tome. Bien qu'elles ne fassent pas l'objet d'une étude particulière dans ce présent ouvrage, il paraît utile d'en rappeler le mode de calcul en l'illustrant avec la date d'Isabelle, née le 8 juin 1956.

---

*   Voir pages 158 à 165 du tome 1.
** Page 246 ou 251.

Jour 8	Mois juin	Année 1956
Mère	Enfant	Père

Mère		Enfant		Père	
A1 = 8	8	B1 = 6	6	C1 = 1956	21
A2 = 8	8	B2 = 6	6	C2 = 21 =	3
A3 = 8	8	B3 = 6	6	C3 = 3	3

Personnalité profonde	
D1 = 8+6+21 =35	8
D2 = 8+6+ 3 =	17
D3 = 8+6+ 3 =	17

Développement de la féminité	
E1 = 8+6 =	14
E2 = 8+6 =	14
E3 = 8+6 =	14

Développement de la masculinité	
F1 = 6+21 = 27	9
F2 = 6+ 3 =	9
F3 = 6+ 3 =	9

Personnalité extérieure	
G1= 14+9 = 23 =	5
G2= 14+9 = 23 =	5
G3= 14+9 = 23 =	5

Recherche d'harmonisation	
H1= 8+5 =	13
H2= 17+5 =	22
H3= 17+5 =	22

– Personnalité profonde : **8-17-17**

– Personnalité extérieure : **5- 5- 5**

– Recherche d'harmonisation : **13-22-22**

• **Interprétation**

Pour mieux saisir les modifications apportées au texte original du paragraphe C, ajoutons en **caractères gras** l'action des modulateurs, Personnalité profonde 8-17 et Personnalité extérieure 5-5.

Le nombre 9 du Développement masculin appartenant à la catégorie hémitonique, Isabelle a perçu son Père comme un 21-3 possédant les aspects positif et négatif.

21-	La féminité, la perfection, les honneurs	+ délicatesse, soin, savoir-vivre. – mondanité, obstacle insurmontable, distraction.	tableau d'État

3 - L'intelligence, le charme, l'élégance	+ compréhension, culture, intelligence. − prétention, coquetterie, condescendance.	tableau d'État

• **Avec le modulateur Personnalité profonde 8-17**

8 - La logique, la froideur, l'impartialité	+ grande logique, esprit de méthode, pondération. − déséquilibre, manque d'ordre, esprit querelleur.	Tableau d'État
17- L'idéal, l'amitié, la sensibilité	+ douceur, idéalisme, optimisme. − naïveté, désorientation, rêverie.	Tableau d'État

Sens :

• *L'impression générale qu'Isabelle a gardée de son Père est celle d'un homme qui présentait des caractéristiques* fé-minines* (21) mais **également une allure stricte (8 froi-deur), une certaine recherche (17 sensibilité),** un sa-voir-vivre, une distinction et une délicatesse de bon ton (21) **quoiqu'un peu rigide (8) dans l'expression de son af-fection (17).** Il lui paraissait perfectionniste (21) **dans ses entreprises, analysant de façon impartiale (8) ses émotions (17) et** aspirant aux honneurs (21) **en respectant (8) ses idéaux (17).**

• *Parallèlement, elle ressentait chez lui* une intelligence (3) **claire (8), humaine (17),** pleine de charme (3) **et** qui, au-delà d'une froideur apparente (8), laissait percer sa sensibilité (17). Une certaine pondération (8) dans l'élégance (3) alimentait son sens esthétique (17) «~~amplifiant le 21 féminin~~»*.

> * **«amplifiant le 21 féminin»** : la froideur du 8 primant sur la sensibilité du 17 et atténuant l'effet du 21, cette partie de phrase doit être supprimée.

---

* Voir note * page 248.

• *Elle garde l'image d'un homme* délicat (21), **pondéré (8) et doux (17)**, d'un «~~grand~~»* savoir-vivre (21), **méticuleux (8) et généreux (17)**, qui prenait un soin (21) particulier des choses qu'il affectionnait. Il se voulait compréhensif (3) et essayait de se cultiver (3) avec intelligence (3), **méthode (8) mais aussi modestie (17)**.

> * Même remarque que la note précédente. Le 8 atténue l'effet du 21.

• *Dans la difficulté, son Père lui paraissait* distrait (21), **brouillon (8), naïf (17)** et **faussement*** mondain (21). Il avait cette tendance à grossir les problèmes **dans des querelles (8) niaises (17)**, à se faire une montagne de rien (21) dans une ambiance prétentieuse (3), **absurde (8 illogique) et candide (17)** d'expressions condescendantes (3), **provocatrices (8 chamailleur) et chimériques (17)** et d'un besoin **confus (8) et désorienté (17)** de se faire valoir (3).

> * **Faussement** mondain : «Il voulait se convaincre (17 naïveté) sans y croire (8 désordre) qu'il était capable de briller en société (21)». Le raccourci de l'adverbe **faussement** recouvre ici deux tendances contradictoires appliquées au caractère 21. C'est dire à quel point l'interprétation peut être affinée.

• **Avec le modulateur Personnalité extérieure 5-5**

Précisons encore que la perception modulée par la Personnalité profonde évolue de façon progressive et quasi imperceptible vers une autre perception modulée par la Personnalité extérieure. Une personne peut même être persuadée de n'avoir jamais changé dans son opinion à l'égard de son Père. La différence décrite dans l'exemple d'Isabelle paraîtra donc assez brutale.

5 - La morale, le devoir, la philosophie	+ conseil, rigueur, honnêteté. − sévérité, intolérance, étroitesse d'esprit.	Tableau d'**État**

Sens :

• *La perception générale qu'Isabelle a gardée de son Père est celle d'un homme qui présentait les caractéristiques* fémi-nines (21) **et de bonne moralité (5)**, un savoir-vivre, une distinction et une délicatesse de bon ton, **teintée de respec-tabilité (5).** Il lui paraissait perfectionniste (21), **à cheval sur les principes moraux (5)** et aspirant aux honneurs (21) **en rapport avec sa valeur***.

> * **Valeur :** traduire «En vertu de principes philosophi-ques ou moraux d'équité, il se sentait en droit de récla-mer ce qu'il méritait socialement.»

• *Parallèlement elle ressentait chez lui* l'intelligence (3) **d'un homme conscient de ses responsabilités (5 de-voir),** plein d'un charme (3) **bienveillant (5 philosophie)** et de la pondération (8) d'une élégance (3) **stricte «~~amplifiant le 21 féminin~~»***.

> * **«amplifiant le 21 féminin» :** Ici également, le 5 moral incite à la sévérité plus qu'aux libéralités et atténue le 21 féminin au lieu de l'amplifier.

• *Elle garde l'image d'un homme* délicat (21) **et hon-nête (5),** d'un «grand»* savoir-vivre (21), **plein de civilité (5) dans ses avis (5 conseils)** et qui prenait un soin (21) particulier des choses qu'il affectionnait. Il se voulait compré-hensif (3) et essayait de se cultiver (3) avec intelligence (3) **et rigueur (5).**

> * **Grand :** contrairement à la logique froide du 8 qui avait gelé la spontanéité, le sens du devoir du 5 ac-centue les bonnes manières mais au prix d'un respect rigide des traditions normatives.

• *Dans la difficulté, son Père lui paraissait* distrait (21), **sévère (5),** mondain (21) **et à l'esprit étroit (5).** Il avait cette tendance à grossir les problèmes, à se faire une montagne de rien (21) **avec intolérance (5)** dans une ambiance préten-tieuse (3) **et dogmatique (5)** d'expressions condescendantes (3) **et moralisantes (5)** et d'un besoin **pompeux (5)** de se faire valoir **pour ses principes (5).**

4. SYNTHÈSE : comment utiliser les modulateurs ?

Il faut retenir deux points essentiels :

– Comment le sujet se sentait-il pendant l'enfance ?

Un modulateur unique agit sur toute l'enfance et l'adolescence : la Personnalité profonde.

– Comment varie la perception qu'il a de son enfance ?

Trois modulateurs peuvent intervenir. Ils devront être interprétés avec prudence.

- 1 - 21 ans : Personnalité profonde
- 22 - 48 ans : Personnalité extérieure
- 49 à la mort : Recherche d'harmonisation

On peut aussi prendre des références plus subtiles mais aussi plus délicates à interpréter :

- 1 à 14 ans : Personnalité profonde
- 15 à 21 ans : Personnalité profonde + Personnalité extérieure
- 22 à 35 ans : Personnalité extérieure
- 36 à 48 ans : Personnalité extérieure + Recherche d'harmonisation
- 49 à 57 ans : Recherche d'harmonisation
- 57 à la mort : Recherche d'harmonisation + Personnalité profonde

Tous ces modulateurs s'appuient sur le Tableau d'**État** (I).

* *
*

L'Enfant
et la Mère

Nous abordons maintenant les attentes d'Isabelle envers sa Mère, l'image qu'elle s'est faite d'elle, les messages et contre-messages qu'elle a su retirer pour **s'intérioriser et accepter sa sensibilité et sa féminité.**

Le mot «Mère» englobe la mère naturelle, celle qui la remplace (belle-mère ou mère adoptive) et d'une manière générale la confidence et la spiritualité.

Rappel de la structure de la date de naissance d'Isabelle née le 8 juin 1956 :

Jour 8		Mois juin		Année 1956	
Mère		Enfant		Père	
A1 = 8	8	B1 = 6	6	C1 = 1956	21
A2 = 8	8	B2 = 6	6	C2 = 21 =	3
A3 = 8	8	B3 = 6	6	C3 = 3	3

Personnalité profonde	
D1 = 8+6+21 =35	8
D2 = 8+6+ 3 =	1 7
D3 = 8+6+ 3 =	1 7

Développement de la féminité	
E1 = 8+6 =	1 4
E2 = 8+6 =	1 4
E3 = 8+6 =	1 4

Développement de la masculinité	
F1 = 6+21 = 27	9
F1 = 6+ 3 =	9
F1 = 6+ 3 =	9

A. LES ATTENTES MATERNELLES

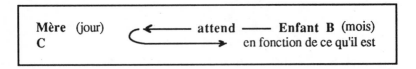

Mère (jour)   ⟵ attend ⟶ Enfant B (mois)
C   ⟶ en fonction de ce qu'il est

Isabelle est 6 (mois de juin —> tableau d'**État**) et attend un 8 de la part de sa Mère (jour 8 —> tableau de l'**Action**).

1. TECHNIQUE :

Analyser les nombres **A** du jour symbolisant la Mère (tableau de l'**Action**) en fonction des nombres **B** du mois personnalisant l'enfant (tableau d'**État**). On **rapporte** donc 8 à 6 pour analyser et comprendre les définitions de 8 (jour) à travers celles du 6 (mois).

Les aspects positifs seront interprétés comme une attente particulière d'Isabelle envers sa Mère.

Les aspects négatifs seront interprétés comme des conseils de prudence qu'attend Isabelle de la part de sa Mère.

2. INTERPRÉTATION :

Isabelle...

6- La jeunesse, la curiosité, l'interrogation	+ enthousiasme, interrogation, discussion. – doute, manque de confiance, justification.	tableau d'**État**

... attend de sa Mère

8 - Se normaliser, se discipliner, être logique	+ être intègre et conséquent, se structurer. – se bureaucratiser, devenir froid, contester.	Tableau de l'**Action**

276

Sens :

• *Pour accepter sa sensibilité, Isabelle attend de sa Mère* qu'elle lui apprenne à...

— normaliser (8) les élans de sa jeunesse (6) et à trouver une cohérence à son expression enfantine;

— discipliner (8) sa curiosité (6) et à éviter de s'éparpiller (6 symbolise la multiplicité);

— trouver une logique (8) à ses interrogations (6).

• *D'une manière plus nuancée, Isabelle voulait découvrir* comment...

— être conséquente (8) avec son enthousiasme (6);

— être intègre (8) dans ses interrogations (6),

— ne pas tricher et se structurer (8) dans les discussions (6).

• *Dans ses périodes difficiles, Isabelle aimerait savoir* comment...

— se perdre dans la routine (8 bureaucratiser) pour se protéger (6 justification) des problèmes émotionnels;

— garder la tête froide (8) quand elle n'a plus confiance en elle (6) ou revêtir une carapace d'indifférence qui masquerait la perte de ses moyens;

— tout contester (8) avec l'indécision (6) du doute !

Note :

Relevons un paradoxe. Le Père (année) est 21, nombre de la féminité, et la Mère (jour) est 8, nombre de la logique ! Isabelle recherche donc sa féminité (21) chez... son Père, représentant de l'ordre, et la structure (8) chez sa Mère pourtant traditionnellement porteuse de tendresse. Cette confusion des rôles est susceptible de provoquer chez Isabelle une fixation sur son Père au détriment de sa Mère.

Ce point est important à retenir puisque l'on sait déjà que l'analyse des attentes paternelles et du Développement masculin 9 (issu de l'addition de l'année 1956 = 21 + mois 6), pousseront Isabelle à adresser des reproches à son Père... reproches qui s'atténueront avec l'âge.

B. LES ATTENTES MATERNELLES ONT-ELLES ÉTÉ EXAUCÉES ?

1. Technique :

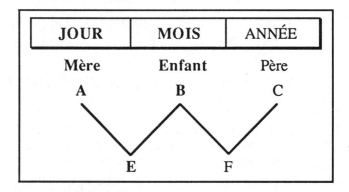

Vérifier dans le tableau des gradients de polarité si les nombres **E** du Développement de la féminité (jour + mois) sont toniques, hémitoniques ou atoniques. Les nombres primaires indiquent si les attentes fondamentales **ont été exaucées**. Les nombres secondaire ou tertiaire précisent si les attentes secondaire ou tertiaire n'ont pas été déçues.

Dans notre exemple, les nombres **E** représentant le développement de la **féminité** sont :

8	**juin**	1956

Mère	Enfant	Père
8	**B** = 6	C
8	6	
8	6	

$$E = 14 \qquad F$$
$$14$$
$$14$$

– nombre primaire : Le mois 6 **plus** le jour 8 donne 14. 14 inférieur à 22 est conservé.

– nombres secondaire ou tertiaire, mois 6 + jour 8 = 14.

Soit 14-14-14 ! Consulter, page 139, le tableau des gradients de polarité. 14 est un nombre hémitonique, responsable sur un plan général d'une hémitonicité d'Isabelle vis-à-vis de sa Mère.

2. INTERPRÉTATION :

Sens :

Isabelle a reçu en partie ce qu'elle attendait de sa Mère, mais elle en a conservé aussi une impression de frustration.

Le nombre **E** = **14** exprime l'accommodement, l'arrangement, la souplesse. La prise de conscience de la sensibilité implique un certain abandon, une ouverture à la spiritualité et à l'expression de la féminité. Cet aspect est positif. À l'opposé, le laisser-aller et le côté influençable dénotent un manque de personnalité. Le 14 hémitonique développe donc une dynamique autant conflictuelle qu'harmonieuse avec la Mère et devrait en principe être interprété dans un sens plus positif que négatif. A contrario, supposons que le 14 soit placé dans le développement masculin et non dans le Développement féminin; il indiquerait un manque de responsabilisation et devrait être interprété de façon plus négative que positive. Néanmoins, ces nuances sont plus subtiles qu'utiles. Aussi pour conserver la cohérence technique, nous analyserons le 14 comme tout nombre hémitonique : les attentes ont été exaucées à 50 %.*

C. COMMENT ISABELLE A-T'ELLE PERÇU SA MÈRE ?

1. TECHNIQUE :

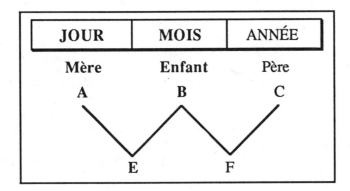

Elle consiste à dresser le même constat qu'avec le Père :

> «Comme l'addition de ce que je suis (le mois **B**) et de ce que j'attends de ma Mère (le jour **A**) donne un nombre **E** (Développement de la féminité, sensibilité)...

---

* Cet exemple montre qu'au-delà de la technique pure, la numérologie devient un art si, par l'expérimentation, le numérologue assimile le principe d'un nombre. Voir du même auteur *Le livre du Tarot, la clef de votre évolution*, qui explique les principes au moyen des 22 lames du Tarot et *Le Grand livre du Tarot*, chap. 2, p. 181 (l'énergie en action).

—> **atonique**, c'est que mes attentes ont été exaucées puisqu'il n'y a pas de tension.

—> **hémitonique**, c'est que ma Mère a répondu à la moitié de mes attentes.

—> **tonique**, c'est que je n'ai pas vu mes attentes exaucées puisqu'il y a tension.»

On prend donc **les nombres A du jour** (Mère) et on les interprète en fonction du tableau d'**État** (I) de la manière suivante :

a) **Le nombre E du Développement féminin est atonique :**

La perception de la Mère est **positive**.
Ignorer l'aspect négatif des définitions du jour **A** :

Principe : *L'impression générale que le sujet a gardée de sa Mère est celle d'une femme qui présentait les caractéristiques (ou était)...*

Aspect + : *Il conserve l'image d'une Mère qui détenait (ou avait, était)...*

b) **Le nombre E du Développement féminin est tonique :**

La perception de la Mère est **négative**.
Ignorer l'aspect positif des définitions du jour A :

Principe : *L'impression générale que le sujet a gardée de sa Mère est celle d'une femme qui voulait montrer (ou prouver)...*

Aspect – : *Mais il conserve l'image d'une Mère qui paraissait (ou passait pour)...*

c) **Le nombre E du Développement féminin est hémitonique :**

La perception de la Mère est **mitigée**.
Tenir compte de l'aspect positif et de l'aspect négatif des définitions du jour **A** :

Principe : *L'impression générale que le sujet a gardée de sa Mère est celle d'une femme qui présentait les caractéristiques (ou était)...*

Aspect + : *Quand tout allait bien dans la vie de sa Mère, il conserve l'image d'une femme qui avait (ou était)...*

Aspect – : *Mais quand tout n'allait pas dans le sens prévu, sa Mère lui paraissait (ou passait pour)...*

Rappel : Les trois cas d'exception, les nombres **9, 20** et **8**, doivent être interprétés d'une façon toute particulière. Ils sont expliqués dans l'analyse des rapports «enfant-Père», paragraphes **C. d)** (page 246) et **D. d)** (page 251).

---

2. INTERPRÉTATION :

8	juin	1956	Personnalité profonde
Mère	Enfant	Père	
8	6	21	8
8	6	3	17
8	6	3	17

14	9	
14	9	
14	9	

La Mère d'Isabelle est représentée par un 8 (le **8** juin 1956) nuancé par aucun nombre. Dans le tableau d'**État**, prendre le nombre 8 en tenant compte autant de son aspect positif que négatif, puisque le nombre **E** résultant de l'addition : jour + mois = 8 + 6 = **14**, est hémitonique.

8 - La logique, la froideur, l'impartialité	+ grande logique, esprit de méthode, pondération. – déséquilibre, manque d'ordre, esprit querelleur.	tableau d'État

Sens :

• *La perception générale qu'Isabelle a gardée de sa Mère est celle d'une femme* qui n'exprimait pas complètement ses émotions et ne s'abandonnait pas aux effusions affectives (8 froideur). Elle agissait de façon très logique (8) et faisait preuve d'impartialité (8). En somme, une femme juste mais peu accessible à la tendresse.

• *Quand tout allait bien dans la vie de sa Mère, elle conserve l'image d'une femme* très logique (8) qui savait organiser la vie de la famille avec méthode (8) et qui pouvait faire preuve de pondération (8) dans les situations délicates.

• *Mais quand tout n'allait pas dans le sens prévu, sa Mère lui semblait* sujette* au déséquilibre (8), brouillonne et incapable de se structurer (8 manque d'ordre) pour faire face aux situations difficiles. Elle garde de ces moments l'image d'une femme querelleuse (8).

> * Puisque 14 est plus positif sur le plan strictement féminin, on peut nuancer en disant «qui avait parfois tendance...» ou «il lui arrivait à l'occasion...»

D. COMMENT ISABELLE A-T'ELLE PERÇU SON ATTITUDE ENVERS SA MÈRE DURANT SON ENFANCE ?

1. TECHNIQUE :

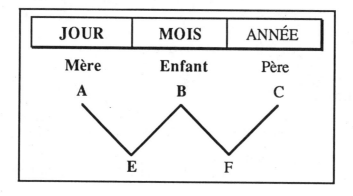

La méthode est la même mais au lieu de l'appliquer à la Mère à travers le jour, il faut la dynamiser à travers le **mois** qui identifie le sujet durant son enfance.

Elle consiste à dresser le constat suivant :

«Comme l'addition de ce que je suis (le mois **B**) et de la perception que j'avais de ma Mère (le jour **A**) donne un nombre **E** (Développement de la féminité, réceptivité)...

—> **atonique**, c'est que j'ai eu de bons rapports avec elle puisqu'il n'y a pas de tension.

—> **hémitonique**, c'est que j'ai eu, malgré certaines frictions, des relations acceptables avec elle... (ou vice-versa)

—> **tonique**, c'est que j'ai eu de mauvais rapports avec elle puisqu'il y a tension.»

On prend donc **les nombres B du mois** (enfant) et on les interprète en fonction du tableau de l'**Action (II)** de la manière suivante :

a) Le nombre E du Développement féminin est atonique :

Les relations avec la Mère ont été **bonnes**.
Ignorer l'aspect négatif des définitions du mois **B** :

Principe : *L'impression que le sujet a gardée de son attitude envers sa Mère est celle d'un enfant qui **pouvait facilement...***

Aspect + : *Il conserve l'image d'un enfant qui **avait avec sa Mère une attitude...***

b) Le nombre E du Développement féminin est tonique :

Les relations avec la Mère ont été **mauvaises**.
Ignorer l'aspect positif des définitions du mois **B** :

Principe : *L'impression que le sujet a gardée de son attitude envers sa Mère est celle d'un enfant qui **ne parvenait pas à...***

Aspect – : *Mais il conserve l'image d'un enfant qui se devait d'avoir envers sa Mère une attitude...*

c) Le nombre E du Développement féminin est hémitonique :

Les relations avec la Mère ont été **mitigées**.
Tenir compte des aspects positif ET négatif des définitions du mois **B** :

Principe : *L'impression que le sujet a gardée de son attitude envers sa Mère est celle d'un enfant qui éprouvait parfois une certaine difficulté à...*

Aspect + : *Quand tout allait bien, il garde l'image d'un enfant qui avait avec sa Mère une attitude...*

Aspect – : *Mais quand tout n'allait pas dans le sens prévu, il se devait d'avoir envers sa Mère une attitude...*

Rappel : Les trois cas d'exception, les nombres **9, 20** et **8** doivent être interprétés d'une façon toute particulière. Ils sont expliqués dans l'analyse des rapports «enfant-Père», paragraphes **C. d)** (page 246) et **D. d)** (page 251).

---

2. INTERPRÉTATION :

8	juin	1956	Personnalité profonde
Mère	Enfant	Père	
8	6	21	8
8	6	3	17
8	6	3	17
14	9		
14	9		
14	9		

L'attitude d'Isabelle vis-à-vis de sa Mère pendant son enfance est représentée par le mois **B = 6**. Dans le tableau de l'**Action**, prendre le nombre 6 en tenant compte autant de son

285

aspect positif que négatif, puisque le nombre **E** résultant de l'addition jour 8 + mois 6 = **14** est hémitonique*.

Le fait de tenir compte des aspects positifs et négatifs de 6 aboutit à des conclusions semblables pour la Mère et le Père, à savoir qu'Isabelle aimait ses deux parents de la même manière, notamment pendant les périodes de difficultés. Toutefois, les nuances apportées par 21 et 8 ne sont pas identiques. 21 est un nombre d'idéalisme indiquant qu'Isabelle avait tendance à surestimer son Père au détriment de sa Mère dont le 8 augure un contact plus difficile.

Cependant, l'analyse de la tonicité* des nombres **E** et **F** des Développements masculin et féminin atteste qu'Isabelle a été moins «déçue» par sa Mère que par son Père. En effet, le 14 du Développement féminin signe que les tensions relationnelles avec la Mère sont assez bien supportées**, alors que le 9 du Développement masculin traduit des tensions plus grandes avec le Père***.

Isabelle a donc été proportionnellement plus déçue par le contact apparemment plus simple avec un Père qui l'éblouissait (21) que par ses rapports a priori plus conflictuels avec sa Mère, lesquels se sont révélés à la longue positifs.

6-	S'exprimer, se différencier, se remettre en question	+ s'enthousiasmer, parler, séduire. – s'éparpiller, manquer de confiance, être gamin.	tableau de **l'Action**

Sens :
   • *L'impression qu'Isabelle a gardée de son attitude envers sa Mère est celle d'un enfant qui avait parfois une certaine difficulté à* s'exprimer (6) *avec elle. Il ne lui était pas toujours facile d'assumer sa propre identité (6 se différencier) en dehors*

---

*   Page 139.
**   Page 279, *«Les attentes maternelles ont-elles été exaucées ?»*
***   Page 243, *«Les attentes paternelles ont-elles été exaucées ?»*

d'elle et de se remettre en question (6) *sans ressentir une pression* de sa part.

• *Elle convient que, lorsque tout allait bien, elle essayait d'avoir envers sa Mère une attitude* enthousiaste (6), accessible au dialogue et à la discussion (6) et un tantinet séductrice (6).

• *Dans les moments difficiles, elle croyait devoir adopter envers sa Mère l'attitude* d'une enfant dispersée (6 s'éparpiller) manquant de constance et de confiance (6) et par réaction très gamine (6).

E. QUEL MESSAGE ISABELLE A-T'ELLE RETENU DE SA MÈRE POUR VIVRE SA SENSIBILITÉ ?

1. TECHNIQUE :

Un message est un conseil ou une orientation à donner à sa vie pour se dynamiser, donc une action.

La méthode consiste à mettre en rapport :

- les nombres **E** du **Développement de la féminité** (tableau de l'**Action**),
- avec les **attentes maternelles** d'Isabelle, définies au paragraphe **A**, page 276.

L'exposé distingue donc :

- les attentes maternelles d'Isabelle, légèrement modifiées dans la forme d'une réponse théorique d'une Mère à son enfant,
- en caractères **gras**, le **message** qu'a compris (ou cru comprendre) Isabelle,
- en *caractères italiques gras,* les modalités de l'acceptation de sa sensibilité, de ses impressions intuitives et de la confrontation du sujet au milieu social dans ses rapports intimes et privilégiés grâce au Développement de la féminité.

Afin de rendre justice aux amateurs de belles-lettres — et leur faire plaisir — et tout en reconnaissant une fois de plus que les énoncés de la numérologie ne brillent pas par leur qualité formelle, j'ajouterai en petits caractères un paragraphe d'interprétation dite libre résumant sous forme d'aphorismes la nature du message maternel perçu par Isabelle.

2. INTERPRÉTATION :

8	juin	1956	Personnalité profonde
Mère	Enfant	Père	

Mère	Enfant	Père		Personnalité profonde
8	6	21		8
8	6	3		17
8	6	3		17
	14	9		
	14	9		
	14	9		

Le message dépend du jour 8 (Mère) et du mois 6 (Isabelle). L'**addition** 8 + 6 = **14** qu'on interprète d'après le tableau de l'**Action** (II).

Le message est...

14- Se renouveler, s'adapter, se divertir	+ devenir souple et arrangeant, communiquer . − devenir insouciant, oisif, influençable.	tableau de l'**Action**

Sens :

• «**Pour** normaliser (8) *la réceptivité des* élans de **ta** jeunesse (6) et trouver une cohérence à **t**on expression enfantine, **sache t'adapter (14)** *à ce que tu ressens.*»

• «**Pour** discipliner (8) ta curiosité (6) et **t'**éviter de **t'**éparpiller *dans tes émotions,* **prends le temps de t'amuser (14) et de te décontracter.**»

• «**Tu sauras** trouver une logique (8) à tes interrogations (6) *sur les sentiments et sur l'irrationnel* si **tu te renouvelles (14),** car c'est en réactualisant tes perceptions que tu trouveras la cohérence recherchée.»

• «*D'une manière plus nuancée,* **tu sauras** comment être conséquente (8) avec ton enthousiasme (6) *devant tes perceptions intérieures,* lorsque **tu pourras communiquer (14)** *ce que tu ressens.*»

• «**Tu seras** intègre (8) dans tes interrogations (6) **et incapable** de tricher *sur le plan émotionnel,* **quand tu feras preuve de souplesse (14)** à l'égard des sentiments.»

• «**Tu pourras** te structurer (8) dans tes discussions (6) *spirituelles* **en demeurant arrangeante (14)** *avec sensibilité.* **En deux mots : sois tolérante !**»

• «*Dans tes périodes difficiles,* **tu aimerais** *savoir* comment te perdre dans la routine (8) pour te protéger (6 justification) de tes problèmes émotionnels **en te laissant bercer (14 oisiveté)** *par tes sensations ?* **Eh bien, demeure passive (14)** *face à tes émotions !*»

• «**Pour** garder la tête froide (8) quand **tu** n'as plus confiance en **toi** (6) ou **pour** revêtir une carapace d'indifférence (8), **laisse-toi influencer (14)** *avec émotion.*»

• «**La meilleure façon de** contester (8) avec indécision (6), **est de paraître insouciante (14)** *à l'égard de tes pressentiments.**»

* Quelles contradictions ! D'un côté «J'ouvre grandes les vannes émotionnelles», de l'autre, «Je clos mon bec !» L'ambivalence est de règle chez le 6 en général et le 12 en particulier qui disent non en espérant que ce soit oui.... aux autres et à eux-mêmes. Le doute paralyse le 6 et TOUT doit lui être confirmé. Le 12 par contre est incapable, par esprit de sacrifice, de dire ce qu'il veut.

Aphorismes :

«Ton enthousiasme de petite gamine
devra se plier aux exigences de tes émotions.
Ne sème pas tes questions à tout vent ! «Relaxe» !
Réactualise tes perceptions intimes
et tu trouveras la cohérence de ta recherche intérieure.»

«Fais connaître le fond de ton cœur généreux
avec modération.
Ne joue pas avec les sentiments
et tu poseras les bonnes questions.
Organise ton discours avec complaisance.
En d'autres termes, modère tes transports et sois tolérante !»

Note : Une expression québécoise typique décrit
bien cette situation:

«Pousse mais pousse égal !»

«Dans les difficultés, laisse-toi aller
à la protection des douces habitudes !
Dans le doute méthodique, tu auras toute ta tête
si tu libères tes émotions.
Tu peux donc t'abandonner en toute confiance.
Dans le doute contestataire, abstiens-toi
et garde tes pressentiments pour toi !»

F. SYNTHÈSE ET CONCLUSION

1. TECHNIQUE :

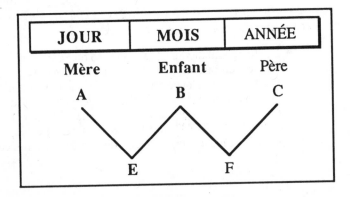

Comme indiqué au paragraphe F : Synthèse et conclusion, page 258, sur les rapports : «enfant-Père», aucune méthode particulière ne permet de tirer cette conclusion mais seulement un peu de bon sens, de la compréhension et une grande expérience de la numérologie et des réactions psychologiques de l'être humain. Elle revient à découvrir comment Isabelle a pu développer telle ou telle attitude à l'égard de sa sensibilité et de sa féminité en fonction de ses attentes maternelles ou encore comment elle est devenue adolescente en passant par le révélateur «Mère».

Utiliser le tableau d'**État** (I) pour «Isabelle» (mois **B**) et le «Développement de la féminité» (nombre **E**) et le tableau de l'**Action** (II) pour le révélateur «Mère» (jour **A**).

2. INTERPRÉTATION :

8	juin	1956	Personnalité profonde
Mère	Enfant	Père	
8	6	21	8
8	6	3	17
8	6	3	17
	14	9	
	14	9	
	14	9	

Isabelle...

6-	La jeunesse, la curiosité l'interrogation		tableau d'État

... par rapport à sa Mère...

8-	Se normaliser, se discipliner, être logique		tableau de l'Action

... réagit par...

14-	L'accommodement, les loisirs et la communication		tableau d'État

Sens :

Comment une enfant à l'esprit exubérant (6) qui recherche la discipline (8) pour comprendre, approfondir et canaliser sa sensibilité pouvait-elle décider sans grand sérieux de se laisser aller à l'amusement ? Son attente semblait pourtant claire : la norme, l'ordre, la logique (8) pour contrôler l'impétuosité de sa jeunesse (6).

C'est qu'en fait, le passage «prends le temps de t'amuser (14)» signifie que les deux protagonistes n'ont pas réellement pris au sérieux ni l'éducation maternelle ni les attentes personnelles.

Néanmoins, le souhait de discipliner (8) un esprit assez gamin (6), associé au goût de l'amusement (14), montre que sur le plan émotionnel Isabelle a compris l'enseignement de sa Mère : «Tu peux t'abandonner en toute confiance...»

Or, observons :

— le nombre du Développement féminin est aussi celui du message retenu.

— et en plus c'est un 14 qui concerne la communication.

C'est un message sur le «Message» ! À force de le répéter, il finira bien par passer.

Et il passe. Et de quoi parle-t'il ? Du développement de la sensibilité et de l'ouverture vers l'émotion et la féminité. La boucle est bouclée.

A contrario, le caractère conciliant amplifié par l'aspect influençable du 14 trahit un état de faiblesse en cas d'abandon total.

Ainsi donc, même si le 14 est hémitonique et à l'origine de certaines restrictions vis-à-vis de sa Mère, Isabelle ne craint pas d'afficher ses émotions **dans l'intimité** et n'aura aucune peine à assumer sa sexualité. Nous serons prudents sur ce point cependant car d'autres variables peuvent intervenir. Nous y reviendrons dans un autre volume.

Enfin, dans les faits, sa Mère n'a peut-être pas été un modèle valorisant, qui sait ? Peu importe, car son image ne fera pas obstacle à l'affirmation de la féminité d'Isabelle. Le 14 est très arrangeant pour gommer et tolérer bien des défauts.

G. L'INFLUENCE DES MODULATEURS

8	juin	1956	Personnalité profonde
Mère	Enfant	Père	
8	6	21	8
8	6	3	17
8	6	3	17
	14	9	
	14	9	
	14	9	

De la naissance à l'adolescence, le modulateur est la «Personnalité profonde*».

La technique est identique à celle précédemment décrite**. Nous nous contenterons de reprendre les attentes maternelles reprises, «chapeautées» **en caractères gras** par **la Personnalité profonde** (tableau d'État).

Modulation des attentes maternelles :

- • Isabelle :   6   tableau d'**État** (I)
- • Attentes maternelles: 8   tableau de l'**Action** (II)

- • *Modulateur* / Personnalité profonde :

         8 - 17 - 17 —>   8 - 17   tableau d'**État** (I)

---

*   Page 260, *L'influence des modulateurs.*
**   Page 260.

• INTERPRÉTATION :

Isabelle...

6 - La jeunesse, la curiosité, l'interrogation	+ enthousiasme, interrogation, discussion. – doute, manque de confiance, justification.	tableau d'État

...attend de la Mère...

8 - Se normaliser, se discipliner, être logique	+ être intègre et conséquent, se structurer. – se bureaucratiser, devenir froid, contester.	tableau de l'Action

...chapeauté par...

8 - La logique, la froideur, l'impartialité	+ grande logique, esprit de méthode, pondération. – déséquilibre, manque d'ordre, esprit querelleur.	Tableau d'État
17- L'idéal, l'amitié, la sensibilité	+ douceur, idéalisme, optimisme. – naïveté, désorientation, rêverie.	Tableau d'État

Sens :
    • *Pour accepter sa sensibilité Isabelle attend de sa Mère* qu'elle lui apprenne à :

– normaliser (8) les élans de sa jeunesse (6) **avec une impartialité (8) idéale (17)** et trouver une cohérence à son expression enfantine **avec le plus de justesse possible (8-17)**;

– discipliner (8) sa curiosité (6) **froidement (8) et calmement (17)** et à lui éviter de s'éparpiller (6 symbolise la multiplicité);

– trouver une logique (8) à ses interrogations (6) **méthodiquement (8) mais doucement (17 de la sensibilité)**.

vrir : • *D'une manière plus nuancée,* Isabelle voulait découvrir :

- comment être conséquente (8) avec son enthousiasme (6) **en étant à la fois logique (8) et optimiste (17)**;

- être intègre (8) dans ses interrogations (6), **pondérée (8) avec douceur (17)**, ne pas tricher et se structurer (8) **sans agressivité (17)** dans des discussions (6) **très (17) équilibrées (8)**.

ment : • *En périodes difficiles, Isabelle aimerait savoir* comment :

- se perdre dans la routine (8 bureaucratiser) pour se protéger (6 justification) des problèmes émotionnels **car le désordre (8) de la naïveté (17) entraîne la confusion (8) du rêve (17)**;

- garder la tête froide (8) quand elle n'a plus confiance en elle (6), **se retrancher derrière un rigorisme (8) déconcertant (17)** ou revêtir une carapace d'indifférence qui masquerait la perte de ses moyens **dans une révolte (8 esprit querelleur) inconsistante (17 rêverie)**;

- tout contester (8) avec l'indécision (6) du doute **malgré son manque d'ordre (8) et sa désorientation (17)**.

À votre tour maintenant de manipuler le modulateur 8-17 dans la suite de l'analyse des rapports maternels et de constater les variations possibles.

* *
*

CHAPITRE V

LE MASQUE

Méthode
d'interprétation

	Développement de la féminité		Développement de la masculinité	
M				
A				
S				
Q	A1 – B1 =	**J1**	B1 – C1 =	**K1**
U	A2 – B2 =	**J2**	B2 – C2 =	**K2**
E	A3 – B3 =	**J3**	B3 – C3 =	**K3**

	JOUR	MOIS	ANNÉE	Personnalité profonde	
	Mère	Enfant	Père		
I					
N	**A1**	**B1**	**C1**	A1 + B1 + C1 =	**D1**
N	**A2**	**B2**	**C2**	A2 + B2 + C2 =	**D2**
É	**A3**	**B3**	**C3**	A3 + B3 + C3 =	**D3**

A. PRINCIPES DE L'INTERPRÉTATION DU MAS-QUE

Revenons au schéma de la page 170 et adaptons-le au Masque d'une personne.

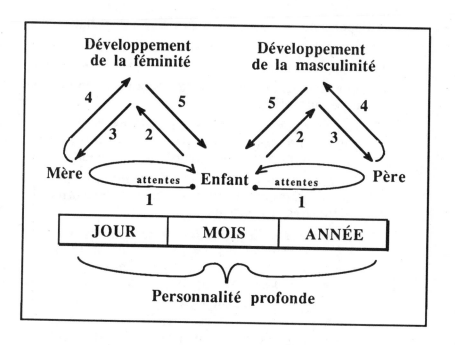

1. Les **attentes** de l'enfant en fonction de son **être** potentiel.

2. Les tensions (ou absence de tensions) induites par ces attentes en fonction de ce qu'il **est vraiment**.

3. La perception **effective** et **personnelle** qu'il a de ses parents.

4. Le message qu'il **retiendra** de ses parents et ses réactions comportementales d'**affirmation** de sa féminité/sensibilité et de sa masculinité/dynamisme.

5. Comment il **jugera** ses rapports avec ses parents durant l'enfance.

Le Masque est un élément secondaire dans la date de naissance. Il n'est qu'un abri dans lequel se réfugie l'individu pour oublier ses problèmes et se défouler le temps de retrouver la force pour affronter la réalité de son Miroir. Le Masque est *toujours* moins important que le Miroir, sauf dans des situations particulièrement difficiles.

Adaptées au Masque, les règles de l'interprétation deviennent :

---

1. Les attentes de l'enfant **à la découverte** de son **être potentiel**.

2. Les tensions ou (absence de tensions) induites par ces attentes et qui le pousseront à **oublier momentanément ses problèmes présents**.

3. La perception **effective** et **personnelle** qu'il a du **comportement de ses parents face aux difficultés présentes**.

4. Le message qu'il **retiendra** de ses parents pour **éviter** les difficultés, en fonction de sa féminité/sensibilité et sa masculinité/dynamisme et les répercussions sur son comportement.

5. Ses **tendances réactionnelles** envers ses parents **pour se protéger ou se défendre** et l'impression qu'il en gardera dans sa vie d'adulte.

B . MÉTHODE D'INTERPRÉTATION

Pour faciliter la compréhension de la méthode, remplaçons les divers paramètres de la structure de la date de naissance par les lettres A, B, C, D, J, K*.

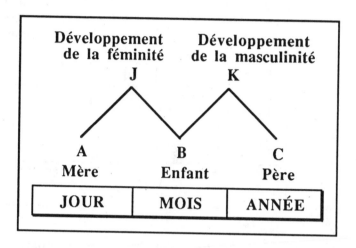

1° Analyser dans l'ordre

- les attentes paternelles...   (nombre **C** de l'année)
- ... et maternelles   (nombre **A** du jour)

—> en fonction de l'enfant   (nombre **B** du mois)

> – Pour l'enfant, utiliser le tableau d'**État**, **(I)****.

> – Pour le Père et la Mère, utiliser le tableau de l'**Action, (II)*****.

- **Exemple : personne née le 21 juin 1973**

  Mère :   **A** = 21;
  Enfant : **B** = 6 (juin);
  Père :   **C** = 20 (1 + 9 + 7 + 3 = 20).

---

*   Voir page 153.
**   Page 201.
*** Page 205.

2° Se référer au tableau des gradients de polarité*

Le plus atonique	21	17 19	11	7 5	4	Le moins atonique
Le plus tonique	16	12	22 13	15 18		Le moins tonique

Hémi- toniques	20 positif 9 négatif	1 - 2 - 3 - 6 - 10 - 14

8

3° Calculer les nombres résultant de la soustraction

- du mois (nombre **B**) – l'année (nombre **C**) —>
  Développement de la **masculinité** (nombre **K**)

- du jour (nombre **A**) – mois (nombre **B**) —>
  Développement de la **féminité** (nombre **J**).

Les nombres J et K identifiaient jusqu'à présent** les Comportements intérieur et extérieur. Ils s'appliquent ici au Développement de la féminité et au Développement de la masculinité. Le calcul est **rigoureusement identique**.

• **Exemple 1 :** personne née le 21 juin 1973

Mère : A = 21
Enfant : B = 6 (juin)
Père : C = 20 (1+9+7+3=20)
Développement de la féminité : J = A – B = 21–6 = **15**
Développement de la masculinité : K = B – C = 6–20 = **14**

---

* Page 139.
** *La Numérologie à 22 nombres : La connaissance de l'Être (tome I).*

• **Exemple 2** : personne née le 30 novembre 1987

Mère :   **A** = 30 (3+0)
Enfant :   **B** = 11 (novembre)
Père :   **C** = 7 (1+9+8+7=25)
Développement de la féminité : $J = A - B = 3\text{-}11 = 8$
Développement de la masculinité : $K = B - C = 11\text{-}7 = 4$

4° Déterminer le niveau de tonicité (ou tension) des nombres J et K par le tableau ci-dessus.

Quatre cas de figure peuvent se présenter :

1. a) Le nombre **K** de la **masculinité** est *atonique* :
L'enfant **a reçu** de son Père ce qu'il attendait pour savoir comment se **protéger** ou se **défouler dynamiquement.**

b) Le nombre **J** de la **féminité** est *atonique* :
L'enfant **a reçu** de sa Mère ce qu'il attendait pour savoir comment **protéger sa sensibilité.**

Interpréter le nombre d'après son principe et son aspect positif (tableau d'État).

• **Exemple 1** : personne née le 30 novembre 1987

Le nombre **K** du Développement de la masculinité est = **4.**
Dans le tableau des gradients de polarité, 4 est *atonique*.
L'enfant **a reçu** de son Père ce qu'il attendait pour savoir comment se **protéger** ou se **défouler dynamiquement.**

2. a) Le nombre **K** de la **masculinité** est *hémitonique* :
L'enfant **a reçu en partie** de son Père ce qu'il attendait pour savoir comment se **protéger** ou se **défouler dynamiquement.**

b) Le nombre de la **féminité** est *hémitonique* :
L'enfant **a reçu en partie** de sa Mère ce qu'il attendait pour savoir comment **protéger sa sensibilité.**

Interpréter le nombre d'après son principe et ses aspects positif ET négatif (tableau d'État).

• **Exemple 2 :** personne née le 21 juin 1973

> Le nombre **K** du Développement de la masculinité est **14**.
> Dans le tableau des gradients de polarité, 14 est *hémito-*
> *nique*. L'enfant **a su prendre en partie** chez son Père ce
> qu'il attendait pour savoir comment **se protéger** ou se
> **défouler dynamiquement**.

3. **a)** Le nombre **K** de la **masculinité** est *tonique* :
   L'enfant **n'a pas reçu** de son Père ce qu'il attendait
   pour savoir comment se **protéger** ou se **défouler**
   dynamiquement.

   b) Le nombre **J** de la **féminité** est *tonique* :
   L'enfant **n'a pas reçu** de sa Mère ce qu'il attendait
   pour savoir comment **protéger sa sensibilité**.

   *Interpréter le nombre d'après son **principe et son***
   aspect négatif (tableau d'État).

• **Exemple 1 :** personne née le 21 juin 1973

> Le nombre **J** du Développement de la féminité est = **15**.
> Dans le tableau des gradients de polarité, 15 est *tonique*.
> L'enfant **n'a pas reçu** de sa Mère ce qu'il attendait pour
> savoir comment **protéger sa sensibilité**.

4. **a)** Le nombre **K** de la **masculinité** est le nombre 8 :
   L'enfant a su **canaliser*** ce dont il avait besoin pour
   savoir comment se **protéger** ou se **défouler dy-**
   namiquement.

   b) Le nombre **J** de la **féminité** est le nombre 8 :
   L'enfant a su **canaliser** ce dont il avait besoin pour
   savoir comment **protéger sa sensibilité**.

   *Interpréter le nombre d'après son **principe seu-***
   lement (tableau d'État). Les aspects positif et
   négatif seront exprimés sous forme de constat et
   non de jugement.

* canaliser :

Le nombre 8 oriente et structure tout ce avec quoi il est en rapport (voir tome 1, page 111). Dans le cas présent, on dira que l'enfant a su dépasser les conflits vécus avec son Père et sa Mère. La vision qu'il aura de ses parents sera *objective* , sans parti pris et non subjective.

• **Exemple 2 :** personne née le 30 novembre 1987

Le nombre **J** du Développement de la féminité est = **8**.
L'enfant a su **canaliser** ce dont il avait besoin pour se **protéger de sa sensibilité.**

5° Revenir au Père (nombre C) et à la Mère (nombre A) et, à partir des données recueillies au point 4°, analyser en fonction du tableau d'État, comment l'enfant a cru percevoir ses parents. (Le tableau d'État dresse un constat alors que le tableau de l'**Action** décrit les attentes.)

Interpréter les caractéristiques de ces nombres comme des traits de caractère dominants du Père et de la Mère **vus par l'enfant.**

1. a) Le nombre **K** de la **masculinité** est *atonique* :
Interpréter positivement le nombre **C** du Père.

b) Le nombre **J** de la **féminité** est *atonique* :
Interpréter positivement le nombre **A** de la Mère.

*Interpréter le nombre d'après son **principe** et son aspect positif (tableau d'État).*

• **Exemple 1 :** personne née le 30 novembre 1987

Le nombre **K** du Développement de la masculinité est = **4**.
Dans le tableau des gradients de polarité, 4 est un nombre atonique. Les caractéristiques dominantes que l'enfant a cru percevoir chez son Père face à une difficulté (nombre **C** = 1987 —> 7 de l'année) sont :

7 - La maîtrise, l'indépendance, le goût de la responsabilité	+ réussite par le mérite, la direction, le progrès.	tableau d'État

2. **a)** Le nombre **K** de la **masculinité** est *hémitonique* : Interpréter avec nuance le nombre **C** du Père.

b) Le nombre **J** de la **féminité** est *hémitonique* : Interpréter avec nuance le nombre **A** de la Mère.

*Interpréter le nombre d'après son **principe** et ses aspects positif ET négatif (tableau d'État).*

• **Exemple 2 :** personne née le 21 juin 1973

Le nombre **K** du Développement de la masculinité est **14**. Dans le tableau des gradients de polarité, 14 est un nombre hémitonique. Les caractéristiques dominantes que l'enfant a cru percevoir chez son Père face à une difficulté (nombre **C** = 1973 —> 20 de l'année) sont :

20- Le public, les relations sociales, l'inspiration	+ spontanéité, amour de la foule, esprit spirituel. – illuminisme, exaltation, manque de pondération.	tableau d'État

3. **a)** Le nombre **K** de la **masculinité** est *tonique* : Interpréter négativement le nombre **C** du Père.

b) Le nombre **J** de la **féminité** est *tonique* : Interpréter négativement le nombre **A** de la Mère.

*Interpréter le nombre d'après son **principe** et son aspect négatif (tableau d'État).*

• **Exemple 1 :** personne née le 21 juin 1973

Le nombre **J** du Développement de la féminité est = **15**. Dans le tableau des gradients de polarité, 14 est un nombre tonique. Les caractéristiques dominantes que l'enfant a cru percevoir chez sa Mère face à une difficulté (nombre **A** = 21 du jour) sont :

21- La féminité, la perfection, les honneurs	– mondanité, obstacle insurmontable, distraction.	tableau d'État

4 . a) Le nombre **K** de la **masculinité** est le nombre 8 : Interpréter avec des propos *objectifs, critiques et sans parti pris* le nombre **C** du Père.

b) Le nombre **J** de la **féminité** est le nombre 8 : Interpréter avec des propos *objectifs, critiques et sans parti pris* le nombre **A** de la Mère.

*Interpréter le nombre d'après son **principe uniquement** (tableau d'État). Exprimer les aspects positifs et négatifs sous forme de constat et non de jugement.*

• **Exemple 2 :** personne née le 30 novembre 1987

Le nombre **J** du Développement de la féminité est = **8**. Les caractéristiques dominantes que l'enfant a cru percevoir *avec objectivité* chez sa Mère face à une difficulté (nombre **A** = 30 —> 3 du jour) sont :

3 - L'intelligence, le charme, l'élégance		tableau d'État

6° **Toujours avec l'information du point 4°, revenir au niveau de l'enfant (nombre B) et exprimer ses tendances réactionnelles à l'égard de ses parents pour se défendre.**

Tirer les conclusions en fonction du tableau de l'**Action** (tableau II).

1 . a) Le nombre **K** de la **masculinité** est *atonique* : Interpréter positivement le nombre **B** décrivant l'attitude de *défense* de l'enfant vis-à-vis de son Père.

b) Le nombre **J** de la **féminité** est *atonique* : Interpréter positivement le nombre **B** décrivant l'attitude de *défense* de l'enfant vis-à-vis de sa Mère.

*Interpréter le nombre d'après son **principe** et son aspect positif (tableau de l'**Action**).*

• **Exemple 1** : personne née le 30 novembre 1987

Le nombre **K** du Développement de la masculinité est = **4**. Dans le tableau des gradients de polarité, 4 est un nombre atonique. L'enfant (nombre **B** = 11 du mois) était porté à avoir vis-à-vis de son Père l'attitude de défense suivante :

11- Se contrôler, se réaliser, se prendre en charge	+ afficher sa certitude, être confiant, vaincre.	tableau de l'Action

2. a) Le nombre **K** de la **masculinité** est *hémitonique* : Interpréter avec nuance le nombre **B** décrivant l'attitude de *défense* de l'enfant vis-à-vis de son Père.

   b) Le nombre **J** de la **féminité** est *hémitonique* : Interpréter avec nuance le nombre **B** décrivant l'attitude de *défense* de l'enfant vis-à-vis de sa Mère.

*Interpréter le nombre d'après son **principe** et ses aspects négatif ET positif (tableau de l'Action).*

• **Exemple 2** : personne née le 21 juin 1973

Le nombre **K** du Développement de la masculinité est **14**. Dans le tableau des gradients de polarité, 14 est un nombre hémitonique. L'enfant (nombre **B** = 6 du mois) était porté à avoir vis-à-vis de son Père l'attitude de défense suivante :

6- S'exprimer, se différencier, se remettre en question	+ s'enthousiasmer, parler, séduire. − s'éparpiller, manquer de confiance, être gamin.	tableau de l'Action

3. a) Le nombre **K** de la **masculinité** est *tonique* : Interpréter négativement le nombre **B** décrivant l'attitude de *défense* de l'enfant vis-à-vis de son Père.

b) Le nombre **J** de la **féminité** est *tonique* :
Interpréter négativement le nombre **B** décrivant l'attitude de *défense* de l'enfant vis-à-vis de sa Mère.

*Interpréter le nombre d'après son **principe** et son aspect négatif (tableau de l'Action).*

• **Exemple 1 :** personne née le 21 juin 1973

Le nombre **K** du Développement de la féminité est = **15**.
Dans le tableau des gradients de polarité, 15 est un nombre tonique. L'enfant (nombre **B** = 6 du mois) était porté à avoir vis-à-vis de sa Mère l'attitude de défense suivante :

6 - S'exprimer, se différencier se remettre en question	– s'éparpiller, manquer de confiance, être gamin.	tableau de l'**Action**

4. a) Le nombre **K** de la **masculinité** est le nombre 8 :
Interpréter avec des propos *objectifs, critiques et sans parti pris* le nombre **B** décrivant l'attitude de l'enfant vis-à-vis de son Père.

b) Le nombre **J** de la **féminité** est le nombre 8 :
Interpréter avec des propos *objectifs, critiques et sans parti pris* le nombre **B** décrivant l'attitude de l'enfant vis-à-vis de son Père.

*Interpréter le nombre d'après son **principe uniquement** (tableau de l'Action). Les aspects positifs et négatifs peuvent exprimer des attitudes naturelles de joie ou de friction chez l'enfant.*

• **Exemple 2 :** personne née le 30 novembre 1987

Le nombre **J** du Développement de la féminité est = **8**.
L'enfant (nombre **B** = 11 du mois) était porté à avoir vis-à-vis de sa Mère l'attitude de défense suivante :

11 - Se contrôler, se réaliser, se prendre en charge		tableau de l'**Action**

7° Revenir au niveau des nombres **J** et **K** identifiant le Développement de la féminité et de la masculinité dans le Masque.

Tirer les conclusions suivantes en fonction du tableau de l'**Action** :

a) Les nombres **K** (Développement de la **masculinité**) expriment ce que l'enfant, parvenu à l'adolescence, a retenu comme message de son Père *en fonction de ses attentes* pour se **protéger dynamiquement** face aux difficultés de l'existence.

b) Les nombres **J** (Développement de la **féminité**) expriment ce que l'enfant, parvenu à l'adolescence, a retenu comme message de sa Mère *en fonction de ses attentes* pour **protéger sa sensibilité et ses émotions** face aux difficultés de l'existence.

8° **Toujours avec les nombres J et K et en fonction des attentes de l'enfant (point 1°), tirer une conclusion qui permettra de comprendre ses réactions vis-à-vis de ses parents et comment il va chercher à se défendre ou assumer sa féminité et sa masculinité devant les tensions de son existence.**

Avertissement

Comme précisé lors de l'analyse du Miroir*, la méthode est progressive et dans un premier temps la technique prime sur les nuances. Or, celui qui voudrait interpréter sa date de naissance en même temps qu'il lit ce livre risque quelques surprises s'il ne va pas au bout de l'ouvrage. Un modulateur, la Personnalité profonde, chapeaute toutes les données et dirige le développement jusqu'à 21 ans où un autre modulateur, la Personnalité extérieure, prendra le relais.

---

* Page 224.

MASQUE	Développement de la féminité		Développement de la masculinité	
	A1 – B1 =	**J1**	B1 – C1 =	**K1**
	A2 – B2 =	**J2**	B2 – C2 =	**K2**
	A3 – B3 =	**J3**	B3 – C3 =	**K3**

INNÉ	JOUR	MOIS	ANNÉE	Personnalité profonde	
	Mère	**Enfant**	**Père**		
	A 1	**B 1**	**C 1**	A1 + B1 + C1 =	**D 1**
	A 2	**B 2**	**C 2**	A2 + B2 + C2 =	**D 2**
	A 3	**B 3**	**C 3**	A3 + B3 + C3 =	**D 3**

RAPPELS

Observons le schéma de base de la date de naissance du Masque pour l'enfance (page ci-contre) et rappelons que :

Les directives données pour le Miroir sont applicables au Masque.

Les nombres du niveau primaire (A1-B1-C1) sont plus importants que les nombres des niveaux secondaire ou tertiaire (A2-B2-C2 ou A3-B3-C3) lesquels n'expriment que des nuances modulant les nombres primaires. Les nombres primaires correspondent de fait aux attentes de l'enfant vis-à-vis de ses parents, alors que les nombres secondaires ou tertiaires recouvrent des espérances, des souhaits ou des désirs parallèles.

• **Le cas «0» :**

Lors des divers calculs du Masque, si une soustraction donne 0, remplacer 0 par 22.

Exemple : 3 – 3 = 22.

• **Approche globale de l'interprétation du Masque :**

Elle est identique à celle du Miroir. Reportez-vous à la page 225.

* *
*

L'Enfant
et le Père

Le mot «Père» englobe le père naturel, celui qui le remplace (beau-père ou père adoptif) et d'une manière générale l'autorité.

L'interprétation vise à comprendre les attentes de l'enfant vis-à-vis de son Père, l'image qu'il s'est faite de lui, les messages qu'il a retenus et ses actions et réactions pour **se protéger des difficultés de l'existence ou se distraire, en fonction de l'environnement et de l'affirmation de sa masculinité.**

Retrouvons la date de naissance d'Isabelle née le 8 juin 1956. Le calcul du Masque donne :

Développement de la féminité		Développement de la masculinité	
$J1 = 8{-}6 =$	2	$K1 = 6{-}21 =$	1 5
$J2 = 8{-}6 =$	2	$K2 = 6{-} 3 =$	3
$J3 = 8{-}6 =$	2	$K3 = 6{-} 3 =$	3

Jour 8		Mois juin		Année 1956	
Mère		Enfant		Père	
$A1 = 8$	8	$B1 = 6$	6	$C1 = 1956$	2 1
$A2 = 8$	8	$B2 = 6$	6	$C2 = 21$	3
$A3 = 8$	8	$B3 = 6$	6	$C3 = 3$	3

Personnalité profonde	
$D1 = 8+6+21 = 35$	8
$D2 = 8+6+ 3 =$	1 7
$D3 = 8+6+ 3 =$	1 7

A. LES ATTENTES PATERNELLES

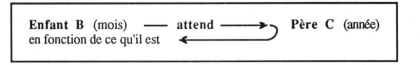

Enfant **B** (mois) —— attend ——→ Père **C** (année)
en fonction de ce qu'il est ←————

Isabelle est 6 (mois de juin —> tableau d'**État**) et attend de son Père un 21 nuancé par un 3 (l'année : 1956 = 1 + 9 + 5 + 6 = 21 —> tableau de l'**Action**).

1. TECHNIQUE :

La technique est identique à celle du Miroir. Que l'attente soit exaucée ou non, l'enfant attend, à travers les nombres symbolisant le Père, le même message énergétique. En effet, les caractères forment l'inné de l'enfant dont le décryptage met en place un Miroir d'évolution et un Masque de protection.

Analyser les nombres **C** de l'année symbolisant le Père (tableau de l'**Action**) en fonction des nombres **B** du mois personnalisant l'enfant (tableau d'**État**). On **rapporte** donc 21-3 (année) à 6 (mois) pour analyser et comprendre les définitions de 21 nuancé de 3 à travers celles du 6.

Les aspects positifs seront interprétés comme une attente particulière d'Isabelle vis-à-vis de son Père pour savoir comment se défendre face aux difficultés de l'existence sur le plan du **dynamisme**.

Les aspects négatifs seront interprétés comme les conseils de prudence *qu'a cru* comprendre Isabelle de la part de son Père face aux situations déséquilibrantes .

2. INTERPRÉTATION :

Les attentes paternelles dans le Miroir et dans le Masque sont identiques. Comme il est nécessaire de bien les connaître pour assimiler la technique d'interprétation du Masque, nous reproduisons ici les définitions de la page 239.

Il faut ici apporter une précision d'ordre psychologique certes mais surtout philosophique.

En fonction de ses attentes parentales, l'enfant apprend à **se dynamiser dans le Miroir** et à **se protéger dans le Masque**. Comment donc un message unique peut-il avoir deux interprétations : évolution (Miroir) et défense (Masque) ?

La réponse s'appuie sur les notions de «doute» et de «certitude d'être».

Le **doute** est un «état de l'esprit qui doute, qui est incertain de la réalité d'un fait, de la vérité d'une énonciation, de la conduite à adopter dans une circonstance particulière.»

(Dictionnaire Robert)

On doute d'abord de soi-même : doute sur ses moyens, ses possibilités d'affirmation, doute des autres et de la capacité de s'imposer vis-à-vis d'eux. Ce doute provient essentiellement de la méconnaissance du potentiel naturel, mais aussi de sa propre notion existentielle donnant un sens à la vie. Il est vrai qu'on dépense plus d'énergie à se battre contre soi-même qu'à bâtir sa vie. L'environnement est toujours perçu comme un objet d'agression quand on doute de soi et que l'attention reste fixée sur son nombril. «On me rejette !» se plaignent ceux qui manquent de confiance alors qu'en fait, ils rejettent les autres pour se protéger ou justifier leur petitesse.

À l'opposé, la **certitude** est le «caractère d'une affirmation à laquelle on donne une adhésion entière» ou encore «l'état de l'esprit qui ne *doute* pas, n'a aucune crainte d'erreur.»

(Dictionnaire Robert)

Ainsi la certitude en sa propre valeur et en ses moyens entretient un état d'esprit que rien ne peut ébranler ni surprendre.

Certitude «**d'être**» ! Le terme «**d'être**» ouvre justement sur la dimension philosophique.

La notion d'être est la prise de conscience du JE*. Cette notion d'être soi et pas un autre ne se définit pas par des traits de

---

* Voir tome I, page 85.

psychologie. C'est l'enfant qui sommeille en nous et que le MOI (ou structure psychologique consciente du cerveau) doit aider à révéler à SOI. Lorsque cette identité profonde prend le dessus sur le MOI, il n'y a plus de «doute» possible. La certitude d'être, certitude indélébile et que personne ne peut atteindre ni éteindre, s'installe en SOI.

Le «doute» est donc une caractéristique du MOI alors que la «certitude» est une conséquence manifestée de la révélation du JE.

Bien sûr, dans une telle réalisation, le MOI demeure un moyen d'expression envers les autres, mais sous la directive du Maître intérieur : JE. Le MOI subit la pression du JE pour lui permettre de s'exprimer avec le maximum de clarté mais il reste structuré par sa culture et il en conserve à la fois la richesse et l'originalité mais aussi la faiblesse.

Tout individu peut participer, effectivement ou non, au jeu des subtilités angoissantes ou extatiques du MOI en fonction d'autrui. Mais le MOI sera toujours, sur le strict plan de la matière, le moyen d'expression du JE, naguère encore en sommeil.

Un enfant est conscient d'être lui, mais il ne peut ni en prendre conscience sur le plan de la raison ni le faire savoir tant que le Moi ne lui en fournit pas les moyens. Or, le Moi, conscience cérébrale, constitue la base essentielle du caractère. L'enfant n'est pas encore un adulte réalisé dans sa certitude d'être. Il cherche d'abord à trouver les moyens de son expression pour révéler cette certitude, prendre conscience, développer et affirmer harmonieusement les caractéristiques de son véhicule psychologique, mais aussi de son conducteur : son MOI. Dans un premier temps, il les découvre grâce aux «attentes» à l'égard de ses parents.

La dualité est une des caractéristiques fondamentales du MOI. Or, l'enfant ne verra pas, loin s'en faut, ses attentes exaucées de façon idéale. D'où la mise en place de deux ordres de structures apparemment contradictoires mais complémentaires :

> • d'une part, une structure d'actions pour se révéler ses moyens d'expression par lui-même : c'est le développement du Miroir.

- d'autre part, une structure de réactions plus ou moins inconscientes pour se prémunir contre les agressions extérieures tant qu'il n'aura pas atteint sa certitude d'être qui lui évitera de succomber au jeu d'incertitudes engendré par le MOI : c'est le développement du Masque.

L'enfant ne demande qu'à affirmer son originalité. Il pourrait, par exemple, le faire ainsi :

- «En fonction de ce que je suis (MOI = mois **B**), dis-moi comment je peux développer les caractéristiques symbolisées par l'année **C** et le jour **A**.» Il s'agit du Développement de la masculinité et de la féminité du **Miroir**.

- «Mais dis-moi aussi comment je peux me prémunir contre la pression et l'agression de l'environnement tant que je n'aurai pas acquis la certitude de ce que je suis et la conscience parfaite de mes possibilités sans crainte d'erreur.» Il s'agit du Développement de la masculinité et de la féminité du **Masque**.

Le message unique des attentes parentales s'exprime donc de deux façons différentes qu'une simple tournure de phrase suffira à distinguer :

- **MIROIR** : respecter l'interprétation de la page 239 et rajouter :
  - pour apprendre à «**évoluer**» avec dynamisme (Développement masculin)...
  - pour apprendre à «**évoluer**» avec sensibilité (Développement féminin)...

- **MASQUE** : respecter les définitions du Miroir et rajouter :
  - pour apprendre à «**me protéger**» ou «me prémunir» avec dynamisme (Développement masculin)...
  - pour apprendre à «**me protéger**» ou à «me prémunir» avec sensibilité (Développement féminin)...

Le paragraphe **B** tant dans le Miroir que dans le Masque reprend ces deux aspects :

> – **MIROIR** : les attentes parentales ont-elles permis à l'enfant de **se prendre en charge** avec dynamisme et sensibilité ?

> – **MASQUE** : les attentes parentales ont-elles appris à l'enfant à **se protéger** avec dynamisme et sensibilité des difficultés de l'évolution ?

Vue sous cet angle, la numérologie est un moyen de supprimer le doute existentiel et d'atteindre la certitude d'être malgré les faiblesses psychologiques naturelles.

Revenons à l'interprétation qui ne pose plus de problème particulier puisqu'elle reprend intégralement celle du Miroir orientée par le désir de protection.

Isabelle...

6- La jeunesse, la curiosité, l'interrogation	+ enthousiasme, interrogation, discussion. – doute, manque de confiance, justification.	tableau d'**État**

... attend de son Père...

21- S'unifier, se raffiner, se distinguer	+ être délicat, prévenant et perfectionniste. – jouer le mondain, snober, s'admirer.	tableau de l'**Action**
3 - Intellectualiser, conceptualiser, charmer par l'esprit	+ comprendre, apprendre, être avisé. – être prétentieux, dédaigner, se surestimer.	tableau de l'**Action**

Sens :

a. **En fonction du 21 vers le 6 :** *Pour lui permettre de se prémunir contre les difficultés de l'existence avec dynamisme, Isabelle souhaite que son Père l'aide...*

– à s'unifier (21) *avec* tout l'élan de la jeunesse (6).

- à raffiner (21) sa curiosité (6), à aller au fond des choses, à être curieuse (6) de tout (le 21 symbolise la totalité) pour tout connaître à la perfection (comme dans une quête d'absolu proche de la passion).

- à se distinguer (21) *par* sa curiosité (6) ou *par* sa jeunesse (6) et à gagner l'estime de soi *par* la finesse (21) de ses questions (6 interrogation).

- à se mettre en valeur avec raffinement et distinction (21) *grâce à* une jeunesse d'esprit et une curiosité pleine d'à-propos (6).

- ou encore, à aiguiser la précision (21) de ses interrogations (6).

b . En fonction du 3 vers le 6 : *Parallèlement, Isabelle espère que son Père, pour la prémunir contre les difficultés de l'existence avec dynamisme, l'aidera aussi ...*

- à découvrir le pouvoir charmeur d'un esprit (3) jeune (6), d'un regard vif et intelligent (3) débordant d'innocence et de pureté candide et à laisser croire sans être dupe qu'elle est un agneau prêt à se faire manger par le loup.

- à conceptualiser (3) ses interrogations (6), à les codifier (comme un 8) mais aussi à les imaginer (comme un 18).

- à intellectualiser (3) sa curiosité (6) et à trouver les outils intellectuels pour nourrir sa soif de connaissances.

c. En fonction des aspects 21-3 vers le 6 :

De façon plus nuancée, Isabelle veut savoir de son Père comment être délicate (21) et compréhensive (3) avec enthousiasme (6), atteindre la perfection (21) pour apprendre (3) à s'interroger (6) et être prévenante (21) avec intelligence (3 être avisé) dans les discussions (6).

d. En fonction des aspects 21-3 vers le 6 :

Dans les périodes difficiles, Isabelle aimerait savoir comment jouer les mondaines (21) prétentieuses (3) quand elle perd confiance en elle (6), jouer à l'aristocrate (21 snober) dédaigneuse (3) dans les moments de doute (6) et s'apprécier (21 s'admirer) en se surestimant (3) quand elle devra se justifier (6).

B. LES ATTENTES PATERNELLES ONT-ELLES PERMIS À ISABELLE DE SAVOIR COMMENT SE PROTÉGER DES DIFFICULTÉS DE L'ÉVOLUTION AVEC DYNAMISME OU COMMENT LES OUBLIER MOMENTANÉMENT ?

1. TECHNIQUE :

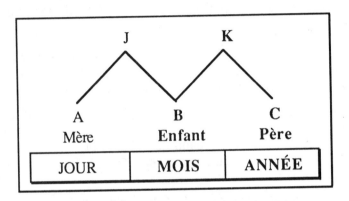

Vérifier dans le tableau des gradients de polarité si les nombres **K** du Développement masculin dans le Masque sont atoniques, hémitoniques ou toniques. Les nombres primaires indiquent si les attentes fondamentales **ont été exaucées.** Les nombres secondaires ou tertiaires précisent si les attentes secondaires ou tertiaires **n'ont pas été déçues.** D'une manière générale, seul le nombre primaire indique si les attentes ont été reçues. Les nombres secondaires seront négligés, **sauf** lorsque le nombre primaire est hémitonique et que le nombre secondaire est atonique ou tonique.

Exemple :

– **14-5** : 14 hémitonique a tendance à être légèrement atonique grâce au 5.

– **3-12** : 3 hémitonique a tendance à être légèrement tonique grâce au 12.

Ces nombres seront toujours considérés comme hémitoniques mais ils seront plus ou moins polarisés. Dans l'esprit des numérologues, ils devraient être notés **14+** ou **3–**.

Chez Isabelle, les nombres représentant le Développement de défense **masculin** sont :

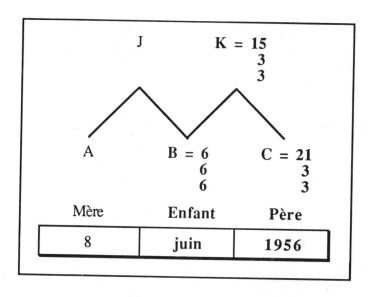

- Le nombre primaire : le mois 6 **moins** l'année 21 donne 15. 15 inférieur à 22 est conservé.

- Les nombres secondaire et tertiaire : le mois 6 **moins** l'année 3 donne 3. 3 inférieur à 22 est conservé.

Soit 15-3-3. Consulter le tableau des gradients de polarité :

- **15** est tonique, responsable sur un plan général d'une tension vis-à-vis de son Père.
- **3** est hémitonique et responsable d'une demi-tension puisque placé en niveau secondaire et tertiaire.

327

2. INTERPRÉTATION :

Sens :
Isabelle n'a pas reçu de son Père ce qu'elle en attendait pour apprendre à se protéger ou à oublier momentanément ses problèmes.

C. COMMENT ISABELLE A-T'ELLE PERÇU SON PÈRE LORSQU'IL ÉPROUVAIT UNE DIFFICULTÉ ?

1. TECHNIQUE :

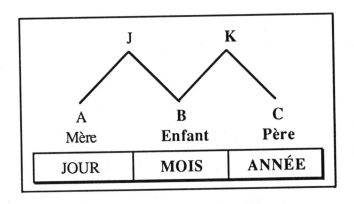

Elle consiste à dresser le constat suivant :

«Comme la **soustraction** de ce que je suis (le mois **B**) et de ce que j'attends de mon Père (l'année **C**) donne un nombre **K** (Développement de la masculinité, dynamisme)...

—> **atonique**, c'est que *j'ai compris* grâce à mon Père comment me défouler, régler ou assumer d'une manière dynamique les tensions occasionnées par les difficultés de l'existence.

—> **hémitonique**, c'est que *j'ai compris en partie* (50 %) grâce à mon Père comment me défouler *en partie*, régler *en partie* ou assumer *en partie* d'une manière dynamique les tensions occasionnées par les difficultés de l'existence.

—> tonique, c'est que *je n'ai pas compris* grâce à mon Père comment me défouler, régler ou assumer d'une manière dynamique les tensions occasionnées par les difficultés de l'existence.»

On prend donc **les nombres C de l'année** (Père) et on les interprète en fonction du tableau d'**État (I)** de la manière suivante :

a) Le nombre K du Développement masculin du Masque est atonique :

La perception du Père est **positive**.
Ignorer l'aspect négatif des définitions de l'année **C** :

Principe : *L'impression générale que la personne a gardée de son Père est celle d'un homme qui savait trouver les moyens pour se protéger ou se défouler. Dans les moments difficiles elle pensait qu'il savait faire face avec...*

Aspect + : *Elle conserve l'image d'un Père qui détenait (ou savait, était...)...*

b) Le nombre K du Développement masculin est tonique :

La perception du Père est **négative**.
Ignorer l'aspect positif des définitions de l'année **C** :

Principe : *L'impression générale que cette personne a gardée de son Père est celle d'un homme qui ne savait pas trouver les moyens pour se protéger ou se défouler. Dans les moments difficiles, elle pensait qu'il ne savait pas faire face avec...*

Aspect – : *Mais elle conserve aussi l'image d'un Père qui devenait (ou paraissait...)...*

c) Le nombre K du Développement masculin est hémitonique :

La perception du Père est **mitigée**.
Tenir compte de l'aspect positif et de l'aspect négatif des définitions de l'année **C** :

Principe : *L'impression générale que cette personne a gardée de son Père est celle d'un homme qui semblait trouver (ou ne parvenait pas toujours à trouver) les moyens pour se protéger ou se défouler. Dans les moments difficiles, elle pensait qu'il arrivait parfois à faire face avec...*

Aspect + : *Dans certaines circonstances, elle garde l'image d'un homme qui détenait (ou était...)...*

Aspect – : *Dans d'autres circonstances plus pénibles, elle conserve l'image d'un homme qui lui paraissait (ou semblait...)...*

d) Le nombre K du Développement masculin est 9, 20 ou 8 :

Ces nombres ont le même effet que les autres nombres hémitoniques sur le nombre de l'**année** qui devra donc être interprété dans son aspect positif et négatif. Mais il faudra appliquer en plus un traitement spécifique :

- **Pour le 9, tenir compte de l'âge de la personne.**

  * **S'il est jeune,** interpréter le nombre de l'année C de façon légèrement négative en intervertissant les paragraphes des aspects positif et négatif et en commençant par :

Principe : *L'impression générale que la personne a gardée de son Père est celle d'un homme qui ne parvenait pas toujours à trouver les moyens pour se protéger ou se défouler. Dans les moments difficiles, elle pensait qu'il présentait les caractéristiques d'un homme...*

Aspect – : *Actuellement, elle conserve l'image d'un Père qui devenait (ou paraissait...)...*

Aspect + : *Mais plus tard, en fonction des circonstances, elle gardera l'image d'un homme qui parvenait à...*

  * **S'il a dépassé la trentaine,** interpréter le nombre C de l'année de façon légèrement positive en commençant par l'aspect positif avant l'aspect négatif :

Principe : *L'impression générale que cette personne a gardée de son Père est celle d'un homme qui parvenait parfois à trouver les moyens pour se protéger*

330

> *ou se défouler. Dans les moments difficiles, elle pensait qu'il présentait les caractéristiques d'un homme...*

Aspect+ : *Actuellement, elle garde l'image d'un Père qui parvenait à...*

Aspect - : *Mais plus tard, en fonction des circonstances, elle se souviendra d'un homme qui paraissait...*

• **Pour le 20, interpréter le nombre C de l'année de façon légèrement positive.**

Contrairement au 9 qui implique le repli pendant l'enfance puis l'ouverture en vieillissant, le 20 cherche dès son jeune âge à s'extérioriser et à faire en sorte que tout aille pour le mieux. Cette attitude sert à Masquer les problèmes mais développe aussi une pensée positive qui conduit le sujet à considérer ses parents sous leur meilleur aspect et à minimiser les aspects négatifs. L'interprétation tiendra compte des deux aspects en minimisant l'aspect négatif.

Principe : *L'impression générale que cette personne a gardée de son Père est celle d'un homme qui **parvenait à trouver les moyens pour se protéger ou se défouler**. Dans les moments difficiles, elle pensait qu'il avait les caractéristiques d'un homme...*

Aspect + : *Aujourd'hui, elle garde l'image d'un homme qui **détenait (ou était, savait...)**...*

Aspect – : *Mais elle est consciente que son Père pouvait **paraître**...*

• **Le 8 est le nombre d'exception.**

Il indique que le sujet a dépassé les conflits avec ses parents et qu'il est conscient *objectivement* de ce qu'il attendait d'eux pour trouver sa propre identité. La perception des parents reste «neutre» et objective.

Principe : *L'impression générale que cette personne a gardée de son Père est celle d'un homme qui **a toujours tout fait pour trouver les moyens pour se protéger ou se défouler**. Dans les moments difficiles, elle pensait qu'il avait les caractéristiques d'un homme...*

Aspect + : *Quand il savait se protéger, il se montrait (ou était...)...*

Aspect – : *Quand il se laissait submerger par les difficultés, son Père se montrait aussi...*

Remarque :

L'opinion de l'enfant à l'égard de son Père englobe des attitudes diverses allant du compliment au reproche lorsqu'il est lui-même en difficulté et qu'il se réfugie derrière son Masque. Il faut bien un bouc émissaire. Mais EN TEMPS NORMAL*, l'impression du Père dominante est celle du Miroir.

En résumé :

- une interprétation positive valorise le Père;
- une interprétation négative dévalorise le Père;
- une interprétation mitigée fait alterner des réflexions négatives et positives.

2. INTERPRÉTATION :

• Rappel de la structure de la date de naissance d'Isabelle :

	2	1 5	
	2	3	
	2	3	
8	6	2 1	8
8	6	3	1 7
8	6	3	1 7

8	juin	1956	Personnalité profonde
Mère	Enfant	Père	

---

* En ce qui concerne la cohérence du Masque, je vous renvoie au premier tome, page 286. Parmi ceux qui portent un Masque cohérent, il s'en trouve qui ne savent jamais quand ils se fuient ou quand ils s'acceptent, quand les reproches ou les compliments à leurs parents sont ou non justifiés. Nous reviendrons dans un autre tome sur les techniques qui permettent de savoir si une personne vit plus dans son Masque que dans son Miroir.

Le Père d'Isabelle est représenté par un 21 (1956 = 21) nuancé par un 3 (21 = 3). Dans le tableau d'**État**, prendre les nombres 21 et 3 en les dévalorisant et en ne tenant compte que de leur aspect négatif puisque le nombre du Développement masculin résultant de la soustraction du mois et de l'année (21 – 6 = **15**) est tonique.

Les puristes noteront les nuances dans l'interprétation du Père. En effet la soustraction du mois – année aux niveaux secondaires et tertiaires (6 et 3) donne 3 qui apporte une note positive puisque **3** est hémitonique.

21- La féminité, la perfection, les honneurs	– mondanité, obstacle insurmontable, distraction.	tableau d'État
3- L'intelligence, le charme, l'élégance	+ compréhension, culture, intelligence. – prétention, coquetterie, condescendance.	tableau d'État

Sens :

• *L'impression générale qu'Isabelle a gardée de son Père est celle d'un homme qui ne savait pas trouver les moyens pour se protéger ou se défouler. Dans les moments difficiles, elle pensait que* **malgré** son aspect délicat (21 féminité), il n'avait pas assez de force de caractère pour foncer. Par perfectionnisme (21), il en venait à se noyer dans un verre d'eau; son **soi-disant*** désir de réussite (21 honneurs) n'était que de la poudre aux yeux.

> * soi disant... car ce n'était qu'une apparence !

• *Parallèlement, elle pressentait* **parfois** *que devant une difficulté il aurait dû* faire preuve d'intelligence (3 positif) et que d'autres fois, il était surfait (exagération d'une bonne intelligence). Ici, elle le trouvait charmant et débordant d'élégance spirituelle (3 positif), et là superficiel et sans finesse (3 négatif)*.

> * Réécouter Brel : «...ceux qui veulent avoir l'air mais qui n'ont pas l'air du tout.»

• *Mais elle conserve surtout l'image d'un Père qui devant les problèmes jouait* les mondains (21) distraits (21) et grossissait les problèmes (volontairement ? ou pour se trouver des excuses ?).

• Bien que capable de compréhension (3 positif), en cas de difficulté, on pressentait* chez lui une culture (3 positif) prétentieuse (3 négatif) et une intelligence (3 positif) condescendante (3 négatif) afin de se faire valoir (3 négatif coquetterie).

> * On ne peut que **pressentir** la nuance d'un nombre
> secondaire qui doit toujours être minimisé par rapport
> au nombre primaire.

D. COMMENT ISABELLE, AU COURS D'UNE PÉRIODE DIFFICILE DE SON ENFANCE, A-T'ELLE PERÇU SA PROPRE ATTITUDE À L'ÉGARD DE SON PÈRE ?

1. TECHNIQUE :

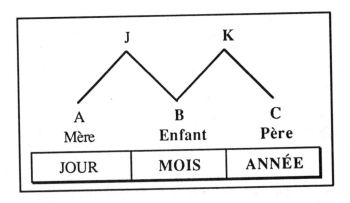

La méthode est identique à celle du paragraphe C du Masque* ou du Miroir**, mais au lieu de l'appliquer au père à travers l'année, il faut la dynamiser à travers le **mois** qui identifie la personne durant son enfance.

---

* Voir page 328.
** Voir page 244.

Elle consiste à dresser le constat suivant :

«Comme la soustraction de ce que je suis (le mois **B**) et de la perception que j'avais de mon Père (l'année **C**) donne un nombre **K** (Développement de la masculinité, dynamisme)...

—> **atonique**, c'est que j'ai eu de bonnes relations avec lui dans les moments difficiles puisqu'il n'y a pas de tension.

—> **hémitonique**, c'est que j'ai eu, malgré certaines frictions, des relations acceptables avec lui dans les périodes difficiles... (ou vice-versa).

—> **tonique**, c'est que j'ai eu de mauvaises relations envers lui dans les moments pénibles puisqu'il y a tension.»

On prend donc **les nombres B du mois** (enfant) et on les interprète en fonction du tableau de l'**Action (II)** de la manière suivante :

a) Le nombre K du Développement masculin est atonique :

Les relations avec le Père ont été **bonnes**.
Ignorer l'aspect négatif des définitions du mois **B** :

Principe : *Dans les moments difficiles, l'impression que cette personne a gardée de son attitude envers son Père est celle d'un enfant qui pouvait facilement être...*

Aspect + : *Elle conserve l'image d'un enfant qui avait avec son Père une attitude...*

b) Le nombre K du Développement masculin est tonique :

Les relations avec le Père ont été **mauvaises**.
Ignorer l'aspect positif des définitions du mois **B** :

Principe : *Dans les phases difficiles, l'impression que cette personne a gardée de son attitude envers son Père est celle d'un enfant qui ne parvenait pas à être...*

Aspect – : *Mais elle conserve l'image d'un enfant qui se devait d'avoir envers son Père une attitude...*

c) Le nombre K du Développement masculin est hémitonique :

Les relations avec le Père ont été **mitigées**.
Tenir compte des aspects positif ET négatif des définitions du mois **B** :

Principe : *Dans les périodes difficiles, l'impression que cette personne a gardée de son attitude envers son Père est celle d'un enfant qui éprouvait parfois une certaine difficulté à ...*

Aspect + : *Quand tout allait bien, elle conserve l'image d'un enfant qui avait avec son Père une attitude...*

Aspect – : *Mais quand tout n'allait pas dans le sens prévu, elle se devait d'avoir envers son Père une attitude...*

d) Le nombre K du Développement masculin est 9, 20 ou 8 :

Ces nombres ont le même effet que les autres nombres hémitoniques sur le nombre du **mois B** qui devra donc être interprété dans son aspect positif et négatif. Mais il faudra appliquer un traitement spécifique :

- **Pour le 9, tenir compte de l'âge de la personne.**

  * **S'il est jeune**, interpréter le nombre du mois **B** de façon légèrement négative en intervertissant les paragraphes des aspects positif et négatif et en commençant par :

    Principe : *Dans les moments difficiles, l'impression que cette personne a gardée de son attitude envers son Père est celle d'un enfant qui éprouvait souvent une certaine difficulté à être...*

    Aspect – : *Actuellement, il garde en mémoire que lorsque tout n'allait pas dans le sens prévu, il se devait d'avoir envers son père une attitude...*

    Aspect + : *Mais plus tard il conviendra qu'il avait aussi une attitude...*

* S'il a dépassé la trentaine, interpréter le nombre du mois **B** de façon légèrement positive en commençant par l'aspect positif avant l'aspect négatif :

Principe : *Dans les périodes difficiles, l'impression que cette personne a gardée de son attitude envers son Père est celle d'un enfant qui avait parfois une certaine difficulté à être...*

Aspect + : *Aujourd'hui que le temps a passé, il convient que lorsque tout allait dans le sens prévu, il essayait d'avoir envers son Père une attitude...*

Aspect – : *Alors que durant l'enfance, il croyait devoir adopter envers son Père une attitude...*

• **Pour le 20,** interpréter le nombre du mois B de façon légèrement positive.

Contrairement au 9 qui implique le repli pendant l'enfance puis l'ouverture en vieillissant, le 20 cherche dès son jeune âge à s'extérioriser et à faire en sorte que tout aille pour le mieux. Cette attitude sert à masquer les problèmes mais développe aussi une pensée positive qui conduit le sujet à considérer ses parents sous leur meilleur aspect et à minimiser les aspects négatifs. L'interprétation tiendra compte des deux aspects en minimisant l'aspect négatif.

Principe : *Dans les périodes difficiles, l'impression que cette personne a gardée de son attitude envers son Père est celle d'un enfant qui trouvait plaisant d'être...*

Aspect + : *Quand tout était sous contrôle, elle conserve l'image d'un enfant qui aimait adopter envers son père une attitude...*

Aspect – : *Quand tout n'allait pas dans le sens prévu, elle avait tendance à l'égard de son Père à se dissimuler derrière une attitude...*

• **Le 8 est le nombre d'exception.**

Il indique que le sujet a su comprendre avec *objectivité* les rapports qu'il a eus avec son Père en fonction de sa propre identité. Par conséquent, la perception de son attitude reste «neutre» et objective.

Principe : *Dans les périodes difficiles, l'impression que cette personne a gardée de son attitude envers son Père est celle d'un enfant cohérent...*

Aspect + : *Quand tout était sous contrôle, dans les rapports avec son Père, elle savait se montrer...*

Aspect – : *Quand tout n'allait pas dans le sens prévu, elle se montrait aussi...*

2. INTERPRÉTATION :

		15	
	2	3	
	2	3	
	2		

8	6	21	8
8	6	3	17
8	6	3	17

8	juin	1956	Personnalité
Mère	Enfant	Père	profonde

L'attitude réactionnelle d'Isabelle pendant son enfance vis-à-vis de son Père dans les périodes difficiles est représentée par le mois **B = 6**. Dans le tableau de l'**Action**, prendre le nombre 6 en tenant compte de son aspect négatif, puisque le nombre 15 issu de la soustraction du mois (6) et de l'année (21) est tonique. L'interprétation adoptera une teinte franchement négative.

6 -	S'exprimer, se différencier, se remettre en question	– s'éparpiller, manquer de confiance, être gamin.	tableau de l'**Action**

Sens :
   • *L'impression qu'Isabelle a gardée de son attitude envers son Père lorsqu'elle était en difficulté est celle d'une enfant qui n'arrivait pas à* établir le dialogue (6 s'exprimer) avec lui afin de faire le point sur sa situation présente. Il ne lui était pas *du tout facile* d'affirmer sa véritable nature et même de savoir si elle devait être sincère ou si elle devait jouer la comédie (6 se différencier). Elle ne parvenait pas à établir cette communion qui lui

aurait permis une franche et loyale remise en question (6) afin de faire face à ses obstacles personnels. Alors Isabelle la transférait sur son Père.

• *Durant son enfance, lorsque les difficultés surgissaient, elle croyait n'avoir d'autre choix que d'adopter envers son Père l'attitude* d'une enfant dispersée, touche-à-tout (6 s'éparpiller) et inconstante. Elle ne trouvait pas le courage de lui exprimer son désarroi (6 manque de confiance). En réaction, elle jouait à la gamine insouciante (6 être gamin) pour exorciser ses tiraillements.

Note :

Un bon numérologue doit avoir un esprit de synthèse mais aussi une bonne mémoire pour ne pas oublier les constats dressés précédemment. Une méthode trop rigoureuse pèche par sa rigidité technique. Ainsi, l'analyse d'une personne doit procéder avec une vision globale et non parcellaire et le Miroir doit être analysé conjointement avec le Masque.

Déjà au paragraphe **D** du Miroir, page 254, l'analyse avait conduit à formuler quelques interrogations :

«Pourquoi Isabelle réagit-elle ? Pour attirer l'attention ou pour se défendre ! Le Père semble inaccessible, inaltérable, impressionnant pour ce petit bout de chou. D'un côté la classe, la perfection du 21, de l'autre un 6 naturellement fragile. De plus, Isabelle vit des rapports troubles qui l'amènent à jouer à la petite femme recherchant la considération de son prétendant; pour attirer l'attention, elle se montre faible, gauche et inattentive.»

Nous découvrons maintenant que non seulement Isabelle est impressionnée par son Père, mais qu'en plus et surtout la peur la paralyse et l'empêche de l'aborder de front dans les moments de désarroi.

Le 9 du Développement masculin dans le Miroir l'incitera à affronter l'adolescence avec recul et une prudence exagérée. Le 15 du Développement masculin dans le Masque implique au contraire un désir de jouissance, de passion. La conclusion s'impose : le message qu'elle attend de son Père ne peut que la pousser à se sentir brimée et fragile (9). Pour se donner le change et se prouver qu'elle est bien une personne entière en dépit de sa fragilité, elle se laissera aller à des excès, à la révolte (15).

Mais déjà on extrapole sur les ouvrages à venir, que ce soit l'approche de l'adolescence ou des phénomènes de rejet. Prenons patience et revenons à la technique.

E. QUEL MESSAGE ISABELLE A-T'ELLE RETENU DE SON PÈRE POUR OUBLIER SES PROBLÈMES ET COMMENT RÉUSSIRA-T'ELLE À LES CONTOURNER ?

1. TECHNIQUE :

Un message est un conseil ou une orientation à donner à sa vie pour se dynamiser, donc une action.

La méthode consiste à mettre en rapport :

- les nombres **K** du **Développement de la masculinité** (tableau de l'**Action**)
- avec les **attentes paternelles** d'Isabelle, définies au paragraphe **A**, page 324.

Or, les attentes sont identiques dans le Masque et dans le Miroir puisqu'elles sont issues de la même source, l'inné des caractères de l'enfant à la naissance.

L'exposé distinguera donc :

- les attentes paternelles du MIROIR/MASQUE légèrement modifiées dans le sens d'une réponse théorique d'un père à son enfant.
- en caractères **gras**, le **message** du Père qu'a compris (ou cru comprendre) Isabelle au début de l'adolescence (interprétation I).
- Une interprétation II simplifiée ne reprendra que le message sans tenir compte des attentes.

2. INTERPRÉTATION :

```
        2          1 5
        2           3
        2           3

   8        6      2 1              8
   8        6       3              1 7
   8        6       3              1 7
```

8	juin	1956		Personnalité
Mère	Enfant	Père		profonde

Ce message de défense dépend de l'année 21-3 (Père) et du mois 6-6 (Isabelle). La **soustraction** 21- 6 = 15 et 3 - 6 = 3, soit 15-3 que l'on interprète d'après le tableau de l'**Action**.

Le message est...

15- Se passionner, posséder, jouir	+ fasciner, dominer, adorer. – se rendre intéressant, réagir instinctivement, s'exciter.	tableau de l'**Action**
3 - Intellectualiser, conceptualiser, charmer par l'esprit	+ comprendre, apprendre, être avisé. – prétentieux, dédaigner, se surestimer.	tableau de l'**Action**

> **Interprétation I en fonction des attentes paternelles : 21 vers 6**

Sens :

a . En fonction du 21 vers le 6 :

• **«Si tu te trouves dans une situation où il t'est impossible de t'**unifier **(21)** *avec* **tout l'élan de ta jeunesse (6), tu devras découvrir le moyen de fuir la réalité en t'orientant par exemple vers un centre d'intérêt où tu pourras t'exprimer avec passion (15).»**

• «**Si tu ne peux** raffiner (21) ta curiosité (6), aller au fond des choses, être curieuse de tout (21 symbolise la totalité) **et si tu te sens incapable de** tout connaître à la perfection (comme dans une quête d'absolu proche de la passion), **cherche à posséder (15) quelque chose qui te tienne à cœur.**»

• «**Tu veux que je te** montre comment **réagir si tu ne parviens pas à te** distinguer (21) *par* ta curiosité (6) ou *par* ta jeunesse (6) et gagner l'estime de toi par la finesse de tes questions **? Préoccupe-toi d'abord de jouir (15) de ce que tu aimes le plus dans ta vie.**»

• «**Tu veux que je t'indique ce que tu dois faire si tu n'arrives pas à** te mettre en valeur avec raffinement et distinction (21) *grâce à* une jeunesse d'esprit et une curiosité pleine d'à-propos (6), **ou si tu ne peux** aiguiser la précision (21) de tes interrogations (6) ! **Tu n'as d'autre solution que de vivre tes passions (15) et de t'approprier (15 posséder) ce que tu aimes afin d'en jouir (15) intensément.**»

> Note : Une lecture superficielle pourrait faire conclure que le père d'Isabelle est un être profondément immoral. Ce serait oublier que ce message n'est pas réel en soi mais qu'il n'est que la **contre partie réactionnelle** de ce que l'enfant perçoit **consciemment ou non** de la part de son père ou de l'autorité en général. Le reste du message relève de la même démarche.

b. En fonction du 3 vers le 6 :

• «**Parallèlement, tu veux que je te dise quoi faire si tu n'as plus envie d'user** du pouvoir charmeur d'un esprit (3) jeune (6) et de la puissance d'un regard vif et intelligent débordant d'innocence et de pureté candide, **autrement dit, si tu ne veux plus** laisser croire sans être dupe que tu es un agneau prêt à se faire manger par le méchant loup ! **Eh bien, oblige-toi* à le faire quand même ou prends conscience (3) de la situation. Cela fera disparaître toutes les tensions.**»

* Tout ce paragraphe présente une ambiguïté fondamentale :

Isabelle demande à son Père comment être 3 à travers 6 et quoi faire en cas d'échec. Son Père lui répond : «Continue à être 3 !» ou bien :

«Tu n'as pas assez d'intelligence 3 pour être 6 ? Ça t'angoisse ? Eh bien, va voir ailleurs et change-toi les idées !»

«Si tu es fatiguée de penser à ton 6, *pense* à autre chose.»

• «**Tu en as assez de** conceptualiser (3) **t**es interrogations (6), de les codifier (comme un 8) mais aussi de les imaginer (comme un 18), **de toujours** intellectualiser (3) ta curiosité (6) et de **chercher** des outils intellectuels pour nourrir ta soif de connaissances ? **Tu te poses trop de questions. Fais preuve de compréhension (3), cherche d'abord à charmer par l'esprit (3).**»

c. En fonction du 21-3 vers le 6 :

• «**De plus, tu me demandes comment réagir quand tu n'as plus envie d'être** délicate (21) **et compré-hensive (3) avec enthousiasme (6). Cherche à te fasciner ou à fasciner (15) ton entourage avec discernement (3).**»

• «**Devant la difficulté que tu éprouves à vouloir** atteindre la perfection (21) pour apprendre (3) à t'interroger (6), **il faudrait que tu domines (15) ton érudition (3).**»

• «**Pour ce qui est de la peine à être** prévenante (21) avec intelligence (3 être avisé) dans les discussions (6), **songe plutôt à trouver un objet d'adoration (15) qui au moins t'enseigne (3) quelque chose.**»

d. En fonction des aspects 21-3 vers le 6 :

• «Dans les périodes difficiles, **tu** aimerais savoir comment **faire autre chose que de** jouer les mondaines (21) prétentieuses (3) **surtout** quand **tu** perds confiance en **toi** (6). **Facile ! Fais l'intéressante (15) et montre que tu es supérieure (3 se surestimer).**»

• «Si tu n'arrives pas à te prendre pour une aristocrate (21) dédaigneuse (3) dans tes moments de doute (6), conçois qu'il vaut mieux t'impatienter (15) en affichant tes prétentions (3).»

• «Enfin, si tu ne peux t'admirer (21) en te surestimant (3) quand tu as besoin de te justifier (6), je te conseille de suivre tes instincts (15) et de dédaigner (3) ceux qui ne te comprennent pas.»

* *
*

Interprétation II sans tenir compte des attentes paternelles.

Sens :

a. En fonction du 15 :

• «Ma chère Isabelle, si tu veux te couper de la réalité et oublier un instant tes difficultés, ou encore faire face aux situations dérangeantes, cherche à posséder une chose à laquelle tu tiens passionnément et à jouir au maximum de ce que tu désires le plus.»

• «Découvre ainsi la fascination pour un objet précis, passionne-toi pour un secteur clef ou exprime ta vénération (15 adorer) pour une personne.»

• «Si tu te sens impuissante, si tu as envie de t'éclater, rends-toi intéressante, laisse-toi aller et explore un domaine où tu pourras donner libre cours à tes instincts.»

b. En fonction du 3 :

• «Il est toujours bon en cas de difficultés de te cultiver pour meubler ton esprit afin d'élaborer des projets et conceptualiser tes désirs ou tes ambitions. Prends conscience de ta propre sagacité à charmer avec intelligence.»

• «Il est bon de chercher à appréhender des domaines qui te permettront d'évoluer et de te donner les moyens d'apprendre ce que tu as toujours voulu savoir. C'est par le discernement que ton esprit pourra s'évader dans les sphères de la connaissance.»

• «Dans une situation pénible, n'hésite pas à afficher tes prétentions, à dédaigner ceux qui n'atteignent pas ton niveau intellectuel, voire à te surévaluer.»

F. SYNTHÈSE ET CONCLUSION

1. TECHNIQUE :

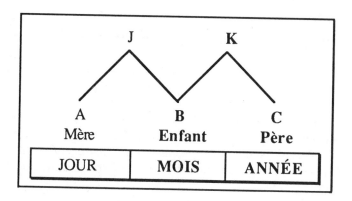

Pas plus que pour le Miroir, il n'y a pour le Masque de méthode particulière pour tirer une conclusion. Seulement un peu de bon sens, de la compréhension et une grande expérience de la numérologie et des réactions psychologiques de l'être humain. On peut conclure en comparant les nombres en présence selon la loi du triangle : deux éléments en créent un troisième. Les deux éléments sont connus : Isabelle (mois **B**) et son Père (année **C**). La conséquence aussi est connue : le Développement de la masculinité **K**. Reste à comprendre comment les deux éléments **B-C** ont pu donner de tels effets **K** ou comment un enfant devient adolescent en passant par le révélateur «Père».

Utiliser le tableau d'**État** pour «Isabelle» (mois **B**) et «le développement de la masculinité» (nombre **K**) et le tableau de l'**Action** pour le révélateur «Père» (année **C**).

2. INTERPRÉTATION :

Isabelle...

6 - La jeunesse, la curiosité l'interrogation		tableau d'État

... par rapport à son Père...

21- s'unifier, se raffiner, s'admirer		tableau de l'**Action**
3 - Intellectualiser, conceptualiser, charmer par l'esprit		tableau de l'**Action**

... réagit par...

15- L'intensité, la passion et l'instinct		tableau d'État

Sens :

La jeunesse enthousiaste 6 possède en puissance les caractéristiques passionnelles du 15. Ces deux nombres, en principe cohérents, frisent l'étrange dans un Masque qui sert à se dissimuler. Ils s'éloignent même l'un de l'autre à cause de l'intermédiaire 21-3.

On peut poser les questions suivantes :

• Pourquoi une personne jeune d'esprit qui voulait s'affirmer et se distinguer avec raffinement sombre-t'elle dans l'excès devant l'adversité ?

—> Parce que le 15 est le propre du défoulement qui libère d'un carcan et le 6 l'interrogation qui engendre le doute. Enfin, le 21 par la reconnaissance de soi et les honneurs assure une protection.

• Que cache ce besoin de passion et de réactions ?

—> La fuite dans la passion sert souvent à se couper de la réalité. Isabelle veut exister «animalement» en dehors de toute convention. Or, son besoin de questions (6) envenimé par le souci de la perfection (21) l'incite à se laisser aller à ses pulsions naturelles pour casser dans l'excès l'incessante ritournelle de ses doutes. Elle veut simplement profiter (15) de ce que la bienséance (21) et son manque d'assurance, donc de culot (6), lui interdisent d'approcher.

• La perfection et la classe du 21 opposées à la libération instinctive et excessive du 15 n'évoquent-elles pas le syndrome du Docteur Jekyll et de Mister Hyde ?

—> Le numérologue pensera toujours avoir affaire à un cas particulier. Mais il est plus important de comprendre «l'esprit numérologique» que d'apprendre par cœur des cas types. Chez Isabelle, le 15 (le Diable du Tarot) et le 21 (Dieu dans son essence) expriment très bien le besoin de sortir de soi. On peut toujours conseiller d'orienter une tension agressive vers une activité physique plutôt que de la défouler dans une passion trop intellectualisée. Mais il faut se rappeler la position respective des nombres dans la structure de la date de naissance : 21 symbolise le Père et 15 la réaction d'Isabelle pour fuir sa réalité : elle cherche par son 15 à faire bouillir son Père. Peut-être ce dernier est-il trop pointilleux (21) dans sa façon d'agir et exaspère-t'il sa fille ?

• N'est-il pas étrange qu'un 3 d'intelligence et un 6 d'interrogation aboutissent à une réaction 3 ?

—> À force de vouloir se trouver intelligente (3) pour répondre à ses questions incessantes (6), Isabelle veut apprendre et se cultiver... *en pensant à autre chose* .

On peut conclure globalement que c'est dans la difficulté qu'Isabelle exprime le mieux les passions (15) qui lui tiennent à cœur et qu'elle cherche à se cultiver, à apprendre et à comprendre (3). Mais c'est aussi dans ces instants de déséquilibre qu'elle n'hésite pas à faire jaillir ses frustrations... avec prétention (3).

G. L'INFLUENCE DES MODULATEURS

L'influence des modulateurs dans le Masque procède de la même mécanique que celle du Miroir.

L'interprétation détaillée EST L'ÉLÉMENT CLEF de la technique numérologique. Elle sera exposée dans un autre volume. Comme indiqué plus haut*, elle repose sur un *modulateur* variable selon l'âge. De la naissance à 21 ans, ce *modulateur* est la «**Personnalité profonde**» qui chapeaute et oriente l'interprétation des forces qui structurent la vie d'un individu.

Voyons comment la Personnalité profonde d'Isabelle module l'interprétation du Masque dont nous ne reprendrons que le paragraphe **D**, c'est-à-dire la perception qu'elle a de sa propre attitude à l'égard de son père. Il suffit de reprendre l'interprétation** et de la «chapeauter» **en gras** par **la Personnalité profonde** (tableau d'État).

- **LE POINT D** : Comment Isabelle, au cours d'une période difficile de son enfance, a-t'elle perçu sa propre attitude à l'égard de son Père ?

Rappel du calcul simplifié par la soustraction de la date de naissance d'Isabelle :

2		15		
2		3		
2		3		
8	6	21		8
8	6	3		17
8	6	3		17

8	juin	1956		Personnalité
Mère	Enfant	Père		profonde

Isabelle est 6 (tableau d'**État**) et la Personnalité profonde 8-17-17, soit 8-17.

---

* Voir page 312.

** Page 338.

Le modulateur Personnalité profonde est un état de fait qui symbolise la nature profonde d'une personne. Nous utiliserons donc le tableau d'État.

• **INTERPRÉTATION** :

Isabelle...

6 -	La jeunesse, la curiosité, l'interrogation	– doute, manque de confiance, justification.	Tableau d'État

...attend de son Père...

21-	S'unifier, se raffiner, se distinguer	+ être délicat, prévenant et perfectionniste. – jouer le mondain, snober, s'admirer.	tableau de l'**Action**

...chapeauté par...

8 -	La logique, la froideur, l'impartialité	– déséquilibre, manque d'ordre, esprit querelleur.	Tableau d'État
17-	L'idéal, l'amitié, la sensibilité	– naïveté, désorientation, rêverie.	Tableau d'État

Sens :

• *L'impression qu'Isabelle a gardée de son attitude envers son Père lorsqu'elle était en difficulté est celle d'une enfant qui n'arrivait pas à* établir le dialogue (6 s'exprimer) **logique (8) et sincère qu'elle aurait eu avec un ami (17 amitié)** afin de faire le point sur sa situation présente. Il ne lui était pas *du tout facile* d'affirmer sa véritable nature et même de savoir si elle devait être sincère ou si elle devait jouer une comédie (6 se différencier) **froide (8) et nuancée* (17 sensibilité)** avec lui. Elle ne parvenait pas à établir cette communion qui lui aurait permis une franche et loyale remise en question (6) **qu'elle voulait impartiale et objective (8), en tout**

idéalisme (17) afin de faire face à ses obstacles personnels. Alors Isabelle la transférait sur son Père.

> * Comment jouer une comédie froide et... nuancée ? Par calcul tout simplement pour forcer son Père à réagir; Isabelle était persuadée qu'il percevrait son réel appel au secours au-delà du Masque de froideur ...sensible derrière lequel elle se cachait.

• *Durant son enfance, lorsque les difficultés surgissaient, elle croyait n'avoir d'autre choix que d'adopter envers son Père l'attitude* d'une enfant dispersée, **systématiquement (8 méthodique)** touche-à-tout **dans les moindres détails* (17 idéalisme)** et inconstante (6 s'éparpiller). Elle ne trouvait pas le courage de lui exprimer son désarroi (6 manque de confiance) **mais laissait néanmoins transparaître l'amorce d'une ouverture raisonnable (8 grande logique et 17 optimisme)**** En réaction, elle jouait à la gamine insouciante (6 être gamin) **mais sans exagération (8 pondération) et sans violence (17 douceur)** pour exorciser **sans drame***** ses tiraillements.

> * Elle s'évertuait à paraître occupée par une foule de choses sans laisser à son Père la moindre chance d'intervenir. L'idéalisme dans ce cadre porte sur la force de concentration d'Isabelle qui ne veut pas être distraite par la présence de son Père.
>
> ** La transparence montre qu'Isabelle espérait (17 optimisme) que son Père sût discerner ce qui se passait réellement en elle. C'est pourquoi la raison (8 logique) structure l'offre d'une sorte de négociation (chemin vers l'idéal 17) qui permettrait de crever l'abcès au mieux (17) des intérêts de chacun. Cela relève d'un calcul à la fois terrible et naïf propre au jeu de «Je fais semblant de faire semblant de...» d'où l'expression «jouer à la gamine».
>
> *** «Sans drame» complète la note du paragraphe D, page 339 qui indiquait qu'à l'adolescence, les réactions 15 seraient plus violentes et agressives alors qu'auparavant elle avait tenté la manière douce.

*   *
*

L'Enfant
et la Mère

Nous abordons maintenant les attentes d'Isabelle envers sa Mère, l'image qu'elle s'est faite d'elle, les messages et contre-messages qu'elle a su retirer pour se **distraire, se changer les idées, se défouler et oublier les problèmes occasionnés par le Développement de sa féminité.**

Le mot «Mère» englobe la mère naturelle, celle qui la remplace (belle-mère ou mère adoptive) et d'une manière générale la confidence et la spiritualité.

Rappel de la structure de la date de naissance d'Isabelle née le 8 juin 1956 :

Développement de la féminité		Développement de la masculinité	
J1 = 8–6 =	2	K1 = 6–21 =	15
J2 = 8–6 =	2	K2 = 6– 3 =	3
J3 = 8–6 =	2	K3 = 6– 3 =	3

Jour 8		Mois juin		Année 1956	
Mère		Enfant		Père	
A1 = 8	8	B1 = 6	6	C1 = 1956	21
A2 = 8	8	B2 = 6	6	C2 = 21 =	3
A3 = 8	8	B3 = 6	6	C3 = 3	3

Personnalité profonde	
D1 = 8+6+21 =35	8
D2 = 8+6+ 3 =	1 7
D3 = 8+6+ 3 =	1 7

A. LES ATTENTES MATERNELLES

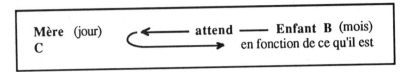

Mère (jour)
C   ← attend —— Enfant B (mois)
         en fonction de ce qu'il est

Isabelle est 6 (mois de juin —> tableau d'**État**) et attend un 8 de la part de sa Mère (jour 8 —> tableau de l'**Action**).

1. TECHNIQUE :

La méthode est superposable à celle du Miroir. Que l'attente soit exaucée ou non, l'enfant **B** attend à travers les nombres **A** de la Mère le même message énergétique. En effet, les caractères forment l'inné de l'enfant dont le décryptage met en place un Miroir d'évolution et un Masque de protection.

Analyser les nombres **A** symbolisant la Mère (tableau de l'**Action**) en fonction des nombres **B** personnalisant Isabelle (tableau d'**État**). On **rapporte** donc 8 à 6 pour comprendre les définitions de 8 (jour) à travers celles du 6 (mois).

Les aspects positifs seront interprétés comme une attente particulière d'Isabelle envers sa mère pour savoir comment se défendre face aux difficultés de l'existence liées à la **sensibilité**.

Les aspects négatifs seront interprétés comme les conseils de prudence *qu'a cru* comprendre Isabelle de la part de sa Mère face aux situations déséquilibrantes.

2. INTERPRÉTATION :

Les attentes maternelles dans le Miroir et dans le Masque sont identiques. Comme il est nécessaire de bien les connaître pour assimiler la technique d'interprétation du Masque, nous reproduirons ici les définitions de la page 277.

Je vous renvoie à la page 321 où j'explique comment un message unique (les attentes parentales) conduit à un développement d'évolution (le Miroir) et un développement de défense (le Masque).

De la même façon, le message unique des attentes maternelles s'exprime de deux façons différentes qu'une simple tournure de phrase suffira à distinguer :

• MIROIR : respecter l'interprétation de la page 277 et ajouter :

– pour apprendre à «**évoluer**» avec dynamisme (Développement masculin)...

– pour apprendre à «**évoluer**» avec sensibilité (Développement féminin)...

• MASQUE : respecter les définitions du Miroir et ajouter :

– pour apprendre à «**me protéger**» ou «me prémunir» avec dynamisme (Développement masculin)...

– pour apprendre à «**me protéger**» ou à «me prémunir» avec sensibilité (Développement féminin)...

Revenons à l'interprétation qui ne pose plus de problème particulier puisqu'elle reprend intégralement celle du Miroir orientée par le désir de protection.

2	15
2	3
2	3

8	6	21		8
8	6	3		17
8	6	3		17

8	juin	1956		**Personnalité**
Mère	**Enfant**	**Père**		**profonde**

Isabelle...

6- La jeunesse, la curiosité, l'interrogation	+ enthousiasme, interrogation, discussion. – doute, manque de confiance, justification.	tableau d'État

... attend de sa Mère...

8- Se normaliser, se discipliner, être logique	+ être intègre et conséquent, se structurer. – se bureaucratiser, devenir froid, contester.	Tableau de l'Action

Sens :

• *Pour apprendre à se protéger des difficultés de l'existence avec sensibilité, Isabelle attend de sa Mère qu'elle lui apprenne à :*

- normaliser (8) les élans de sa jeunesse (6) et à trouver une cohérence à son expression enfantine;

- discipliner (8) sa curiosité (6) et à éviter de s'éparpiller (6 symbolise la multiplicité);

- trouver une logique (8) à ses interrogations (6).

• *D'une manière plus nuancée, Isabelle voudrait découvrir* comment :

- être conséquente (8) avec son enthousiasme (6);

- être intègre (8) dans ses interrogations (6);

- ne pas tricher et se structurer (8) dans les discussions (6).

• *Dans ses périodes difficiles, Isabelle aimerait savoir* comment...

- se perdre dans la routine (8 bureaucratiser) pour se protéger (6 justification) des problèmes émotionnels;

- garder la tête froide (8) quand elle n'a plus confiance en elle (6) ou revêtir une carapace d'indifférence qui masquerait la perte de ses moyens;
- tout contester (8) avec l'indécision (6) du doute !

B. LES ATTENTES MATERNELLES ONT-ELLES PERMIS À ISABELLE DE SAVOIR COMMENT SE PROTÉGER DES DIFFICULTÉS DE L'ÉVOLUTION AVEC SENSIBILITÉ ?

1. TECHNIQUE :

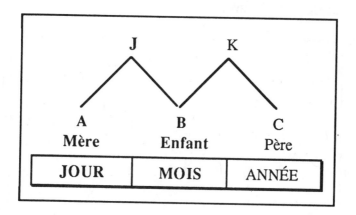

Vérifier dans le tableau des gradients de polarité, page 139, si les nombres **J** du Développement de la féminité (jour – mois) dans le Masque sont toniques, hémitoniques ou atoniques.

Les nombres primaires indiquent si les attentes fonda-mentales **ont été exaucées.** Les nombres secondaire ou ter-tiaire précisent si les attentes secondaire ou tertiaire **n'ont pas été déçues.**

D'une manière générale, seul le nombre primaire indique si les attentes ont été exaucées. Les nombres secondaires devront être négligés, **sauf** lorsque le nombre primaire est hémitonique et que le nombre secondaire est atonique ou tonique.

Exemples :

- **10-19 :** 10 hémitonique a tendance à être légèrement atonique grâce au 19.

- **9-18 :** 9 hémitonique a tendance à être fortement tonique grâce au 18 (dans la jeunesse, le 9 a déjà une légère tendance négative).

Ces nombres seront toujours considérés comme hémitoniques mais ils seront plus ou moins polarisés. Dans l'esprit des numérologues, ils devraient être notés 10+ ou 9–.

Chez Isabelle, les nombres représentant le Développement de défense **féminin** sont :

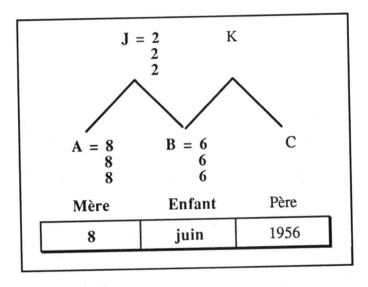

— nombre primaire : mois 6 **moins** jour 8 donne 2 en valeur absolue. 2 inférieur à 22 est conservé.

— nombres secondaire et tertiaire : mois 6 **moins** jour 8 donne 2. 2 inférieur à 22 est conservé.

Soit 2-2-2 ! Consulter le tableau des gradients de polarité : 2 est hémitonique, responsable sur un plan général d'une demi-tension vis-à-vis de sa Mère.

2. INTERPRÉTATION :

Sens :

Isabelle a reçu en partie de sa Mère ce qu'elle attendait pour apprendre à se protéger et à oublier momentanément ses problèmes émotionnels. Mais elle a aussi gardé une certaine crainte qui se traduit par des impressions mitigées à l'égard de sa Mère.

C. COMMENT ISABELLE A-T'ELLE PERÇU SA MÈRE LORSQU'ELLE ÉPROUVAIT UNE DIFFICULTÉ ?

1. TECHNIQUE :

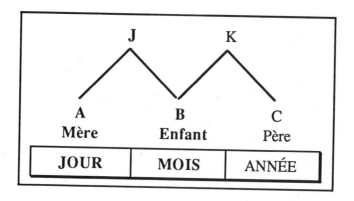

Comme pour le Père, elle consiste à dresser le constat suivant :

«Comme la **soustraction** de ce que je suis (le mois **B**) et de ce que j'attends de ma Mère (jour **A**) donne un nombre (Développement de la féminité = passivité)...

—> **atonique**, c'est que *j'ai appris* grâce à ma Mère comment me défouler, régler ou assumer d'une manière passive et sensible les tensions occasionnées par les difficultés de l'existence.

—> **hémitonique**, c'est que *j'ai appris en partie* (50 %) grâce à ma Mère comment me défouler *en partie*, régler ou assumer *en partie* d'une manière passive et sensible les tensions occasionnées par les difficultés de l'existence.

—> **tonique**, c'est que *je n'ai pas compris* grâce à ma Mère comment me défouler, régler ou assumer d'une manière passive et sensible les tensions occasionnées par les difficultés de l'existence.

On prend donc **les nombres A du jour** (Mère) et on les interprète en fonction du tableau d'**État** (I) de la manière suivante :

a) **Le nombre J du Développement féminin du Masque est atonique :**

La perception de la Mère est **positive**.
Ignorer l'aspect négatif des définitions du jour **A** :

Principe : *L'impression générale que le sujet a gardée de sa Mère est celle d'une femme qui savait trouver les moyens pour se protéger et se défouler. Dans les moments difficiles, il pensait qu'elle savait faire face avec...*

Aspect + : *Il conserve l'image d'une femme qui détenait (ou savait, était...)...*

b) **Le nombre J du Développement féminin est tonique :**

La perception de la Mère est **négative**.
Ignorer l'aspect positif des définitions du jour **A** :

Principe : *L'impression générale que le sujet a gardée de sa Mère est celle d'une femme qui ne savait pas trouver les moyens pour exulter. Dans les moments difficiles, il pensait qu'elle ne savait pas faire face avec...*

Aspect – : *Mais il conserve aussi l'image d'une femme qui devenait (ou paraissait...)...*

c) Le nombre J du Développement féminin est hémitonique :

La perception de la Mère est **mitigée**.
Tenir compte de l'aspect positif et de l'aspect négatif des définitions du jour **A** :

Principe : *L'impression générale que le sujet a gardée de sa Mère est celle d'une femme* **qui semblait trouver (ou ne parvenait pas toujours à trouver) les moyens pour se défouler. Dans les moments difficiles, il pensait qu'elle arrivait parfois à faire face avec...**

Aspect + : *Dans certaines circonstances, il garde l'image d'une femme qui* **détenait (ou était)...**

Aspect – : *Dans d'autres circonstances plus pénibles, il conserve l'image d'une femme qui lui* **paraissait (ou semblait...)...**

Rappel : Les trois cas d'exception, les nombres **9, 20** et **8** doivent être interprétés d'une façon toute particulière. Ils sont expliqués dans l'analyse des rapports Enfant-Père du Masque, pages 330 et 336.

Remarque :

L'opinion de l'enfant vis-à-vis de sa Mère englobe des attitudes diverses allant du compliment aux reproches lorsqu'il est lui-même en difficulté et qu'il se réfugie derrière son Masque. Il faut bien un bouc émissaire ! Mais EN TEMPS NORMAL*, l'impression de la Mère dominante est celle du Miroir.

En résumé :

- une interprétation positive valorise la Mère;
- une interprétation négative dévalorise la Mère;
- une interprétation mitigée fait alterner des réflexions négatives et positives.

---

* Se reporter à la note de bas de page du Masque, page 332.

2. INTERPRÉTATION :

2		15	
2		3	
2		3	

8	6	21	8
8	6	3	1 7
8	6	3	1 7

8	juin	1956	Personnalité
Mère	**Enfant**	**Père**	**profonde**

La Mère d'Isabelle est représentée par un 8 (le **8** juin 1956) nuancé par aucun nombre. Dans le tableau d'**État**, prendre le nombre 8 en le valorisant par son aspect positif et en le dévalorisant par son aspect négatif puisque le nombre **J** du développement féminin résultant de la soustraction : jour – mois = 8 – 6 = **2** est hémitonique.

Si le mois avait contenu des nombres de niveaux secondaire et tertiaire, par exemple 19-10-1, il aurait été possible d'ajouter des nuances en fonction de leur tonicité.

Remarquons que chez Isabelle, les Développements féminins du Masque : **J = 2** comme du Miroir : **E = 14** sont des nombres hémitoniques. En dehors du fait que le 14 est moins «tonique» pour une femme lorsqu'il se trouve dans le développement féminin (voir page 279), on serait tenté de dire que la perception d'Isabelle est identique tant dans le Miroir que dans le Masque. D'une manière générale, c'est exact. Mais dans le jeu des nuances, il apparaît des différences notables parce qu'un nombre symbolisant une énergie particulière appliquée à deux secteurs différents n'éclaire pas les données de la même lumière. Comparons l'interprétation du Miroir de la page 283 et celle du Masque et apprécions les subtilités.

8 -	La logique, la froideur, l'impartialité	+ grande logique, esprit de méthode, pondération. – déséquilibre, manque d'ordre, esprit querelleur.	tableau d'État

Dans le MIROIR :	Dans le MASQUE :

L'impression générale qu'Isabelle a gardée de sa Mère est celle d'une femme qui n'exprimait pas complètement ses émotions et qui ne s'abandonnait pas aux effusions affectives (8 froideur). Elle agissait de façon très logique (8) et faisait preuve d'impartialité (8). En somme, une femme juste mais peu accessible à la tendresse.

Quand tout allait bien dans la vie de sa Mère, elle conserve l'image d'une femme très logique (8) qui savait organiser la vie de la famille avec méthode (8) et qui pouvait faire preuve de pondération (8) dans les situations délicates.

Mais quand tout n' allait pas dans le sens prévu, sa Mère lui semblait sujette au déséquilibre (8), brouillonne et incapable de se structurer (8 manque d'ordre) pour faire face aux situations difficiles. Elle garde de ces moments l'image d'une femme querelleuse (8).

L'impression générale qu'Isabelle a gardée de sa Mère est celle d'une femme qui semblait trouver les moyens de se défouler. Dans les moments difficiles, elle pensait que sa Mère faisait face à l'adversité avec plus ou moins de succès, de façon logique, sans s'abandonner aux effusions émotionnelles et en faisant tout pour demeurer impartiale malgré d'évidentes préférences...

Dans certaines circonstances pénibles, elle conserve l'image d'une femme qui parvenait parfois à réagir avec cohérence (8 grande logique), méthode et pondération devant l'adversité.

Mais dans d'autres circonstances plus pénibles, elle conserve l'image d'une femme qui lui paraissait facilement déséquilibrée et susceptible de se laisser aller au désordre, à l'incohérence et aux querelles pour des broutilles.

D. COMMENT ISABELLE, AU COURS D'UNE PÉRIODE DIFFICILE DE SON ENFANCE, A-T'ELLE PERÇU SA PROPRE ATTITUDE À L'ÉGARD DE SA MÈRE ?

1. TECHNIQUE :

La méthode est identique à celle du Masque* ou du Miroir**, mais au lieu de l'appliquer à la Mère à travers le jour, il faut la dynamiser à travers le **mois** qui identifie la personne qui consulte durant son enfance.

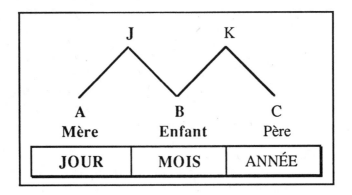

Cette méthode consiste à dresser le constat suivant :

«Comme la soustraction de ce que je suis (mois **B**) et de la perception que j'avais de ma Mère (jour **A**) donne un nombre **J** (Développement de la féminité, sensitif)...

—> **atonique**, c'est que j'ai eu de bonnes relations avec elle dans les moments difficiles puisqu'il n'y a pas de tension.

—> **hémitonique**, c'est que j'ai eu, malgré certaines frictions, des relations acceptables avec elle dans les périodes difficiles... (ou vice-versa).

---

*   Voir page 328.
** Voir page 244.

> —> tonique, c'est que j'ai eu de mauvaises relations avec elle dans les périodes difficiles puisqu'il y a tension.»

On prend donc **les nombres B du mois** (enfant) et on les interprète en fonction du tableau de l'**Action** (II) de la manière suivante :

a) Le nombre J du Développement féminin est atonique :

Les relations avec la Mère ont été **bonnes.**
Ignorer l'aspect négatif des définitions du mois **B** :

Principe : *Dans les moments difficiles, l'impression que le sujet a gardée de son attitude envers sa Mère est celle d'un enfant qui pouvait facilement...*

Aspect + : *Il conserve l'image d'un enfant qui avait avec sa Mère une attitude...*

b) Le nombre J du Développement féminin est tonique :

Les relations avec la Mère ont été **mauvaises.**
Ignorer l'aspect positif des définitions du mois **B** :

Principe : *Dans les phases difficiles, l'impression que le sujet a gardée de son attitude envers sa Mère est celle d'un enfant qui ne parvenait pas à être...*

Aspect – : *Mais il conserve l'image d'un enfant qui se devait d'avoir envers sa Mère une attitude...*

c) Le nombre J du Développement féminin est hémitonique :

Les relations avec la Mère ont été **mitigées.**
Tenir compte des aspects positif ET négatif des définitions du mois **B** :

Principe : *Dans les périodes difficiles, l'impression que le sujet a gardée de son attitude envers sa Mère est celle d'un enfant qui éprouvait parfois une certaine difficulté à ...*

Aspect + : *Quand tout allait bien, il conserve l'image d'un enfant qui avait avec sa Mère une attitude...*

Aspect – : *Mais quand tout n'allait pas dans le sens prévu, il se devait d'avoir envers sa Mère une attitude...*

Rappel : Les trois cas d'exception, les nombres **9, 20** et **8**, doivent être interprétés d'une façon toute particulière. Ils sont expliqués dans l'analyse des rapports Enfant-Père du Masque, pages 330 et 336.

2 . INTERPRÉTATION :

2	15	
2	3	
2	3	

8	6	21	**8**
8	6	3	**1 7**
8	6	3	**1 7**

8	juin	1956
Mère	**Enfant**	Père

Personnalité profonde

L'attitude réactionnelle d'Isabelle pendant son enfance vis-à-vis de sa Mère dans les périodes difficiles est représentée par le mois **B = 6**. Dans le tableau de l'**Action (II)**, prendre le nombre 6 en tenant compte autant de son aspect positif que de son aspect négatif, puisque le nombre **J** résultant de la soustraction du mois 6 – jour 8 = 2 est hémitonique*. L'interprétation sera mitigée.

L'interprétation du 6 est positive/négative avec la Mère alors qu'elle n'était que négative avec le Père. On peut en conclure que dans la difficulté, Isabelle recherchait la présence de sa Mère au détriment de celle de son Père.

6-	S'exprimer, se différencier, se remettre en question	+ s'enthousiasmer, parler, séduire. – s'éparpiller, manquer de confiance, être gamin.	tableau de l'**Action**

---

* Voir page 139.

Sens :

• *L'impression qu'Isabelle a gardée de son attitude envers sa Mère lorsqu'elle était en difficulté est celle d'une enfant qui parvenait tant bien que mal à* établir un dialogue (s'exprimer du 6) avec elle. Il ne lui était pas *toujours* facile d'affirmer sa véritable nature (6 se différencier) et de se remettre en question (6) sans ressentir une certaine opposition* de la part de sa mère. Mais la discussion pouvait s'établir et de leur dialogue se dégageaient des éléments positifs qui l'aidaient à affronter les difficultés **.

    * On pressent «l'opposition» dans la confrontation de la stricte logique maternelle (8) avec la remise en question plus sensitive que cohérente d'Isabelle dont le 6 est, malgré sa tendance analytique et compulsive, un nombre plus proche du ressenti que de la rationalité cartésienne.

    ** Le résultat favorable des entretiens, en dépit d'une atmosphère conflictuelle du type 8 contre 6, ressort du nombre 2 hémitonique qui s'exprime à travers ses deux aspects, dont l'un est positif.

• *Isabelle convient que dans certaines situations pénibles, elle a eu avec sa Mère une attitude* enthousiaste (6) car elle la sentait disponible, prête à l'écouter (6); elle voulait la séduire (6) pour créer une complicité* durable en temps de quiétude.

    * La jeunesse 6 cherche à nouer des amitiés et se rapproche du 17. De plus, on ne peut ignorer qu'en temps normal, ses relations avec sa Mère sont dirigées par 14 (8 + 6 =14) du Miroir, nombre par excellence des communications et de la souplesse dans les rapports familiaux.

• *Mais elle se souvient aussi que lorsqu'elle ne pouvait prendre le dessus et que ses difficultés perduraient,* elle avait tendance à se comporter avec sa mère de la même façon qu'avec son Père, c'est-à-dire comme une enfant dispersée, touche-à-tout (6 s'éparpiller) et inconstante. Elle ne trouvait pas le courage de lui exprimer son désarroi (6 manque de confiance). En réaction, elle jouait à la gamine insouciante (6 être gamin) pour exorciser ses tiraillements.

Note : Le Développement féminin 2 est le nombre du repli, du silence et du secret. Progressivement, Isabelle sera portée à moins parler et à ne plus communiquer avec sa Mère que sur le mode de l'accord tacite plus ou moins bien explicite... et plus ou moins bien compris. Une certaine dégradation semblera s'instaurer dans leurs rapports d'aide mutuelle lorsque Isabelle sera confrontée aux premières difficultés de l'adolescence.

E. QUEL MESSAGE ISABELLE A-T'ELLE RETENU DE SA MÈRE POUR OUBLIER MOMENTANÉMENT SES PROBLÈMES ET PARVENIR À LES CONTOURNER ?

1. TECHNIQUE :

Un message est un conseil ou une orientation à donner à sa vie pour se dynamiser, donc une action.

La méthode consiste à mettre en rapport :

- les nombres **J** du **Développement de la féminité** (tableau de l'**Action**)
- avec les **attentes maternelles** d'Isabelle, définies au paragraphe A, page 356.

Les attentes sont identiques dans le Masque et le Miroir à une nuance près (la phrase d'introduction de l'interprétation) puisqu'elles sont issues de la même source, l'inné des caractères de l'enfant à la naissance.

L'exposé distingue donc :

- les attentes maternelles d'Isabelle du MIROIR/MASQUE, légèrement modifiées dans la forme d'une réponse théorique d'une Mère à son enfant;
- en caractères **gras**, le **message** qu'a compris (ou cru comprendre) Isabelle au début de l'adolescence;

– en *caractères italiques gras,* les modalités de l'acceptation de sa sensibilité, de ses impressions intuitives et de la confrontation du sujet au milieu social dans ses rapports intimes et privilégiés grâce au Développement de la féminité;

– Une interprétation II simplifiée ne reprendra que le message sans tenir compte des attentes.

2. INTERPRÉTATION :

2		15	
2		3	
2		3	

8	6	21	8
8	6	3	1 7
8	6	3	1 7

8	juin	1956	Personnalité
Mère	Enfant	Père	profonde

Ce message de défense dépend du jour 8 (Mère) et du mois 6 (Isabelle). La **soustraction 8 - 6 = 2** sera interprétée d'après le tableau de l'**Action**.

Le message est...

2 - S'intérioriser, devenir secret, méditer	+ observer, écouter, se fier à ses intuitions. – se dissimuler, se Masquer, être méfiant.	tableau de l'**Action**

> **Interprétation I en fonction des attentes maternelles : 8 vers 6**

Sens :

    • «Si jamais tu te retrouves dans une situation où il te semble impossible de canaliser ta sensibilité et tes émotions, si tu te sens incapable de réagir en normalisant (8) les élans de ta jeunesse (6), ou encore si tu ne sais comment trouver une cohérence à ton expression enfantine, découvre les vertus du secret (2) dans le silence apaisant (2) de ton intimité pour agir comme il te plaît sans en référer à personne (2).»

• «Si tu ne peux plus discipliner (8) ta curiosité (6) pour t'éviter de t'éparpiller, fais le vide dans ton esprit et médite (2) afin d'oublier momentanément tes soucis.»

• «Devant ton impuissance à trouver une logique (8) à tes interrogations (6), cultive les disciplines permettant de t'intérioriser (2).»

• «De façon plus nuancée, tu me demandes que faire si tu n'as plus envie d'être conséquente (8) avec ton enthousiasme (6). Eh bien ! Replie-toi discrètement dans ton abri (2) et adonne-toi au jeu reposant de l'observation (2).»

• «Si tu te sens fatiguée de rester intègre (8) dans tes interrogations (6), c'est-à-dire d'essayer de ne pas tricher, oublie tout, ne raisonne plus et fie-toi à tes intuitions (2). Tu auras ainsi l'excuse de te tromper.»

• «Quant à te structurer (8) dans les discussions (6), sache qu'il faut parfois savoir écouter (2). Rien ne t'oblige à laisser tes proches t'ennuyer avec tes problèmes. Écoute plutôt la chanson du silence...»

• «Dans les périodes de grandes difficultés, tu veux savoir comment éviter de te perdre dans la routine (8 bureaucratiser) pour te protéger (6 justification) des problèmes émotionnels ? C'est très simple, mon enfant, il suffit de te cacher (2) derrière ton Masque de carnaval.»

• «Tu voudrais bien garder la tête froide (8) quand tu n'as plus confiance en toi (6) ou revêtir une carapace d'indifférence émotionnelle qui Masquerait la perte de tes moyens ? Dans ce cas, fais la méfiante (2) pour te permettre de souffler.»

• «**Il y a mieux que de** tout contester (8) avec l'indécision du doute (6) : **dissimuler (2)**!»

> ## Interprétation II sans tenir compte des attentes maternelles.

Sens :

• «Mon enfant, si tu veux éviter d'affronter ta sensibilité et oublier momentanément tes problèmes émotionnels, ou encore ne pas réagir devant la difficulté, il serait plus simple de méditer sur des sujets qui t'attirent et de te déconnecter en t'enfermant dans ton monde intérieur. Ne cherche pas à faire partager tes sentiments. Fais ce qu'il te plaît sans en référer à personne et garde tes secrets pour toi. Au besoin, fréquente des organisations qui développent la spiritualité sous le sceau du secret*.»

> * Nous reviendrons sur ce point dans un autre volume.
> Mais on sait déjà (tome I, chapitre 1) que le jour et le Développement de la féminité décrivent respectivement les tendances et l'ouverture vers la spiritualité.

• «Plus précisément, apprends à observer ce qui te tient à cœur, à t'évader en écoutant tout ce qui te conforte dans ta plénitude d'être et à pratiquer toutes les activités qui fortifieront tes intuitions.»

• «Et si tu éprouves un sentiment d'impuissance et le désir profond de ne rien faire pour accepter tes problèmes, dissimule, Masque-toi, deviens un «autre». Ne crois en personne et méfie-toi de tout le monde... même de ta Mère. Laisse-toi plutôt aller à fréquenter des milieux qui favorisent cet état d'esprit... pour te défouler. C'est à ce prix que tu sauras te protéger.»

F. SYNTHÈSE ET CONCLUSION

1. TECHNIQUE :

Encore une fois, aucune méthode particulière ne permet de tirer cette conclusion mais seulement un peu de bon sens, de la compréhension et une grande expérience de la numérologie et des réactions psychologiques de l'être humain. On peut conclure en comparant les nombres en présence selon la Loi du triangle : deux éléments en présence en créent un troisième. Les deux éléments sont connus : Isabelle (mois **B**) et la Mère (jour **A**). La conséquence aussi est connue : le Développement de la féminité **J**. Reste à comprendre comment la rencontre de ces deux éléments a pu entraîner de tels effets ou comment un enfant devient adolescent en passant par le révélateur : «Mère».

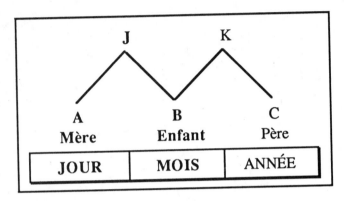

Utiliser le tableau d'**État** (I) pour «Isabelle» (mois **B**) et le «Développement de la féminité» (nombre **J**) et le tableau de l'**Action** (II) pour le révélateur «Mère» (jour **A**).

2. INTERPRÉTATION :

2	15
2	3
2	3

8	6	21	8
8	6	3	17
8	6	3	17

8	juin	1956	Personnalité profonde
Mère	Enfant	Père	

Isabelle...

6 - La jeunesse, la curiosité l'interrogation		tableau d'État

... par rapport à sa Mère...

8 - Se normaliser, se discipliner, être logique		tableau de l'**Action**

... réagit par...

2 - Le secret, l'intuition et l'observation		tableau d'**État**

Sens :

Le chapitre 2 résume l'énergie intrinsèque des nombres mais il ne constitue qu'une simple référence pour «aiguiller» le débutant. Dans les faits, ce n'est que lorsque l'on a pénétré l'énergie intime d'un nombre que l'on peut comprendre les variations de ses tensions et ses contradictions quel que soit le cas à traiter.

Ainsi, le nombre 2 est, d'une manière générale, catalogué parmi les neutres. Mais dans le cas d'Isabelle, ce 2 provient :

> – d'un 8 de logique qui, *par définition,* suscite une analyse sans émotion,

> – et d'un 6 qui, *par définition,* décrit l'émotion de l'enthousiasme mais aussi l'interrogation propre à toute analyse.

Par définition, ces deux nombres s'opposent, l'un par la présence de l'émotion, l'autre par son absence. Mais ils se ressemblent par leur penchant pour l'analyse.

On comprend alors que la halte obligée instaurée par le 2 assure une décantation salutaire à la prise en charge de l'opposition logique 8 contre jeunesse 6, décantation fort justement décrite par le besoin d'observation.

Par contre, la logique 8 et l'analyse 6 s'associent très bien pour inciter Isabelle au repli secret, le temps d'accumuler assez d'éléments de réflexion (6) logiques (8) pour affronter son problème.

Quant au trait intuitif du 2, il dénote une réelle fatigue cérébrale provoquée par l'incessante interrogation du 6 acoquinée à la décortication du 8. Le 2 apparaît donc comme un nombre de précaution avec un aspect plus positif que négatif. Il signe la prudence indispensable d'Isabelle avant toute action, surtout à cause de sa tendance naturelle à l'emballement (6).

Par conséquent et dans ce cas précis, on pourrait dire qu'Isabelle a obtenu ce qu'elle attendait de sa Mère pour affronter les problèmes et que la perception qu'elle en a en cas de difficultés est plus positive que négative, même si l'aspect négatif demeure quoique nettement atténué. Cela n'enlève rien à l'affirmation selon laquelle* au début de son adolescence, elle préférera limiter les échanges verbaux avec sa Mère au bénéfice d'une présence muette.

Supposons a contrario que le 2 provienne de 12 − 10 = 2 ! On s'aperçoit aisément que l'oubli du 12, son utopie, ses rêves et son incapacité structurelle de dire non, alliés à l'insouciance du 10 d'aventure et d'insécurité, décrivent parfaitement l'impuissance réactionnelle d'un 2 plus négatif que positif.

Revenons à Isabelle. On peut poser les questions suivantes :

• Pourquoi se replie-t'elle dans une attitude défensive alors qu'elle dispose d'une si bonne logique et de si grandes capacités d'interrogations ?

—> Sa grande logique 8 est constamment paralysée par le 6 qui veut toujours savoir le pourquoi du comment. Pour récupérer, Isabelle se sent obligée de se taire et d'observer de façon discrète.

• Pourquoi sa curiosité 6 sous l'influence de la structuration 8 pousse-t'elle Isabelle à l'observation ?

—> Parce qu'en s'obligeant à canaliser son appétit de savoir, elle tue sa spontanéité (6 jeunesse). Par sécurité, elle se replie dans l'attente pour voir venir et passer le temps en observant le monde.

---

* Page 367.

- Pourquoi s'oblige-t-elle à se fier à ses intuitions (2) alors que naturellement elle s'appuie sur la logique et des normes de réflexion avec l'enthousiasme de la jeunesse ?

—> Elle désire justement «lâcher prise» et se libérer du carcan du 8 qui s'oppose à son idéalisme romantique et au merveilleux propre à la jeunesse. Se fier à ses intuitions, c'est retrouver ses sources avec insouciance sans s'occuper de la raison.

G. L'INFLUENCE DES MODULATEURS

L'interprétation détaillée EST L'ÉLÉMENT CLEF de la technique numérologique. Elle repose sur un *modulateur* qui varie selon l'âge. De la naissance à 21 ans, ce *modulateur* est la **Personnalité profonde** qui chapeaute et oriente l'interprétation des forces qui structurent la vie d'un individu.

Voyons comment la Personnalité profonde d'Isabelle module l'interprétation du Masque dont nous ne reprendrons que le paragraphe **D**, c'est-à-dire la perception qu'Isabelle a de sa propre attitude à l'égard de sa Mère. Il suffit de reprendre l'interprétation de la page 367 et de la «chapeauter» **en gras** par la **Personnalité profonde** (tableau d'**État**).

- **LE POINT D : Comment Isabelle, au cours d'une période difficile de son enfance, a-t-elle perçu sa propre attitude à l'égard de sa Mère ?**

2	15		
2	3		
2	3		

8	6	21	8
8	6	3	1 7
8	6	3	1 7

| 8 | juin | 1956 | Personnalité |
| Mère | Enfant | Père | profonde |

375

Isabelle est 6 (tableau d'**État**) et la Personnalité profonde est 8-17-17, soit 8-17.

Le modulateur Personnalité profonde est un état de fait qui symbolise la nature profonde d'une personne. Nous utiliserons donc le tableau d'**État**.

• **INTERPRÉTATION** :

Isabelle...

6 -	La jeunesse, la curiosité, l'interrogation	+ enthousiasme, interrogation, discussion. – doute, manque de confiance, justification.	tableau d'**État**

...attend de la Mère...

8 -	Se normaliser, se discipliner, être logique	+ être intègre et conséquent, me structurer. – me bureaucratiser, devenir froid, contester	tableau de l'**Action**

...chapeauté par...

8 -	La logique, la froideur, l'impartialité	+ grande logique, esprit de méthode, pondération. – déséquilibre, manque d'ordre, esprit querelleur.	Tableau d'**État**
17-	L'idéal, l'amitié, la sensibilité	+ douceur, idéalisme, optimisme. – naïveté, désorientation, rêverie.	Tableau d'**État**

Sens :
    • *L'impression qu'Isabelle a gardée de son attitude envers sa Mère lorsqu'elle était en difficulté est celle d'une enfant qui arrivait tant bien que mal à établir le dialogue* (6 s'exprimer) **logique (8) et sincère qu'elle aurait eu avec un ami (17) afin de faire le point sur sa situation présente.** Il ne lui était pas *toujours facile* d'affirmer sa véritable nature **sans tricher (8 impartialité) et en restant parfaitement***

honnête (**8 impartialité + 17 idéalisme**) **ni** de se remettre **en question en dehors de toute émotion (8 froideur) mais en profondeur**** **et** avec sensibilité (**17**) sans ressentir une certaine opposition de sa part. Mais une discussion **glaciale (8 froideur)** pouvait s'établir et de leur dialogue se dégageaient des éléments positifs **et objectifs (8 impartialité)** qui l'aidaient à affronter les difficultés **avec cohérence (8 logique).**

> * Le 8 est en soi un nombre d'honnêteté, d'impartialité et de franchise. Mais c'est surtout le 17, nombre de pureté qui ajoute la dimension «parfaitement».

> ** En dehors de toute émotion : ne pas faire de sentiment n'implique pas l'absence de sensibilité pour comprendre *en profondeur* une situation particulière. Le mot profondeur rappelle qu'il ne faut pas confondre l'aspect émotif propre au 19 avec la sensibilité aperceptive que l'on a d'une chose.

• *Isabelle convient que dans certaines situations pénibles, elle a eu avec sa Mère une attitude* enthousiaste (**6**) **modérée (8 pondération) mais pleine de l'espoir (17)** que la rencontre irait dans le **bons sens***. Elle la sentait disponible, prête à l'écouter (**6**) **pour apprécier avec justesse**** **(8 grande logique) la note exacte**** **(17 idéalisme) de ses difficultés.** Elle voulait la séduire (**6**) **en adoptant une stratégie (8 méthode) tout en douceur (17)** pour créer une complicité **amicale (17)** plus durable en temps de quiétude.

> * Entendre par le bon sens, l'aspect raisonnable et cohérent de quiconque accepte d'être à l'écoute de l'autre. Or, le bon sens est une facette du 8 qui module ici l'enfance.

> ** L'équité du 8 et la perfection du 17 conduisent à la justesse, c'est-à-dire une compréhension adaptée au problème en cause. D'où l'expression «note exacte» rappelant que le 17 est aussi un nombre artistique. On pourrait aussi dire «couleur», «nature»...

• *Mais elle se souvient aussi que lorsqu'elle ne pouvait pas prendre le dessus et que ses difficultés perduraient,* elle avait tendance à se comporter avec sa mère de la même façon qu'avec son Père, c'est-à-dire comme une enfant dispersée **et complè-tement désorganisée (8 déséquilibre)**, touche-à-tout (6 s'éparpiller) **dans un désordre sublime (8 manque d'ordre + 17 désorientation + idéalisme)**, inconstante, illo-gique **(8 manque d'ordre) et complètement débous-solée (17 désorientation)**. Elle ne trouvait pas le courage de lui exprimer son désarroi (6 manque de confiance) **autrement que par l'agression querelleuse (8) et naïve (17)**. En réaction, elle jouait à la gamine insouciante (6 être gamin) **qui se complaît au laisser-aller instable (déséquilibre du 8) et fantasmatique (17 rêve)** pour exorciser ses tirail-lements.

À votre tour maintenant de manipuler le modulateur 8-17 dans la suite de l'analyse des rapports maternels dans le Masque et de constater les variations possibles.

* *
*

CHAPITRE VI

PRÉCISIONS ET EXCEPTIONS

MASQUE	Développement de la féminité		Développement de la masculinité	
	A1 – B1 =	J1	B1 – C1 =	K1
	A2 – B2 =	J2	B2 – C2 =	K2
	A3 – B3 =	J3	B3 – C3 =	K3

INNÉ	JOUR	MOIS	ANNÉE	Personnalité profonde	
	Mère	Enfant	Père		
	A1	B1	C1	A1 + B1 + C1 =	D1
	A2	B2	C2	A2 + B2 + C2 =	D2
	A3	B3	C3	A3 + B3 + C3 =	D3

MIROIR	Développement de la féminité		Développement de la masculinité	
	A1 + B1 =	E1	B1 + C1 =	F1
	A2 + B2 =	E2	B2 + C2 =	F2
	A3 + B3 =	E3	B3 + C3 =	F3

Je répondrai dans ce chapitre aux questions les plus fréquentes que pose le public sur la numérologie, en fonction bien entendu du sujet développé dans chaque volume.

Je ne reprendrai donc pas les questions-réponses déjà abordées dans le tome 1 exception faite du problème des erreurs de calcul qu'il faut bien connaître pour éviter des bêtises monstrueuses. Mais d'une manière générale, je l'adapterai au contenu de ce livre-ci.

Parallèlement, les cas particuliers exposés dans ce volume sont élaborés pour éviter des lourdeurs dans les mécanismes d'interprétation.

A. POURQUOI CERTAINES PERSONNES NE SE RECONNAISSENT-ELLES PAS DANS L'INTERPRÉTATION NUMÉROLOGIQUE DE LEUR DATE DE NAISSANCE ?

a) Vous avez commis une erreur de calcul.

Il est impératif de respecter des règles strictes, d'autant qu'en dehors des numérologues professionnels, on fait souvent les calculs sur un bout de papier au coin d'une table.

• Encadrez les données, c'est-à-dire la date de naissance, et n'en mettez pas plus qu'il n'en faut.

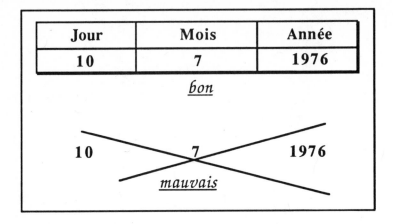

- Évitez les tirets entre les nombres.

- Inscrivez le mois sans 0 devant (01 pour janvier = 1). Chaque nombre dégage une énergie qui peut influencer la lecture de la date de naissance.

- Retranscrivez l'année au complet avec le millénaire (**1990**). Dans la précipitation, on risque d'écrire seulement 90 et conclure faussement à 9 + 0 = 9 (et décrire une personne morte depuis plusieurs siècles) et non à 1 + 9 + 9 + 0 = 19.

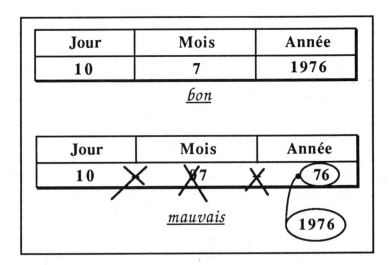

• Faites vos calculs sur une feuille à part.
Ne les reportez pas sur le schéma du développement de la date de naissance.

• Évitez de réduire des nombres compris entre 1 et 22 inclusivement, sauf les nombres identifiants : **Mère**, **Père** et l'**enfant** qui peuvent subir trois réductions successives. Ainsi :

1re ligne :

Le nombre doit être compris entre 1 et 22 inclusivement. S'il est supérieur à 22, réduisez-le, sinon conservez-le tel quel.

Le nombre du mois doit être reporté sans réduction puisque les nombres des mois sont toujours inférieurs à 22.

L'année doit toujours être réduite (puisqu'elle est toujours supérieure à 22) :

– par **une** réduction :
$$1952 = 1 + 9 + 5 + 2 = 17$$

– ou **deux** réductions :
$$1959 = 1 + 9 + 5 + 9 = 24 \text{ et}$$
$$24 = 2 + 4 = 6.$$

2e ligne :

Les nombres doivent toujours être compris entre 1 et 10 inclusivement, jamais au-dessus.

3e ligne :

On ne la trouve que dans les cas où le nombre du jour ou de l'année est 19.

Exemples : 19 juin 1978 et les années, 1918, 1927, 1936, 1945, 1954, 1963, 1972, 1981, 1990...

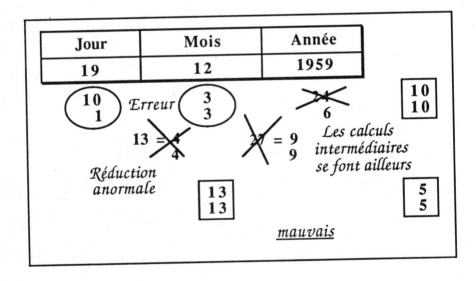

Jour	Mois	Année
19	12	1959

```
   19          3           6        ┌────┐
   10          3           6        │ 10 │
    1          3           6        │ 19 │
                                    │ 10 │
                                    └────┘
       22              9
       13              9
        4              9
                              ┌────┐
            ┌────┐            │ 14 │
            │  4 │            │  5 │
            │ 22 │────────────│  5 │
            │ 13 │            └────┘
            └────┘
             bon
```

Jour	Mois	Année
19	12	1959

```
  ⎛ 10 ⎞  Erreur  ⎛ 3 ⎞        2̷1̷         ┌────┐
  ⎝  1 ⎠          ⎝ 3 ⎠          6         │ 10 │
                                            │ 10 │
      13 =⟩4̸            2̷7̷ = 9   Les calculs └────┘
           4                  9   intermédiaires
   Réduction                      se font ailleurs
   anormale      ┌────┐                    ┌────┐
                 │ 13 │                    │  5 │
                 │ 13 │                    │  5 │
                 └────┘                    └────┘
                          mauvais
```

b) La date de naissance n'est pas exacte.

L'erreur arrive parfois avec les personnes âgées. Dans certains pays, la date de naissance inscrite sur le certificat de naissance est celle du baptême. En reculant de quelques jours on finit par trouver la bonne date.

Un petit malin peut aussi vous donner volontairement une date fausse pour «voir ce que vous avez dans les tripes».

c) La personne est née autour de minuit.

L'expérience montre qu'on obtient une bonne approximation en disant qu'une personne née entre 22 heures et 2 heures du matin subira les influences des deux jours.

Exemple : Quelqu'un né au Québec le 10 février 1963 à 23 heures 10 subit l'influence du 11. Si vous ne tenez compte que du 10, la personne vous dira que vous avez raison mais... que cela lui semble incomplet.

Analysez la date de naissance comme (10-11) février 1963. Prenez 10-11 ENSEMBLE comme nombre du jour. Elle se reconnaîtra alors parfaitement.

• La présence de plusieurs nombres à analyser pour le jour ou le mois n'a rien en soi de difficile et ne complique pas l'interprétation.

L'analyse du nombre 19 —> 10 —> 1 en troisième réduction ou celle d'un mois 12 —> 3 en deuxième réduction revient à interpréter 19 (nuancé par 10 - 1) ou 12 (nuancé par 3).

Avec les nombres de deux jours, 17 novembre/18 novembre par exemple :

jour (Mère)   :   17 - 18   —> 8 - 9
mois (Enfant) :   11   —> 2

On analyse la Mère avec 17-18 nuancé par 8-9 et l'enfant par 11 nuancé de 2.

385

• On peut encore nuancer le cas précédent en respectant la date normale À L'HEURE SOLAIRE, et en mettant entre parenthèses l'influence de l'autre date pour s'obliger à insister sur la journée dominante.

Exemple : Une personne née à 1 heure 19 minutes le 14 juillet 1978 en France est en fait née, compte tenu de l'heure d'été, à 23 heures 19 minutes le 13 juillet 1978. Il faut en effet savoir que la France vivait depuis la guerre sous le régime de l'heure d'été durant toute l'année. Après le premier choc pétrolier, le gouvernement français a, pour des raisons d'économie d'énergie, ajouté une heure supplémentaire pour la période d'octobre à avril de sorte que le régime de l'heure d'été français est en réalité en avance de **deux** heures sur l'heure solaire. Suivant votre cas particulier et le pays de naissance, renseignez-vous !

La journée dominante est le 13 juillet 1978. Inscrire comme suit :

13 (14) juillet 1978.

INTERPRÉTATION :

1. Supposons qu'Isabelle soit née en France le 8 juin 1983 à 2 heures 30 minutes, ce qui donne la même structure. Supprimons l'effet des deux heures d'été en avance du mois de juin. Elle serait donc née le 8 juin 1983 à 0 heure 30 minutes. Isabelle, née autour de minuit, subit donc également l'influence du 7 juin.

Structure de la date de naissance d'Isabelle :

> **Code:** Σ, symbole mathématique qui résume les diverses opérations intermédiaires permettant de calculer les paramètres de la date de naissance: Personnalité profonde, Mère, Père, Enfant ...

Développement de la féminité		Développement de la masculinité	
$\Sigma=$	(1) 2	$\Sigma=$	1 5
$\Sigma=$	(1) 2	$\Sigma=$	3
$\Sigma=$	(1) 2	$\Sigma=$	3

JOUR	MOIS	ANNÉE
(7) 8	juin	1983
Mère	Enfant	Père
(7) 8	6	21 (1983)
(7) 8	6	3 (2+1)
(7) 8	6	3

Personnalité profonde	
$\Sigma=$ 34 et 35= (7) 8
$\Sigma=$ 16 et 17= (16) 17
$\Sigma=$ 16 et 17= (16) 17

Développement de la féminité		Développement de la masculinité	
$\Sigma=$	(13) 14	$\Sigma=$	9
$\Sigma=$	(13) 14	$\Sigma=$	9
$\Sigma=$	(13) 14	$\Sigma=$	9

2. Pour montrer à quel point l'interprétation n'est pas plus difficile que dans le cas d'une date de naissance ordinaire, reprenons dans le Miroir, l'interprétation initiale des «attentes maternelles d'Isabelle» et ses conséquences exposées à la page 277. D'une façon générale, l'interprétation ne se fera que sur les *principes* des nombres.

. Les attentes maternelles

Isabelle est 6 (tableau d'**État**), et attend un 8 de la part de sa Mère (tableau de l'**Action**).

Isabelle...

6 - La jeunesse, la curiosité l'interrogation		tableau d'État

...attend de sa Mère...

8 - me normaliser, me discipliner, être logique		tableau de l'**Action**

Sens :

• *Pour accepter sa sensibilité, Isabelle attend de sa Mère* qu'elle lui apprenne à...

- normaliser (8) les élans de sa jeunesse (6) et à trouver une cohérence à son expression enfantine;
- discipliner (8) sa curiosité (6) et à éviter de s'éparpiller (6 symbolise la multiplicité);
- trouver une logique (8) à ses interrogations (6).

Avec le 7, on obtient :

• **Pour la Mère :** (7) **8** - (7) **8** - (7) **8** —> (7) **8** nuancé par... aucun nombre.

8 - me normaliser, me discipliner, être logique	tableau de l'**Action**
7 - *me maîtriser, progresser, réussir*	

Sens :

• *Pour accepter sa sensibilité, Isabelle attend de sa Mère* qu'elle lui apprenne à...

- normaliser (8) **avec un esprit de réussite (7)** les élans de sa jeunesse (6) et à trouver une cohérence (8) **bien contrôlée (7 se maîtriser)** à son expression enfantine (6);
- discipliner (8) **constamment (7 = progresser)** sa curiosité (6) et à éviter de s'éparpiller (6 symbolise la multiplicité);
- trouver une logique (8) **bien maîtrisée (7) dans l'art d'**interroger (6).

• **Les attentes maternelles ont-elles été exaucées ?**

Les nombres du Développement de la féminité sont :

- nombre primaire, mois 6 + jour 8 = 14
  et aussi, mois 6 + jour 7 = 13
- nombres secondaire ou tertiaire, mois 6 + jour 8 = 14.
  et aussi, mois 6 + jour 7 = 13

Soit 14 (13) –14 (13) –14 (13). 14 est hémitonique *et 13 est tonique**.

Voici un exemple typique de l'influence de l'heure de naissance. Nous avons vu** que lorsque 14 se situe dans le Développement de la féminité, il doit être interprété avec plus de positivité que de négativité, même s'il est hémitonique, à cause de sa valeur d'accommodement et de communication. Comme 13 est nettement tonique et que son énergie tranchante incite à couper les ponts, l'énergie fragile du 14 ne peut résister dans son désir d'entretenir la communication. En conséquence, la suite de l'interprétation contraste en négatif avec celle de la page 283.

On pourrait dire que 14 sans l'influence d'aucun nombre fournit 2/3 de positivité, mais qu'associé à 13 il fournit 2/3 de négativité. Les attentes d'Isabelle vis-à-vis de sa Mère n'ont donc pratiquement pas été exaucées !

Ce détail a des répercussions sur l'ENSEMBLE de l'interprétation d'Isabelle.

Situation initiale :

Père 21 + Isabelle 6 = 9 hémitonique à tendance négative.

Mère 8 + Isabelle 6 = 14 hémitonique à tendance positive.

---

* Tableau des gradients de polarité page 139.
** Page 279.

Les relations avec la Mère ont été plus positives que celles qui furent établies avec le Père.

Situation corrigée :

Père 21 + Isabelle 6 =   9 hémitonique à tendance négative.

Mère 8 (7) + Isabelle 6 = 14 (13) proche de la tension absolue.

Conclusion : les relations avec le Père, même si elles ne furent par parfaites, étaient meilleures que celles établies avec la Mère.

La conclusion s'inverse d'autant plus que le 9 en vieillissant devient de plus en plus positif et entraînera un plus grand rapprochement d'Isabelle et de son Père au détriment de sa Mère.

• Comment Isabelle a-t-elle perçu sa Mère ?

8 - La logique, la froideur, l'impartialité	+ grande logique, esprit de méthode, pondération. – déséquilibre, manque d'ordre, esprit querelleur.	tableau d'**État**

Avant :

    • *La perception générale qu'Isabelle a gardée de sa Mère est celle d'une femme* qui n'exprimait pas complètement ses émotions et ne s'abandonnait pas aux effusions affectives (8 froideur). Elle agissait de façon très logique (8) et faisait preuve d'impartialité (8). En somme, une femme juste mais peu accessible à la tendresse.

    • *Quand tout allait bien dans la vie de sa Mère, elle conserve l'image d'une femme* très logique (8) qui savait organiser la vie de la famille avec méthode (8) et qui pouvait faire preuve de pondération (8) dans les situations délicates.

    • *Mais quand tout n'allait pas dans le sens prévu, sa Mère lui semblait* sujette au déséquilibre (8), brouillonne et incapable de se structurer (8 manque d'ordre) pour faire face aux situations difficiles. Elle garde de ces moments l'image d'une femme querelleuse (8).

> ## Maintenant avec le 7 :

Allons à l'évidence et ignorons le 1/3 de l'aspect positif. En temps normal, il faudrait en tenir compte en l'introduisant ainsi : *Il pouvait lui arriver parfois...* ou *À de rares moments, il lui arrivait d'être...*

8 - La logique, la froideur, l'impartialité	– déséquilibre, manque d'ordre, esprit querelleur.	tableau d'État
7 - La maîtrise, l'indépendance, la responsabilité	– suractivité, inquiétude, despotisme.	

• *La perception générale qu'Isabelle a gardée de sa Mère est celle d'une femme* qui exprimait *très difficilement* ses émotions et ne s'abandonnait pas aux effusions affectives (8 froideur) **pour ne pas perdre le contrôle d'elle-même (la maîtrise du 7)**. Elle agissait de façon *trop* logique (8) **et responsable (7)** et faisait preuve d'une impartialité (8) *absolue* **pour ne pas limiter son autonomie (l'indépendance du 7)**. En somme, une femme *inhumaine car* peu accessible **et peu disponible** à la tendresse *maternelle*.

• *Elle garde l'image d'une Mère qui lui semblait* sujette au déséquilibre (8) **et à l'inquiétude (7)**, brouillonne et incapable de se structurer (8 manque d'ordre) **tant elle s'énervait (7 suractivité)** pour faire face aux situations difficiles. Elle garde de ces moments l'image d'une femme querelleuse (8) **aux allures despotiques (7)**.

• **Comment Isabelle a-t'elle perçu son attitude envers sa Mère durant son enfance ?**

Puisque le Développement féminin 14 (13) est nettement plus négatif, l'aspect positif de l'attitude d'Isabelle a pratiquement disparu. Nous reprenons le texte de la page 286, mais en supprimant l'aspect positif et en ajoutant de légères modifications en **caractères gras** pour illustrer ce changement dramatique.

6-	S'exprimer, se différencier, se remettre en question	– s'éparpiller, manquer de confiance, être gamin.	tableau de l'Action

Sens :
    • *L'impression qu'Isabelle a gardée de son attitude envers sa Mère est celle d'une enfant qui avait parfois une difficulté certaine à* s'exprimer (6) avec elle. Il ne lui était pas *vraiment facile* d'assumer sa propre identité (6 se différencier) en dehors d'elle et de se remettre en question (6) *sans ressentir une réelle pression* de sa part.

    • *Dans les moments difficiles, elle se sentait obligée d'adopter envers sa Mère l'attitude* d'une enfant dispersée (6 s'éparpiller) manquant de constance et de confiance (6) et par réaction très gamine (6).

d) Vous avez affaire à une personne qui refuse de s'identifier dans ce que vous lui dites.

    C'est assez fréquent avec des personnes ayant les nombres 2 - 5 - 16 - 20.

- **2 nombre du secret** : la personne n'aime pas exprimer ce qu'il ressent contre sa volonté.

- **5 nombre de valeur et de principe** : si par principe la personne qui consulte ne peut accepter la numérologie ou si vous n'avez pas dit les mots qu'il veut entendre ou comprendre, il refusera vos paroles.

- **16 nombre de fierté et d'orgueil** : Tout ira pour le mieux tant que vous le complimenterez mais dès que vous lui tiendrez un discours transcendant son masque de parade, il refusera de vous accorder du crédit, surtout devant des tiers.

- **20 nombre du mystère** : Il aime garder un air énigmatique. Si vous lui donnez l'impression que vous ne rentrez pas dans son jeu, il niera des propos qui le déshabillent.

Tout est question de tact et de diplomatie, mais le fait même de maîtriser la numérologie qui, à elle seule vous permet de connaître l'autre, vous saurez comment lui parler. Le débutant a tendance à mettre les pieds dans le plat. C'est à ce prix qu'il apprendra.

N'oubliez pas que chaque numérologue se forgera sa ligne personnelle d'expression. Pour ma part, j'aime bien prendre les personnes qui consultent à rebrousse-poil et me servir de leur révolte pour créer une complicité.

e) La personne qui consulte est de mauvaise foi.

La Recherche d'harmonisation décrite dans le premier tome permet de savoir comment agir avec une personne. Alors que faire dans une telle situation ?

Ou bien vous êtes un «crac» en numérologie et vous êtes assez fort pour pulvériser le prétentieux en le confrontant à sa propre intolérance...

Ou bien vous considérez que vous n'avez rien à prouver et vous tournez casaque. C'est la meilleure attitude. Car la numérologie est avant tout un outil d'aide et non une breloque de foire. Si un gugusse s'amuse à vous tester pour vous ridiculiser, laissez-le à sa petitesse et tournez-vous vers ceux qui ont vraiment besoin d'un appui.

g) La personne qui consulte n'a pas compris ce que vous lui avez dit.

Demandez-lui pourquoi et dans quoi il ne se reconnaît pas dans vos propos.

Bien souvent, seule la terminologie employée est en cause. Il est alors judicieux de dire la même chose avec d'autres mots ou encore d'illustrer vos paroles par des exemples que le sujet pourra comparer à son propre vécu.

Habituez-vous à considérer les nombres comme des personnages qui viennent vous parler pour vous dire comment ils joueraient telle comédie dans telle situation.

Un bon mais simple technicien de la numérologie n'est pas un artiste. Le technicien veut toujours triturer les nombres pour les obliger à dire ce qu'il a cru comprendre alors que l'artiste se laisse bercer par leur énergie. Le premier n'a qu'une vision extérieure des nombres, l'autre une vision intérieure qui se développe à force d'expérience. Il parvient tout naturellement à évoquer des anecdotes, des situations ou des gens qu'il connaît pour mieux exprimer ou illustrer ce qu'il a découvert chez le la personne qui consulte. À terme, les nombres deviennent des individualités, voire des amis.

B . POURQUOI, MALGRÉ SA BONNE FOI, LE SUJET NE SE RECONNAÎT-IL PAS DANS L'INTERPRÉTATION DE SON ENFANCE ET L'EXPOSÉ DE SES RELATIONS PARENTALES ?

Dès le premier coup d'œil, le numérologue s'attache aux nombres des jour–mois–année qui suffisent amplement pour saisir les lignes directrices d'une date de naissance. La Personnalité profonde, pour sa part, module la mécanique des tensions engendrées par les Développements féminin et masculin et traduit, par une interprétation tout en nuances, les impressions intimes de la personne qui consulte: elle oriente, atténue ou intensifie le constat initial MAIS n'en est pas l'instigatrice. Le fait d'ignorer le modulateur peut provoquer chez le sujet quelques hésitations ou tergiversations sur certains aspects ou termes de l'interprétation mais sans le conduire à réfuter le constat initial concernant ses parents et les tensions relationnelles éprouvées avec eux. Nous le savons déjà (pages 265 et 271), le modulateur ne prend sa véritable importance numérologique qu'au moment de l'étude des phases de l'existence, de la naissance à la mort.

Le problème posé ici remet en cause non pas la mécanique de l'interprétation mais fondamentalement les conclusions et l'analyse elle-même. Pour le résoudre, il faut déjà anticiper sur le prochain volume.

On peut s'étonner de voir que bien des gens ne se souviennent plus avec précision de leur enfance et confondent souvent enfance et préadolescence. Or, nous traitons ici de l'enfance de **0 à 7 ans.** La limite supérieure n'est évidemment pas aussi nette et il ne suffit pas de fêter son septième anniversaire pour se retrouver ipso facto dans la préadolescence. Chacun sait combien le phénomène est progressif, certains sujets étant plus précoces que d'autres.

Dans le même ordre d'idées, certaines personnes amalgament les époques et projettent sur leur enfance les tensions relationnelles vécues avec leurs parents pendant l'adolescence ou même actuellement. Chacun triture sa mémoire à son seul profit. C'est humain, ô combien !

En ce qui nous concerne, il importe peu de convaincre une personne de la réalité de sa «structure infantile» mais plus de lui faire comprendre les conséquences de cette structure sur sa puberté. C'est aussi beaucoup plus simple car on se souvient en général facilement des tensions occasionnées par la transmutation pubertaire.

Les nombres des Développements féminin et masculin décrivent la transformation du corps de l'enfant en adulte homme ou femme.

Chez la femme, le Développement féminin décrit les tensions de la mutation, son acceptation ou son refus. Le développement masculin deviendra son désir **d'affirmation sociale.**

Chez l'homme, le Développement masculin décrit les tensions de la mutation, son acceptation ou son refus. Le développement féminin deviendra son désir d'acceptation de ses **sensations profondes.**

L'enfance est le moteur de la puberté et la manière de la vivre anime la manière de vivre la puberté. Et comme la Mère est le révélateur de la sensibilité profonde, et le Père le révélateur du dynamisme vers l'affirmation sociale, il est désormais facile de résoudre notre problème.

Retrouvons le schéma de base :

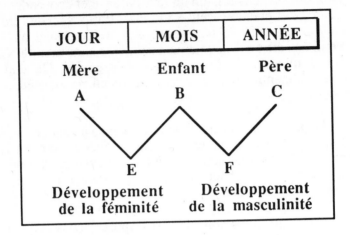

1. L'adolescente :

• Le Développement féminin E (jour + mois)
est :

- **atonique** : la personne n'a éprouvé **aucune** difficulté à accepter le fait de devenir femme.
  L'absence de difficultés juvéniles majeures résulte de **l'absence** de tensions majeures dans les relations avec sa Mère **A**.

- **hémitonique** : la personne a éprouvé **quelques** difficultés à accepter le fait de devenir femme.
  Ces difficultés juvéniles sont la marque de **certaines** tensions dans les relations avec sa Mère **A**.

- **tonique** : la personne a éprouvé de **grandes** difficultés à accepter le fait de devenir femme.
  Ces grandes difficultés juvéniles sont la preuve manifeste des **grandes** tensions vécues dans les relations avec sa Mère **A**.

• Le Développement masculin F (mois + année)
est :

- **atonique** : la personne n'a éprouvé **aucune** difficulté à s'affirmer dans son environnement.
  L'absence de difficultés juvéniles majeures résulte de **l'absence** de tensions majeures dans les relations avec son Père **C**.

- **hémitonique** : la personne a éprouvé **quelques** difficultés à s'affirmer dans son environnement. Ces difficultés juvéniles sont la marque de **certaines** tensions dans les relations avec son Père **C.**

- **atonique** : la personne a éprouvé de **grandes** difficultés à s'affirmer dans son environnement. Ces grandes difficultés juvéniles sont la preuve manifeste des **grandes** tensions vécues dans les relations avec son Père **C.**

2. L'adolescent :

est :
   • **Le Développement masculin F (mois + année)**

- **atonique** : le sujet n'a éprouvé **aucune** difficulté à accepter le fait de devenir homme. L'absence de difficultés juvéniles majeures résulte de **l'absence** de tensions majeures dans les relations avec son Père **C.**

- **hémitonique** : le sujet a éprouvé **quelques** difficultés à accepter le fait de devenir homme. Ces difficultés juvéniles sont la marque de **certaines** tensions dans les relations avec son Père **C.**

- **tonique** : le sujet a éprouvé de **grandes** difficultés à accepter le fait de devenir homme. Ces grandes difficultés juvéniles sont la preuve manifeste des **grandes** tensions vécues dans les relations avec son Père **C.**

est :
   • **Le Développement féminin E (jour + mois)**

- **atonique** : le sujet n'a éprouvé **aucune** difficulté à accepter sa sensibilité. L'absence de difficultés juvéniles majeures résulte de **l'absence** de tensions majeures dans les relations avec sa Mère **A.**

- **hémitonique** : le sujet a éprouvé **quelques** difficultés à accepter sa sensibilité. Ces difficultés juvéniles sont la marque de **certaines** tensions dans les relations avec sa Mère **A.**

- **tonique** : le sujet a éprouvé de **grandes** difficultés à accepter sa sensibilité.
Ces grandes difficultés juvéniles sont la preuve manifeste des **grandes** tensions vécues dans les relations avec sa Mère **A**.

Remarques :

• Le mot «tension» dans le cadre des relations parentales n'implique pas obligatoirement des conflits, mais une difficulté à établir des rapports avec les parents et souvent, aussi, un sentiment de rejet ou de manque d'ouverture de leur part.

• Il ne faut pas confondre les difficultés ressenties à l'occasion des mutations physiologiques pubertaires avec **la crise d'adolescence** qui relève d'un autre calcul dans la date de naissance et qui provient de pulsions conduisant l'adolescent à se détacher du milieu familial et à rechercher son autonomie d'adulte.

Revenons à Isabelle et supposons qu'elle n'adhère pas complètement à vos propos sur son enfance notamment, et c'est le cas le plus fréquent, au sujet de sa Mère ou de son Père. Dans sa forme simplifiée, la structure modifiée en fonction de son heure de naissance est :

JOUR	MOIS	ANNÉE	Personnalité profonde
(7) 8	juin	1956	

JOUR	MOIS	ANNÉE	Personnalité profonde
(7) 8	6	2 1	(7) 8
(7) 8	6	3	(16) 17
(7) 8	6	3	(16) 17
	(13) 14	9	
	(13) 14	9	
	(13) 14	9	

Isabelle affirme:

«Vous prétendez que j'ai éprouvé des difficultés avec ma Mère et que je l'ai perçue comme une personne froide et distante (8). Vous m'étonnez parce que j'ai toujours entretenu de bons rapports avec elle.»

Le numérologue reçoit souvent ce type de commentaires. Pourtant le système a fait ses preuves : ou bien il s'agit d'une des situations décrites au paragraphe **A**, ou bien le sujet se connaît mal ou plus simplement manque d'objectivité, non par mauvaise foi mais parce que son propre vécu dresse un voile qui opacifie ou dénature sa propre vision.

La numérologie aborde des sujets personnels et intimes. Le sujet peut se sentir violé dans son intimité alors qu'au départ il tentait le coup «juste pour voir». C'est dire à quel point le numérologue doit faire preuve de doigté et de diplomatie. Il ne faut jamais perdre de vue que les relations parentales sont souvent très conflictuelles puisque ce sont elles qui justement permettent de grandir. On doit apprendre à s'en détacher pour découvrir l'autonomie véritable. On atteindrait alors vraiment l'âge adulte lorsque plus aucune réaction ne serait susceptible de survenir contre l'un ou l'autre des parents. Or, les réactions positives ou négatives créent des archétypes, des modèles à atteindre, à dépasser ou à assassiner pour réussir à vivre avec soi-même et les parents deviennent trop facilement des boucs émissaires, cristallisent les fixations avec une facilité déconcertante et polarisent les rancœurs devant les faiblesses personnelles face à l'existence.

Ma propre Mère avait dit lors du décès de son Père : «On coupe véritablement le cordon ombilical à la mort de ses parents.» Cette femme authentique avait raison. Nos parents, en nous donnant la vie, nous attachent à eux pour toute notre existence. Contrairement à ce que prétend la théorie sur le détachement des parents, rares sont ceux qui ont atteint la maturité suffisante pour assumer leur autonomie. Convenons donc que le fait d'aborder les perceptions parentales avec une personne fait resurgir en lui un solde en souffrance qui n'a jamais été réglé... qui demeurait là, en suspens ! Et soyons assez humble pour rester numérologue sans jouer les prophètes. La numérologie ne décrit pas des événements mais des énergies et des tendances. Mais il est aussi vrai que si le numérologue connaissait le vécu d'une personne, la numérologie prendrait une tout autre dimension, celle d'un outil thérapeutique muni d'une grille de référence objective.

Le simple bon sens veut donc qu'on ne cherche pas à convaincre une personne qui consulte mais simplement à lui faire prendre conscience de la justesse de l'analyse. Pour cela, il ne faut pas insister sur l'enfance mais sur sa conséquence première, la puberté.

En tant que femme, le nombre qui symbolise la puberté d'Isabelle est «14 (13)» dont nous savons déjà que la polarité est nettement plus tonique qu'hémitonique (paragraphe «**A.c)**» page 389).

    – le 14 provient de 8 + 6
    – le 13 provient de 7 + 6

Puisque les transformations de la puberté poussent l'enfant à devenir adulte, utilisons le tableau de l'**Action**. On pourrait aussi se servir du tableau d'**État** pour dresser le constat de l'état psychologique possible d'Isabelle.

14 - Se renouveler, s'adapter, se divertir	tableau de
13 - Se rectifier, se détacher, changer de plan	**l'Action**

Le 6 (mois) d'Isabelle et le 8 (jour) de sa Mère doivent être analysés sous l'aspect négatif puisque les nombres 14 (13) du Développement féminin ont une tendance tonique (les aspects ont été volontairement supprimés pour élaguer l'interprétation au bénéfice de la clarté de l'exposé).

6 - S'exprimer, se différencier, se remettre en question	tableau de **l'Action**
8- La logique, la froideur, l'impartialité **7-** La maîtrise, l'indépendance, la responsabilité	tableau d'**État**

Quels propos pourrait-on tenir en tenant compte de l'énergie tonique qui anime le 14 (13) ?

«Oublions l'enfance et occupons-nous des faits contrôlables et encore présents à votre esprit. Vos nombres décrivent des pulsions contradictoires. À la puberté, et sans tenir compte de la crise d'adolescence, vous aspiriez à devenir femme par le 14, à vous adapter mais aussi à vous changer les idées. Mais ce 14 a une tendance tonique à cause du 13 qui explique la crainte de vous transformer, d'où le désir de divertissement pour éviter de penser. D'un autre côté, le 13 a un aspect plus tranchant qui indique la volonté d'un changement radical, de détachement de ce qui vous assaillait, comme si vous recherchiez autre chose que ce que vous viviez — le 13 est un nombre de transmutation — autrement dit pour changer votre état d'alors.

Le 14 vous attache à l'enfance et votre volonté de divertissement ressemble au besoin de l'oubli. Par le côté tranchant du 13, vous avez envie de tout bousculer.... Ce paradoxe m'oblige à conclure qu'à la puberté, vous avez eu du mal à accepter votre nouveau corps de femme. N'est-ce pas ?

— Absolument exact, mais...»

Note : Lorsque la pertinence d'une affirmation frappe le sujet, un verrou scellant la porte intérieure saute. Il peut tenter de compléter vos paroles et vous prendre en confidence. Si vous ne l'arrêtez pas, il peut vous déballer toute sa vie et vous en avez jusqu'à l'aube. Il peut aussi se justifier dans l'espoir de se protéger contre votre incursion en terrain intime. Il vaux mieux couper court pour ne pas perdre le bénéfice de l'analyse à chaud.

«Attendez, vous m'expliquerez après ! Poursuivons le constat. J'aimerais comprendre pourquoi vous vouliez trancher (13 rectifier + changer de plan) dans ce que vous viviez, comme pour tourner définitivement la page. Si le 13 avait été mal «modulé» par un 15 de violence, par exemple, on retrouverait chez vous des idées suicidaires. Toutefois, il vous a plongée dans la mélancolie (13). Mais comme le 14 est légèrement dominant (à cause de la journée de naissance 8 sur le 7), vous avez préféré vous divertir pour éviter de penser. Que vouliez-vous donc oublier ?

— Vous avez raison mais... je ne sais plus trop ce que c'était. Je voulais vraiment que «ça» change parce que j'étais mal dans ma peau de femme.

— Isabelle, une jeune fille qui devient femme a grandi avec un modèle. Si ce modèle ne lui plaît pas, elle ne voudra pas lui ressembler. Si le modèle correspond à ses aspirations, elle cherchera à l'imiter ou à le transcender. Mais un fait demeure : ce modèle est votre Mère. Alors question : aimeriez-vous ressembler à votre Mère, devenir le même type de femme qu'elle ?

— Oh non !»

Note : Ce cri du cœur venait confirmer pour la deuxième fois le descriptif de la grille numérologique : le besoin d'oubli dans le renouvellement-divertissement du 14 et de changement radical du 13.

«Pourquoi ? Que n'aimez-vous pas en elle ?

— Un aspect m'a toujours dérangée. Je ne la sentais pas toujours accessible, elle manquait de spontanéité, elle voulait toujours diriger, son attitude m'intimidait quand j'étais jeune, mais vous savez elle ne pouvait pas faire autrement car la vie était difficile . . .»

Arrêtons-nous un instant pour défendre un point que la question suivante éclaircira. Isabelle commence à prendre conscience que le numérologue a raison. Mais un conseil : on ne doit pas se servir de la numérologie pour exercer un pouvoir sur autrui et prouver sa propre valeur. Rien ne sert de convaincre si la personne ne veut rien savoir. La numérologie n'est pas une arme de démolition mais un outil de construction.

Le cas d'Isabelle est celui d'une jeune femme qui voulait comprendre pourquoi elle se sentait mal dans sa peau... sa peau de femme justement.

Il faut toujours s'efforcer de traduire les propos de la personne qui consulte en termes numérologiques, vérifier qu'ils sont conformes à la grille de la structure de la date de naissance puis les rectifier au besoin. Que disait donc Isabelle ?

«Il y a un aspect qui m'a toujours dérangée en elle. Je ne la sentais pas toujours accessible (**8 froideur**), elle manquait de spontanéité (**7 contrôle excessif par la maîtrise + 8 logique**), elle voulait toujours diriger (**7 goût du commandement et des responsabilités, donc de l'enfant qu'elle avait en charge**), son attitude *m'intimidait* quand j'étais jeune, mais vous savez elle ne pouvait pas faire autrement car la vie était difficile . . .

— *Intimidation* ? C'est une caractéristique du 9. Ne serait-ce pas plutôt la crainte de perdre vos moyens (6 aspect négatif = doute) qui vous poussait à toujours vous remettre en question (6) ?»

Brisons là ce dialogue pour l'instant et examinons la question suivante.

C. LE NUMÉROLOGUE ÉVOQUE DES DIFFICULTÉS RE-LATIONNELLES AVEC LA MÈRE ET NON AVEC LE PÈRE MAIS LA PERSONNE QUI CONSULTE AFFIR-ME LE CONTRAIRE !

Ce genre d'objection désarçonne le jeune numérologue qui ne sait plus à quel saint se vouer. La grille décrit pourtant bien des problèmes relationnels avec le Père et voilà que la personne annonce que c'était avec la Mère. Que s'est-il passé ?

Le cas est classique : un phénomène de transfert !

Un enfant cherche, par exemple, à conquérir son Père. Dans la structure de la date de naissance, le Développement masculin indique des difficultés relationnelles avec lui, alors que le Développement féminin montre de bons contacts maternels. L'enfant pourrait en rester là et simplement constater que son Père ne répond pas à ses besoins. Mais il veut savoir pourquoi et situe le problème dans sa propre incapacité à le conquérir. Il développera une explication conforme à l'image paternelle qu'il se fait, par exemple :

- Le Père manque de personnalité : l'enfant peut penser que la Mère le domine.

- Le Père a une forte personnalité : l'enfant peut croire que la Mère l'oblige à trop s'affirmer pour mieux l'exploiter.

Ce phénomène est amplifié par la disponibilité de la Mère qui cautionne involontairement la démarche de l'enfant. En retour, ce dernier peut en vouloir à sa Mère d'être présente alors que l'objet de son désir est inaccessible. L'enfant peut inventer mille raisons et même discréditer l'objet accessible (en l'occurrence la Mère) pour se convaincre et attirer l'attention de celui dont il ressent un rejet (en l'occurrence le Père).

On retrouve cette démarche dans tous les domaines de la vie affective. Le désir augmente devant la difficulté à conquérir un être privilégié et diminue devant la facilité à l'obtenir. «À vaincre sans péril, on triomphe sans gloire», clame le Cid. Plus l'objet est difficile à atteindre, plus on se persuade qu'il sera un jour disponible et plus il alimente une obsession qui pousse le quémandeur à s'avilir, à supporter toutes les vexations pour obtenir grâce à ses yeux. En contrepartie, le sujet développe une rancœur, voire une haine envers ceux qui l'aiment d'autant que leur attitude amicale à vouloir son bonheur l'oblige à mettre le doigt sur une réalité insupportable et inacceptable : vivre l'utopie et en prendre conscience fait trop mal !

Convenons d'une règle numérologique :

> Si l'opinion de la personne qui consulte est à l'inverse de l'opinion du numérologue, il y a eu transfert.

Or, l'expérience montre que l'explication par le transfert est rarement acceptée, sur le moment, par le sujet. Mais dans la quasi-totalité des cas, il revient peu de temps après pour en confirmer la justesse. Il ajoute souvent une phrase du type :

«Je ne l'avais jamais envisagé sous cet angle.
Mais je dois avouer... cela a du sens !»

Le bon sens s'acquiert par l'expérience. Aucune recette ne permet de l'acquérir puisque seuls les nombres de la trilogie Mère-Enfant-Père et ceux du Développement féminin et masculin vus sous l'angle des conséquences dynamisent ce constat... et presque toutes les combinaisons sont possibles. Illustrons ce raisonnement en écoutant à nouveau Isabelle :

«Même si vous avez raison, il y a pour moi un fait incontournable : j'aime ma Mère, elle est même devenue aujourd'hui une excellente amie... tandis que j'ai longtemps détesté mon Père. Il m'a fallu du temps pour me réconcilier avec lui.

— Je peux vous l'expliquer. Je vous demande de ne pas rejeter mes paroles mais d'y réfléchir en toute quiétude. Vous me ferez part de vos observations quand vous aurez fait le tour du problème et que vous vous sentirez prête.»

Revoyons les données :

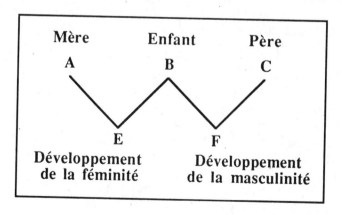

A : 8 (7)   B : 6   C : 21
E : 14 (13)   F : 9

Prenons les nombres **A-B-C** comme constat et **E-F** comme conséquences :

8 - La logique, la froideur, l'impartialité **7** - La maîtrise, l'indépendance, la responsabilité **6** - La jeunesse, la curiosité, l'interrogation **21**- La féminité, la perfection, les honneurs	tableau d'**État**
14- Se renouveler, s'adapter, se divertir **13**- Se rectifier, se détacher, changer de plan **9** - S'isoler, réfléchir, mûrir	tableau de l'**Action**

La définition des nombres est donnée ici à titre indicatif. Pour répondre à la question, il faut les transcender comme je l'ai expliqué dans le premier tome (pages 138 à 164 et 244 à 275).

«Avec votre petit MOI 6, vous attendiez que votre Père vous apporte la perfection (21) de vous-même. Vous vouliez qu'il vous apprenne à devenir femme (21) tant pour la beauté des yeux que pour développer les attraits de votre corps (6) enfantin en devenir de femme. Il est clair que le message inconscient est : *Papa, apprends-moi à devenir femme (6 + 21) !* Sans vous en rendre compte, vous établissiez des rapports ambigus avec lui. Un homme faible aurait-il apprécié votre charme sans succomber au jeu pervers de l'inceste ? Un homme responsable aurait pris ses distances devant le trouble que vous provoquiez et aurait refusé d'entrer dans votre jeu.

D'une façon ou d'une autre, vos attentes n'ont pas été comblées. Le 21 de la distinction et de l'absolu vous a conduite à surestimer votre Père et à le percevoir comme un être inaccessible essentiellement préoccupé par sa carrière (21). Il vous a vraiment manqué puisqu'il en résulte un Développement masculin 9 de solitude.

En contrepartie, votre jeunesse 6, vos doutes et votre manque de confiance ont été amplifiés par l'image grandiose (21) que vous vous faisiez de lui, une image qui vous écrasait et accentuait votre fragilité structurelle 6. Il demeurait malgré tout le Père parfait (21) et protecteur qui vous faisait grandir à vous de façon quasi idéale (21), mais votre incapacité à le conquérir se traduisait dans votre esprit par un rejet de sa part.

Vous vous tourniez alors vers votre Mère : froide (8), inaccessible (7) émotionnellement (8) mais tristement présente (7 responsabilité) ! Votre joie de vivre (6) tranchait sur son manque de spontanéité (8). Vous songiez avec délice à la supériorité de vos propres attraits sur elle. Certes, elle était la femme que votre Père avait conquise mais son attitude routinière et mécanique (8) vous portait à croire que votre Père découvrirait la différence avec vous si vous parveniez à dessiller ses yeux pour provoquer la comparaison. Alors, vous vous êtes dit : *Faisons amie-amie !* ... mais pour la diminuer !

Oh ! Elle vous impressionnait par ses allures d'indé-pendante (7) car elle savait imposer son autorité (7) en regard d'un Père trop respectueux (21). Au bout du compte, elle était plus sécurisante et, qui plus est, savait utiliser sa logique (8) et son expérience (8 + 7) pour répondre à vos incessantes inter-rogations (6). Vous avez ainsi pu établir la communication dé-montrée par votre Développement féminin 14. Mais vous vous rendiez aussi compte que vous ne parviendriez pas à égaler votre Mère ni à rivaliser avec elle. Observez votre Développement fé-minin 13 : on y décèle sans ambiguïté une pulsion de meurtre : l'assassiner, l'oublier, ne plus la voir... mais le 14 parallèle af-firmait sans cesse que la communication pouvait encore persis-ter. Plus vous grandissiez, plus la communication avec votre Père diminuait à cause du Développement masculin résultant du 21 en 9. Or, un enfant 6 a un besoin structurel de parler, de po-ser des questions et de trouver des réponses. Vous avez alors, malgré vous, entretenu ce lien fragile que vous espériez couper avec votre Mère, faute d'avoir votre Père pour vous. L'habitude aidant, votre Mère a été et EST REDEVENUE votre confidente. On voit nettement dans le 13 le désir intense de rupture à la pu-berté. Mais avec la maturité, grâce au 14, la communication s'est rétablie.

Votre structure mentale vous rapprochait naturellement de votre Père et vous poussait à rejeter votre Mère. Mais le 21 d'absolu, les événements de votre vie, votre milieu social, les difficultés authentiques qu'ont vécues vos parents, la conjonctu-re économique... bref, un ensemble de facteurs que la numérologie ne peut décrire, a provoqué le transfert de votre problématique d'une Mère que vous n'aimiez pas sur un Père trop valorisé, et a transposé l'impossible amour paternel sur la confidentialité maternelle. Cette inversion n'enlève rien au mécanisme qui lui a servi de fondement. C'est ce mécanisme et non la problématique que je viens d'exposer qui est à la base de la puberté. La difficulté éprouvée à accepter votre corps de femme est la conséquence de votre enfance et des relations tissées avec votre Mère. Rejetant son image de femme, vous ne vouliez pas devenir femme. En tout cas, pas comme elle !

Le mécanisme qui vous a conduite à croire au rejet de votre Père a certainement influencé vos premières expériences amoureuses par un sentiment d'impuissance à conquérir l'Homme*. Avec le temps, en mûrissant, le 9 de sagesse vous a permis de rétablir les ponts avec votre Père et donc avec les autres hommes. Vous me l'avez confirmé tout à l'heure quand vous m'avez dit que vous vous êtes peu à peu rapprochée de votre Père.»

D. COMMENT INTERPRÉTER LA STRUCTURE D'UN ENFANT ADOPTÉ ?

La numérologie n'est pas encore admise comme outil de travail psychologique et elle est toujours reléguée dans l'arsenal des devins et voyants. C'est pourquoi beaucoup de sujets veulent d'abord apprécier le savoir-faire du numérologue avant d'exposer ce qui les conduit à la consultation. Si l'on n'y prend pas garde, le «coup de l'enfant adopté» peut occasionner bien des erreurs, mais aussi à l'inverse confirmer que la numérologie est bien une grille de raisonnement et de projection efficace.

Si la personne qui consulte ignore qu'elle a été adoptée, l'interprétation ne change absolument pas, puisque la numérologie décrit les attentes à l'égard des parents, naturels ou adoptifs, non en fonction de ce qu'ils sont dans les faits mais d'après les besoins de l'enfant. Qu'en est-il lorsque l'enfant «sait» ?

---

* Nous reviendrons sur ce point dans le tome suivant consacré à l'adolescence.

• Exemple n° 1 : 19 août 1949

À l'occasion d'un cours de numérologie traitant de l'enfance, j'allais commencer l'interprétation d'une étudiante lorsqu'elle me dit :

«Je suis une enfant adoptée.»

J'ai demandé à quel âge elle avait appris son adoption.

«Vers 4 ans ! m'a-t'elle répondu.»

J'ai donc orienté mon interprétation en tenant compte de cette information. La structure de base est la suivante, sans tenir compte des nombres secondaire ou tertiaire :

19	août	1949		Personnalité
Mère	Enfant	Père		profonde

19	8	5	5

	9	1 3	

Sans perdre de vue que tout être humain (et à plus forte raison un enfant) imagine et idéalise ce qui lui manque, lisons attentivement les définitions des nombres de la Mère (19) et du Père (5) dans le tableau d'**État** :

19 - L'émotion, la paix, l'harmonisation	tableau de
5 - La morale, le devoir, la philosophie	l'État

L'impression que l'enfant se fait de sa Mère naturelle est celle d'un être qui aspirait à la paix, généreuse, le cœur sur la main, aimant l'harmonie mais aussi les enfants (19). Elle devait respirer l'Amour. Quant au Père, être de moralité, il devait être un homme droit, bardé de principes, vivant ses valeurs et doué d'une grande profondeur de réflexion. Ces deux nombres symbolisent des énergies qui s'accordent très bien avec l'image de «bons parents».

L'étudiante ne peut donc pas penser une seule seconde que ses parents ne l'ont pas aimée. Elle a été adoptée, c'est vrai, non pas parce que ses parents l'ont abandonnée mais pour d'autres raisons graves qui demeurent inconnues. Elle aime ses parents sans jamais savoir qui ils sont ou ont été réellement.

Considérons le Développement féminin et masculin :

- Développement féminin : 19 + 8 = 9 hémitonique
- Développement masculin : 5 + 8 = 13 tonique

Il s'agit a priori d'énergies globalement négatives. Le 13 tranchant crée une rupture nette avec la prime enfance et le 9 conduit à la solitude. Voici posé tout le dilemme de la perception entre ce que l'on sait et ce que l'on croit savoir, la perception de la réalité et de l'illusoire. Pour mieux comprendre le déroulement, envisageons trois cas de figure :

1. Supposons qu'elle n'a pas été adoptée :

Elle a perçu sa Mère comme une femme qui avait de la difficulté à vivre en harmonie avec elle et son Père comme un homme moralisateur, sévère, à cheval sur des principes inconsistants.

2. Elle a été adoptée et l'ignore :

La structure est la même et l'impression retenue rigoureusement identique **sauf** qu'elle concerne les parents adoptifs, représentant l'autorité. Il n'y a dans sa perception aucune différence entre parents adoptifs et naturels...puisqu'ils ne sont «qu'**un**».

3. Elle a été adoptée et l'apprend très jeune :

19 et 5 représentent des énergies correspondant à une famille stable mais idéalisée. Les difficultés à se sentir femme (9) et à assurer sa masculinité (13) ne peuvent donc provenir **pour elle** que de ses relations avec ses parents adoptifs qui ont supporté les conséquences de la structure au bénéfice de parents inconnus... dont rien ne dit (ou ne dit pas) qu'ils ont été (ou non) adorables ou odieux. Confirmation m'en fut donnée par l'étudiante avec beaucoup d'émotion .

• **Exemple n° 2 : 22 juin 1969**

22	juin	1969
Mère	Enfant	Père

Personnalité profonde

   22   6   7   8

      10   13

Un survol rapide indique que le Développement féminin ou masculin est hémitonique (10) ou tonique (13). La Mère est 22 (goût de l'inconnu) et le Père 7 (indépendance). Cette personne aura beau idéaliser ses parents naturels, elle ne pourra se défaire de l'idée qu'ils ont d'abord pensé à eux.

Ce cas est d'autant plus dramatique que l'enfant 6 ne supporte pas le divorce sans déchirement*. S'il apprend très tôt qu'il a été adopté, il vivra la situation comme un divorce entre ses parents adoptifs et naturels et il adressera les mêmes reproches aux premiers qu'aux seconds.

• **Exemple n° 3 : 22 octobre 1969**

22	octobre	1969
Mère	Enfant	Père

Personnalité profonde

   22   10   7   12

      5   17

Les Développements féminin 5 et masculin 17 étant **atoniques**, le sujet *rejetterait* ses parents naturels (22 et 7) et jugerait *positivement* ses parents adoptifs.

Je vous laisse le soin de vous exercer à d'autres exemples. Mais retenons que le point important réside dans le fait que l'enfant a appris ou non très tôt (globalement avant sept ans) qu'il a été adopté.

---

*   Voir chapitre III, page 188.

- si oui, il se crée une dichotomie entre ses parents naturels et adoptifs.

- sinon, la distinction n'a pas lieu et le Développement suit son cours. Plus l'enfant est âgé, plus la perception des parents naturels et des parents adoptifs aura tendance à se confondre progressivement.

E. QUELLE EST LA SIGNIFICATION D'UNE DATE SYMÉTRIQUE ?

• **Exemple : 5 décembre 1985**

5	décembre	1985	Personnalité
Mère	Enfant	Père	profonde

5	1 2	5	1 2
	1 7	1 7	

Nous n'avons pas abordé ce type de structure dans le premier tome parce que son analyse prend tout son sens ici dès lors que l'on se rappelle le rôle respectif :

• du Père : aider l'enfant à embrasser le monde extérieur, soit le voir et le concret.

• de la Mère : aider l'enfant à découvrir sa sensibilité, soit le ressenti et l'imaginaire.

Nous savons que le Mois correspond symboliquement au «Moi» d'un enfant, donc à l'intellect, le jour correspondant au cerveau droit sensitif et l'année au cerveau gauche rationnel.

Puisque la Mère fait découvrir la féminité et le Père la masculinité, l'enfant porteur d'une structure symétrique est incapable, à la puberté, de distinguer entre ses pulsions féminines et ses pulsions masculines. Il est certes conscient de sa transformation physique, mais non de sa mutation psychologique. Il est en quelque sorte androgyne par non-différenciation et ne peut séparer le «voir» du «ressenti».

La conscience objective du sujet est aussi victime de la confusion de l'imaginaire et du concret. Il s'agit généralement d'un très mauvais témoin qui ne sait si la scène à laquelle il a assisté est vraie ou le produit de son imagination. Ce comportement, courant chez tous ceux qui assistent à un événement, est plus fréquent et important chez les porteurs d'une «date symétrique».

L'isolement préalable à une décision importante est donc incompatible avec la réflexion et le discernement. Un sujet de structure symétrique a **toujours** besoin d'une aide extérieure pour voir clair en lui, ce qui n'implique pas forcément la communication directe avec l'entourage. Le contact avec la foule, dans un café ou simplement dans la rue, suffit à corriger cette «dyslexie» psychologique.

La vie en communauté (familiale ou autre) atténue la difficulté pendant l'enfance. Mais la solitude intérieure propre à l'adolescence peut conduire à cette dislocation des perceptions. Tout rentre dans l'ordre dès que la personne a trouvé un conjoint. Nous reviendrons sur ce type de structure dans un prochain volume consacré à la vie de couple.

Il va de soi que la structure symétrique doit être analysée en fonction des définitions des nombres en présence qui peuvent amplifier ou atténuer le phénomène.

F. COMMENT INTERPRÉTER UNE DATE DE NAISSANCE DONT LE JOUR OU L'ANNÉE PORTE UN NOMBRE IDENTIQUE À CELUI DU MOIS ?

• **Exemple : 3 mars 1985**

3	mars	1985		Personnalité
Mère	Enfant	Père		profonde

3	3	5	11

6	8

413

Nous savons* que la répétition *horizontale* d'un nombre sur les niveaux primaire, secondaire ou tertiaire amplifie la puissance de l'énergie et se traduit par un superlatif comme «super» ou «extra». Ici 3 - 3 = super-intelligent ! Il s'agit d'un excès qui provoque un déséquilibre cristallisé :

- dans le **Développement féminin** en cas de répétition du même nombre dans le **jour** et le **mois**.

- dans le **Développement masculin** en cas de répétition du même nombre dans le **mois** et **l'année**.

Deux énergies identiques entrent **toujours en conflit.** **La somme** de leur valeur doit *toujours* être analysée de façon **tonique.**

Ainsi 3 à côté de 3 n'est pas problématique, mais 3 + 3 = 6 assurément ! Dans notre exemple, le Développement féminin 6 est **tonique** et la perception de la Mère est *obligatoirement* négative. Cette perception est évidemment accentuée ou atténuée en fonction de la définition des nombres en présence. D'où une loi générale :

- **JOUR = MOIS** —> conflit avec la Mère et Développement féminin (sensibilité) particulièrement difficile chez la femme à la puberté. Chez l'homme, la difficulté à accepter sa sensibilité sera compensée par le partenaire féminin.

- **ANNÉE = MOIS** —> conflit avec le Père et Développement masculin (affirmation dans l'environnement) particulièrement difficile chez l'homme à la puberté. Chez la femme, la difficulté à accepter son aspect dynamique sera compensée par le partenaire masculin.

- **JOUR = ANNÉE = MOIS** —> combinaison très problématique et source d'énormes tensions : conflits avec les deux parents, Développements féminin et masculin négatifs. S'y ajoute la «structure symétrique» (paragraphe **E** ci-dessus).

---

* Tome I, p. 174.

Attention! Pas de jugements de valeur ! La numérologie met en place les éléments de la structure psychologique d'une personne. Mais une structure tonique ou conflictuelle n'implique pas qu'il faille fuir, marginaliser, voire exclure un tel sujet. **La structure du Moi n'est pas la structure du JE,** unique et vraie personnalité de l'être humain. Une structure déséquilibrée n'est pas synonyme de criminel ou de malade et ne supprime pas la noblesse du cœur. Elle signe des difficultés à vivre avec soi-même sans altérer sa richesse profonde. On sait à quel point les personnalités dites «déséquilibrées» sont souvent les plus créatrices.

Illustrons avec l'exemple du 3 mars 1985 comment survient ce déséquilibre et le conflit avec la Mère.

Sens :

L'enfant 3 attend 3 de sa Mère, autrement dit, *ce qu'il est déjà*. En clair : «Comment comprendre (3) ma compréhension (3) ? Comment être intelligent (3) avec intelligence (3).» D'où une frustration et l'impression que sa Mère ne comprend pas ses besoins en dépit du fait que chacun peut avoir avec l'autre des conversations très intéressantes. Pour lui, sa Mère l'écrase de sa science au lieu de l'aider à s'épanouir. Elle veut, par exemple, lui montrer comment ranger sa chambre. Il répond : «J'ai compris !» Voilà qu'elle lui fait observer que sa chambre est mal rangée; il perçoit la remarque comme une répétition. Le prend-elle pour un imbécile ? «J'ai rangé ma chambre comme elle me l'a dit, puis elle affirme que je n'ai rien compris... Je recommence! Elle rebondit pour me demander si j'ai bien compris... je ne suis ni sourd ni idiot ! C'est dévalorisant à la longue !»

G. LORSQUE LE NOMBRE DU JOUR EST SUPÉRIEUR À 22, LE MOIS SUIVANT, AVONS-NOUS APPRIS*, INFLUENCE LE MOIS ACTUEL. QU'EN EST-IL POUR UN ENFANT ?

Je rappelle que les jours suivant le 22 de chaque mois expriment le «déclin du mois et la naissance de l'autre». En effet, la différence entre le 31 janvier (1) et le 1er février (2) ne tient

---

* Tome I, p. 367.

pas dans le simple fait que le mois 1 passe *brutalement* au mois 2.

On pourrait représenter par une sinusoïde comment le mois suivant commence à influencer le mois actuel. En fait, les jours de 22 à la fin du mois constituent une période anténatale à l'accouchement du mois suivant. À partir de la journée 23, le mois suivant exerce une influence qui culmine à son 1er jour «officiel».

Exemples :

25 janvier : le mois de février influence de **1/3** le mois de janvier.

28 janvier : le mois de février influence de **2/3** le mois de janvier.

27 janvier : le mois de février influence de **1/2** le mois de janvier.

31 janvier : le mois de février influence de **3/3** le mois de janvier.

Il suffirait d'indiquer dans la structure à côté du mois : 1(21/3), 1(22/3), 1(21/2) ou 1(23/3), puis de jouer subtilement avec cette indication au moment de l'interprétation.

Le fait de disposer de deux nombres de base au lieu d'un ne change pas la technique d'interprétation. Il faut jouer avec les nuances en veillant à ce qu'à partir du 22, le MOIS (MOI) évolue d'une façon de plus en plus prononcée de la manière suivante :

• **janvier :** Le principe du savoir autodidacte et du potentiel **1** appréhende la perception d'une source réceptive progressivement intériorisée et intuitive, révélant un monde complètement secret **2**.

• **février :** Le principe **2** du secret, de l'intuitif et du réceptif s'illumine jusqu'à se concevoir de plus en plus en esprit grâce à l'intellect et à l'abstraction à l'origine de la prise de conscience du monde à partir de soi **3**.

416

• mars :   Le principe **3** de l'intelligence s'oriente peu à peu vers le pragmatisme pour matérialiser sa pensée et l'établir sur des fondements solides et concrets **4**.

• avril :   Le principe matériel **4** s'élève vers la source réceptive de février pour en découvrir les lois érigées en valeurs morales et en principes **5** afin de contrôler et transcender la matière.

• mai :   Le principe de la morale **5**, en imposant ses lois spirituelles à la matière, soulève peu à peu le mystère de la dualité **6** du bien et du mal et entraîne l'interrogation «Qui est qui ?». Faute de réponse précise en dehors de la foi dogmatique, les tensions surgissent ainsi que le besoin de les extérioriser **6**.

• juin :   Le principe de l'interrogation **6** découvre la diversité de toutes choses. L'enthousiasme esthétique provoque l'éblouissement puis la perte de conscience, l'éparpillement, l'inconsistance et donc le besoin d'un contrôle de plus en plus constant de soi pour unifier par l'extérieur les forces contraires intérieures déclenchées par **5**. Il s'ensuit une responsabilisation de plus en plus grande de ses faits et gestes **7**.

• juillet :   Le principe de la maîtrise et de l'autonomie **7** exige une plus grande implication dans la vie quotidienne et le contrôle des règles qui régissent l'existence. Pour ne plus reproduire les erreurs du **6**, un profond détachement et une indépendance croissante évacuent les émotions par souci d'objectivité **8**.

• août :   Le principe de la logique **8** approfondit dans le détail les lois des structures élémentaires et l'observation sans cesse plus intériorisée entre en résonance avec l'irrationnel absolu, l'âme et sa puissance passive **9**.

- **septembre** : Le principe de la solitude et de la philosophie **9** aspire à féconder la fleur qui s'épanouit dans le Saint-Graal de l'être. Son parfum embaume l'univers et la joie de vivre récompense l'instant qui passe car le désir de grandir recherche les occasions d'être fertilisé par le monde. Chaque moment est une expérience pour qui connaît l'aventure **10** de la la vie spirituelle.

- **octobre** : Le principe du mouvement perpétuel et de l'aventure sans lendemain **10** incite à mieux contrôler les énergies fécondantes intérieures et extérieures. La maîtrise grandissante de l'insécurité et de l'incertitude de l'existence assure une plus grande sûreté **11** de soi.

- **novembre** : Le principe de la confiance **11** où le doute n'a plus sa place, de l'unification des énergies fécondantes dans la matrice de l'être, transporte l'esprit sur des hauteurs plus subtiles où, transcendé et sublimé, il révèle le bonheur de la réalisation à travers les autres... avec les autres... et pour les autres **12**.

- **décembre** : Le principe du dévouement et de l'oubli **12** est la rédemption qui révèle petit à petit l'Unité qui participe au tout, qui peut tout créer... comme l'autodidacte. Ainsi tournent ans et siècles, planètes et systèmes, galaxies et cosmos, l'univers dans l'éternité du serpent qui se mord la queue, avec pour seul point de référence axial l'Unité dualiste **1**.

H. COMMENT DÉTERMINER LES ÉVÉNEMENTS VÉCUS PAR UN ENFANT ?

Avant de chercher à connaître ce que vit une personne, il faut d'abord comprendre les forces qui la poussent à grandir. Ce n'est pas l'objet de ce livre. Nous y reviendrons dans un autre tome consacré aux cycles de la vie et à la connaissance des lignes directrices orientant les événements.

I. L'ENFANT NE CONNAÎT PAS SES PARENTS. COMMENT INTERPRÉTER LES MOTS «MÈRE» = JOUR ET «PÈRE» = ANNÉE ?

La date de naissance décrit une structure psychologique *symbolique* qui peut permettre d'appréhender un *cas concret* dès lors que l'on connaît les bases du *vécu* d'une personne. Sinon, on ne peut que supposer. Car si le vécu est bien inscrit dans les nombres, les nombres ne sont que des probabilités. Cette vision probabiliste ou «stochastique» doit définitivement tordre le cou à toute idée de prédestination.

Par exemple, le nombre du Père est 15. Pour le sujet, son Père est artiste (passion), brutal (violent), égoïste (instincts). Mais si le Père est mort alors que l'enfant était en bas âge, cette disparition pourra être ressentie comme la conséquence d'une violence fataliste 15. L'habillement des circonstances varie à l'infini mais le 15 demeure une constante qui décrit symboliquement comment l'enfant puise dans l'image déformée de la réalité ce dont il a besoin pour se grandir à lui, à l'instar d'un fœtus qui s'alimente au métabolisme maternel alors que la Mère ne se nourrit pas en retour de sa maternité. Si on pouvait interroger le fœtus, il répondrait que sa Mère a été une bonne Mère puisqu'elle lui a donné ce qu'il attendait. La Mère ne peut en dire autant du fœtus.

Que l'enfant ait ou non connu ses parents, et quels que soient l'éducation reçue et le milieu dans lequel il a grandi, la théorie numérologique n'en énonce pas moins un axiome incontestable :

- le jour **symbolise** sa Mère
- l'année **symbolise** son Père.

Le verbe «symboliser» n'a pas été choisi au hasard. Il recouvre TOUT CE QUI PEUT REPRÉSENTER LA MÈRE OU LE PÈRE.

La Mère symbolise la tendresse, la sécurité, la confidence, la sensibilité, l'intérieur, l'irrationnel, la spiritualité, l'intuition.

Le Père symbolise l'action, le protecteur, l'autorité, l'extérieur, l'environnement, la société, le concret.

«Mère» ne signifie pas nécessairement femme mais tendresse. «Père» ne signifie pas toujours homme mais autorité. Le signifié doit être adapté aux circonstances effectivement vécues par la personne qui consulte.

Ainsi, un enfant en internat peut transposer ses attentes paternelles sur l'éducateur qui représente le pouvoir, et ses attentes maternelles sur un autre éducateur plus confidentiel ou même un jardinier ou un employé qui accepte le transfert et lui prodigue la tendresse qu'il sollicite.

Dans une famille nombreuse, la sœur aînée peut remplacer un Père absent. Elle devra supporter le poids des attentes de ses frères et sœurs, de leur jugement, voire de leur rejet et cristalliser leur Développement masculin.

Le transfert infantile de la représentation de l'autorité et des attentes paternelles sur l'institutrice est bien connu des enseignants même si le Père est toujours présent. Le transfert peut aussi avoir lieu sur la Mère si elle cumule les deux attitudes. Si le schéma d'autorité se met en place sans la contrepartie de la sensibilité et si l'enfant ne trouve pas dans une tierce personne la protection sécurisante de la Mère, il se comportera en enfant monoparental qui idéalise le parent manquant ou le rejette sans complètement l'exorciser... parce qu'il ne peut confronter son rêve ou son cauchemar parental avec SA réalité. Cette fixation l'amènera à rechercher symboliquement quelqu'un qui matérialise son absence afin de se confronter à lui et qui l'acceptera comme fils/fille, soit pour mieux être aimé, soit pour être «assassiné».

Rarement, l'enfant transpose les rôles, prend sa Mère pour son Père et inversement. Une Mère n'est pas toujours... «Mère» et éprouve parfois peu d'attachement pour son enfant. Certes, elle l'aime mais comme un bien naturel et préfère s'assumer dans un travail extérieur. Le Père pallie alors la carence et materne l'enfant dès le premier jour au point que l'enfant l'assimile à sa Mère.

Tous les cas de figures étant possibles, c'est au numérologue de transposer la symbolique Mère-Père sur celui qui la/le personnalise avec beaucoup de perspicacité en se basant sur les éléments du vécu qu'il connaît. En dehors des images de transfert*, rien n'empêchera un enfant sans parents de les imaginer comme il aimerait qu'ils soient et de s'appuyer sur cette visualisation pour grandir à lui tant bien que mal vers le monde des adultes.

* *

*

---

* Voir paragraphe C, page 403.

CHAPITRE VII

AIDE-MÉMOIRE

MASQUE	Développement de la féminité		Développement de la masculinité	
	A1 – B1 =	J1	B1 – C1 =	K1
	A2 – B2 =	J2	B2 – C2 =	K2
	A3 – B3 =	J3	B3 – C3 =	K3

INNÉ	JOUR Mère	MOIS Enfant	ANNÉE Père	Personnalité profonde	
	A1	B1	C1	A1 + B1 + C1 =	D1
	A2	B2	C2	A2 + B2 + C2 =	D2
	A3	B3	C3	A3 + B3 + C3 =	D3

MIROIR	Développement de la féminité		Développement de la masculinité	
	A1 + B1 =	E1	B1 + C1 =	F1
	A2 + B2 =	E2	B2 + C2 =	F2
	A3 + B3 =	E3	B3 + C3 =	F3

L'aide-mémoire résume les éléments essentiels à connaître sur l'enfance et les attentes parentales.

A. GÉNÉRALITÉS

1. LES PARAMÈTRES :

a) La Mère

Le mot «Mère» englobe la Mère naturelle, celle qui la remplace (belle-mère ou mère adoptive) et d'une manière générale **l'intimité ou la spiritualité**.

b) Le Père

Le mot «Père» englobe le père naturel, celui qui le remplace (beau-père ou père adoptif) et d'une manière générale **l'autorité**.

c) L'enfant

Le mot «enfant» concerne sa structure mentale, c'est-à-dire les caractéristiques psychologiques sur lesquelles se développe ou se greffe ce qui constitue l'originalité d'une personne. C'est le **MOI** de l'individu.

d) La Personnalité profonde

Nature réelle d'un être, son identité intérieure et son essence. Elle définit le «SOI», c'est-à-dire la notion d'être soi et pas un autre. On peut aussi la désigner par les termes **Moi pro-**

fond ou Soi profond. C'est le paramètre le plus important de la structure d'une date de naissance. C'est un **modulateur** qui nuance et oriente toute l'enfance.

e) Le jour

Symbole des attentes dirigées vers la Mère et de la sensibilité-passivité qui oriente le Développement de la féminité.

f) Le mois

Symbole des fondements caractériels du **Moi** d'un enfant. Le mois est la pierre angulaire de l'inné d'un individu. C'est une pellicule sensible vierge qui se révèle par la chimie des parents **quels qu'ils soient**. L'enfant est en attente de ces tuteurs pour se comprendre lui-même.

g) L'année

Symbole des attentes dirigées vers le Père et de la rationalité-activité qui oriente le Développement de la masculinité.

h) La féminité

Identifie les caractéristiques dites féminines : réceptivité, délicatesse, profondeur, passivité, douceur, intériorisation, intuition.

i) La masculinité

Identifie les caractéristiques dites masculines : dynamisme, action, brutalité, effort spontané, activité, extériorisation, déduction.

j) Le Miroir

Partie la plus importante de la structure d'une date de naissance. Il réfléchit l'image d'un individu dans ses aspects physique, social, psychologique et psychique. Il n'est pas plus positif que négatif.

k) Le Masque

Structure de réactions, de défense ou de protection devant une situation qui dérange ou qui sort de l'ordinaire. Le **Masque** est *l'exutoire* qui permet de souffler, de «craquer», ou même de fuir, afin de se retrouver et de continuer à évoluer. Il n'est pas plus positif que négatif mais nécessaire.

2. TECHNIQUE DE CALCUL

Les nombres du niveau primaire (A1 - B1 - C1) sont plus importants que ceux des niveaux secondaire ou tertiaire (A2 - B2 - C2 ou A3 - B3 - C3), simples nuances modulant les nombres principaux.

- Calcul du Miroir par addition
- Calcul du Masque par soustraction

Le résultat d'une soustraction égal à 0 équivaut au nombre 22.

3. Les règles de base de l'interprétation

- Dans une interprétation ordinaire, ne pas tenir compte du «chapeautage» de la Personnalité profonde.

- Préciser les nuances apportées par les nombres secondaire et tertiaire par des termes évoquant une tendance ou une orientation des définitions principales : *cherche à, tend vers, essaie de, tente de, aspire à...*

- L'interprétation se déroule selon trois aspects:
  - le principe général de l'énergie du nombre;
  - l'aspect + ou expression normale de l'énergie ;
  - l'aspect − ou expression exagérée de l'énergie ;

- Les signes + et − du tableau simplifié décrivent deux situations opposées :
  - + quand tout va bien
  - − quand tout va mal

- La répétition verticale d'un nombre sur les niveaux primaire, secondaire ou tertiaire n'a aucune conséquence sur l'énergie du nombre.

- L'aspect − est l'exagération de l'aspect +.

- Analyser conjointement, nombre à nombre de même niveau, d'abord les principes, puis les aspects +, enfin les aspects –.

- L'interprétation de l'interaction du nombre **B** (mois-enfant) avec le nombre **A** (jour-Mère) ou **C** (année-Père) consiste à prendre un mot quelconque de la signification simplifiée du nombre **A** ou **C** et de **l'orienter** vers un mot quelconque de la signification du nombre **B**. Viser l'efficacité avec les associations les plus évidentes.

- Le «chapeautage» consiste à coiffer les définitions initiales par des modulateurs préétablis afin de personnaliser l'interprétation en fonction du sujet: le modulateur de l'enfance, de la puberté et de l'adolescence est la «Personnalité profonde».

B. MÉTHODE D'INTERPRÉTATION DU MIROIR

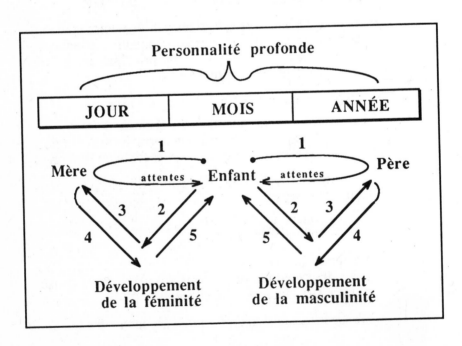

1. Les attentes de l'enfant **à la découverte** de son **être potentiel.**

2. Les tensions (ou absence de tensions) induites par ses attentes et qui le pousseront à s'assumer **au cours de son évolution.**

3. La perception **effective** et **personnelle** qu'il a de la **responsabilisation** de ses parents.

4. Le message qu'il **retiendra** de ses parents pour **accepter** sa féminité/sensibilité et sa masculinité/dynamisme et les répercussions sur son comportement.

5. Comment il **jugera** ses **interventions** à l'égard de ses parents durant l'enfance et l'impression qu'il en gardera à l'âge adulte.

Distinguons les paramètres de la structure de la date de naissance par A, B, C, D, E, F.

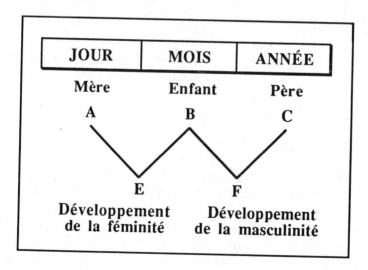

1° Analyser dans l'ordre :

a) les attentes maternelles (nombre **A** du jour)
(tableau de l'**Action II**)
en fonction de l'enfant (nombre **B** du mois)
(tableau d'**État I**)

b) les attentes paternelles (nombre **C** de l'année)
(tableau de l'**Action II**)
en fonction de l'enfant (nombre **B** du mois)
(tableau d'**État I**)

2° Calculer les nombres résultant de l'*addition* :

- du jour (nombre **A**) + mois (nombre **B**) —>
Développement de la **féminité** (nombre **E**).

- du mois (nombre **B**) + l'année (nombre **C**) —>
Développement de la **masculinité** (nombre **F**).

3° Se référer au tableau des **gradients de polarité**

Le plus		17		7			Le moins
	21		11		4		
atonique		19		5			atonique
Le plus			22	15			Le moins
	16	12					
tonique			13	18			tonique

Hémi-	20 positif	1 - 2 - 3 - 6 - 10 - 14
tonique	9 négatif	
	8	

4° Déterminer le niveau de tension (ou tonicité) des nombres **E** et **F** au moyen du tableau ci-dessus.

5° Revenir à la Mère (nombre **A**) et au Père (nombre **C**) et, à partir des données recueillies au point **4°**, **analyser** en fonction du tableau d'**État (I)** comment l'enfant a **cru percevoir** ses parents.

Interpréter les caractéristiques de ces nombres comme des traits de caractère dominants du Père et de la Mère **vus par l'enfant..**

Voici le code correspondant aux tableaux suivants :

---

* **a** : atonique   Degré de tension des nombres **E** ou **F**
1/2 : hémitonique —> selon le tableau des gradients de
  t : tonique   polarité (point 3°)

* **Dév. fém.: E**   —> Développement féminin **E**
 Dév. mas.: F   —> Développement masculin **F**

* **T** : tableaux   —> **I** d'**État**
                —> **II** de l'**Action**

* **Inter.** : Interprétation

Dév. fém.: E	Dév. mas.: F	L'Enfant B...	Inter. Mère A ou Père C	T
a		... a su prendre chez sa Mère A ce qu'il attendait pour accepter sa **sensibilité**.	A : Principe aspect +	I
	a	... a su prendre chez son Père C ce qu'il attendait pour apprendre à se **dynamiser**.	C : Principe aspect +	I
1/2		... a su prendre en partie chez sa Mère A ce qu'il attendait pour accepter sa **sensibilité**.	A : Principe aspect + aspect –	I
	1/2	... a su prendre en partie chez son Père C ce qu'il attendait pour apprendre à se **dynamiser**.	C : Principe aspect + aspect –	I
t		... n' a pas su prendre chez sa Mère A ce qu'il attendait pour accepter sa **sensibilité**.	A : Principe aspect –	I
	t	... n'a pas su prendre chez son Père C ce qu'il attendait pour apprendre à se **dynamiser**.	C : Principe aspect –	I
nombre 8		... a su **canaliser** ce qu'il attendait chez sa Mère A pour accepter sa **sensibilité**.	A : Principe aspect + aspect –	I
	nombre 8	... a su **canaliser** ce qu'il attendait chez son Père C pour apprendre à se **dynamiser**.	C : Principe aspect + aspect –	I

6° Toujours avec l'information du point 4°, **revenir** au niveau de l'enfant (nombre **B**) et **exprimer ses tendances** réactionnelles envers ses parents.

Tirer les conclusions à l'aide du tableau de l'**Action II**.

Dév. fém.: E	Dév. mas.: F	L'Enfant B a l'impression...	Inter. Attitude B de l'Enfant	T
a		... avec sa Mère A, d'avoir eu une **bonne** attitude.	B : Principe aspect +	II
	a	... avec son Père C, d'avoir eu une **bonne** attitude.	B : Principe aspect +	II
1 / 2		... avec sa Mère A, d'avoir eu une attitude **mitigée**.	B : Principe aspect + aspect −	II
	1 / 2	... avec son Père C, d'avoir eu une attitude **mitigée**.	B : Principe aspect + aspect −	II
t		... avec sa Mère A, d'avoir eu une attitude **difficile**.	B : Principe aspect −	II
	t	... avec son Père C, d'avoir eu une attitude **difficile**.	B : Principe aspect −	II
nombre 8		... avec sa Mère A, d'avoir eu une attitude **cohérente**.	B : Principe aspect + aspect −	II
	nombre 8	... avec son Père C, d'avoir eu une attitude **cohérente**.	B : Principe aspect + aspect −	II

7° **Revenir** au niveau des nombres **E** et **F** identifiant le Développement de la **féminité** et de la **masculinité** et **tirer les conclusions** suivantes à l'aide du tableau de l'**Action II** :

> a) Les nombres **E** (Développement de la **féminité**) expriment ce que l'enfant, parvenu à l'adolescence, a retenu comme message de sa Mère, *en fonction de ses attentes,* pour **accepter sa sensibilité**.

> **b)** Les nombres **F** (Développement de la **masculinité**) exprime ce que l'enfant, parvenu à l'adolescence, a retenu comme message de son Père, *en fonction de ses attentes,* pour se **dynamiser** .

8° Toujours avec les nombres **E** et **F** identifiant le Développement de la **féminité** et de la **masculinité,** et en rapport avec des **attentes de l'enfant** du point 1°, **tirer une conclusion** pour comprendre ses **réactions** vis-à-vis de ses parents et comment il va chercher à **affirmer** sa sensibilité et sa détermination dans son existence.

C. LES PHRASES CLEFS DE L'INTERPRÉTATION DU MIROIR

1. **Les attentes parentales :** (T : tableaux pages 201 et 205)

Enfant B (mois) —— attend ——→ Mère A (jour) en fonction de ce qu'il est ← C				
B	**T**	**Phrases clefs**	**A**	**T**
Principe	I	Pour prendre conscience de sa **sensibilité,** l'enfant attend que sa **Mère** l'aide à...	Principe	II
aspect +	I	De façon plus nuancée, l'enfant veut comprendre...	aspect +	II
aspect −	I	Dans les périodes difficiles, l'enfant aimerait savoir...	aspect −	II

Enfant B (mois) —— attend ——→ Père C (année) en fonction de ce qu'il est ←				
B	**T**	**Phrases clefs**	**C**	**T**
Principe	I	Pour apprendre à évoluer avec **dynamisme,** l'enfant attend que son **Père** l'aide à...	Principe	II
aspect +	I	De façon plus nuancée, l'enfant espère comprendre...	aspect +	II
aspect −	I	Dans les périodes difficiles, l'enfant aimerait savoir...	aspect −	II

2. **Les attentes parentales** ont-elles permis à l'enfant de **se prendre en charge** avec **sensibilité** et **dynamisme** ?

Dév. féminin E	Mère ——> A Enfant B <—— Père C		Dév. masculin F
	Phrases clefs		
a	Les attentes de l'enfant B vis-à-vis de sa Mère A et de son Père C ont été comblées.		a
1/2	Les attentes de l'enfant B vis-à-vis de sa Mère A et de son Père C ont été comblées en partie.		1/2
t	Les attentes de l'enfant B vis-à-vis de sa Mère A et de son Père C n'ont pas été comblées du tout.		t
a	Les attentes de l'enfant B vis-à-vis de sa Mère A ont été comblées mais pas du côté de son Père C.		t
t	Les attentes de l'enfant B vis-à-vis de sa Mère A n'ont pas été comblées contrairement à celles vis-à-vis de son Père C.		a
1/2	Les attentes de l'enfant B vis-à-vis de sa Mère A ont été comblées en partie et celles vis-à-vis de son Père C complètement.		a
a	Les attentes de l'enfant B vis-à-vis de sa Mère A ont été comblées mais celles vis-à-vis de son Père C l'on été en partie.		1/2
1/2	Les attentes de l'enfant B vis-à-vis de sa Mère A ont été comblées en partie mais pas du tout celles vis-à-vis de son Père C.		t
t	Les attentes de l'enfant B vis-à-vis de sa Mère A n'ont pas été comblées et celles vis-à-vis de son Père C l'ont été en partie.		1/2

3. Comment la personne qui consulte a-t'elle perçu sa
Mère ou son Père durant son enfance ?

Nombre E ou F	Interp. Mère A ou Père C	T	La personne a perçu sa Mère A ou son Père C comme quelqu'un qui...
a	Principe	I	... présentait les caractéristiques (ou **était**)...
	aspect +		Mais qui était **aussi**...
t	Principe	I	... voulait montrer (ou **prouver**)...
	aspect −		Mais qui était **aussi**...
1 / 2	Principe	I	... présentait les caractéristiques (ou **était**)...
	aspect +		Quand tout allait bien dans la vie, il s'agissait d'une personne qui **avait** (ou **était**)...
	aspect −		Mais quand tout n'allait pas dans le sens voulu, il/elle **paraissait** (ou **passait pour**)...
9 (jeune)	Principe	I	... présentait les caractéristiques (ou **était**)...
	aspect −		Mais actuellement, il garde l'image de quelqu'un qui **paraissait**...
(jusqu'à 30 ans)	aspect +		Plus tard, il **aura** l'image d'une personne qui **était**...
9 (mature)	Principe	I	... présentait les caractéristiques (ou **était**)...
	aspect +		Aujourd'hui que le temps a passé, il garde en mémoire l'image de quelqu'un qui **était**...
(après 30 ans)	aspect −		Alors qu'autrefois, l'image dominante était celle d'une personne qui **paraissait**...
2 0	Principe	I	... présentait les caractéristiques (ou **était**)...
	aspect +		Aujourd'hui, il garde en mémoire l'image d'une personne qui **détenait**, (ou **avait**)...
	aspect −		Mais il est conscient qu'il/elle pouvait **paraître**...
8	Principe	I	... présentait les caractéristiques (ou **était**)...
	aspect +		Quand tout allait bien, il garde en mémoire l'image d'une personne qui **cherchait à se montrer**...
	aspect −		Mais quand tout n'allait pas dans le sens voulu, il est conscient qu'il/elle **pouvait aussi se montrer**...

4. Comment la personne qui consulte perçoit-elle sa propre attitude à l'égard de sa Mère ou de son Père pendant son enfance ?

Nombre E ou F	Interp. du nombre B	T	La personne garde de son attitude envers sa Mère A et son Père C l'image d'un enfant qui...
a	Principe	II	... pouvait facilement être...
	aspect +		Mais qui était aussi...
t	Principe	II	... ne parvenait pas à être...
	aspect −		... et qui se devait d'avoir une attitude...
1 / 2	Principe	II	... éprouvait parfois une certaine difficulté à être...
	aspect +		Quand tout allait bien, il avait (ou était)...
	aspect −		Mais quand tout n'allait pas dans le sens voulu, il se devait d'être...
9 (jeune)	Principe	II	... éprouvait souvent une certaine difficulté à être...
(jusqu'à 30 ans)	aspect −		Mais actuellement, il se souvient qu'il se devait d'être...
	aspect +		Plus tard, il conviendra qu'il aurait dû être aussi...
9 (mature)	Principe	II	... éprouvait souvent une certaine difficulté à être...
(après 30 ans)	aspect +		Aujourd'hui que le temps a passé, il se souvient qu'il essayait d'être (ou avait)...
	aspect −		Alors que durant son enfance, il croyait devoir adopter une attitude...
2 0	Principe	II	... qui trouvait plaisant d'être...
	aspect +		Quand tout allait bien, il se souvient qu'il aimait adopter une attitude...
	aspect −		Mais quand tout n'allait pas dans le sens voulu, il avait tendance à se protéger derrière une attitude...
8	Principe	II	... qui savait être cohérent...
	aspect +		Quand tout allait bien, il se souvient qu'il savait se montrer...
	aspect −		Mais quand tout n'allait pas dans le sens voulu, il est conscient qu'il savait aussi se montrer...

D. MÉTHODE D'INTERPRÉTATION DU MASQUE

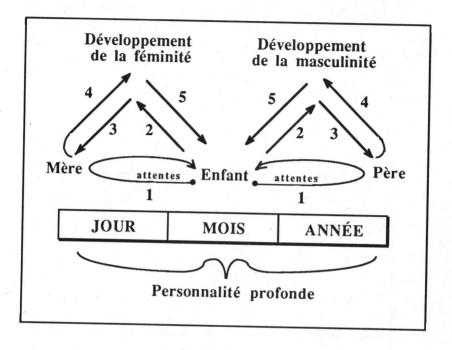

1. Les attentes de l'enfant **à la découverte** de son **être potentiel.**

2. Les tensions (ou absence de tensions) induites par ces attentes et qui le pousseront à **oublier momentanément ses problèmes présents.**

3. La perception **effective** et **personnelle** qu'il a du **comportement de ses parents face aux difficultés présentes.**

4. Le message qu'il **retiendra** de ses parents pour **éviter** les difficultés, en fonction de sa féminité/sensibilité et sa masculinité/dynamisme, et les répercussions sur son comportement.

> 5. Ses **tendances réactionnelles** envers ses parents **pour se protéger ou se défendre** et l'impression qu'il en gardera dans sa vie d'adulte.

Distinguons les paramètres de la structure de la date de naissance par A, B, C, D, J, K.

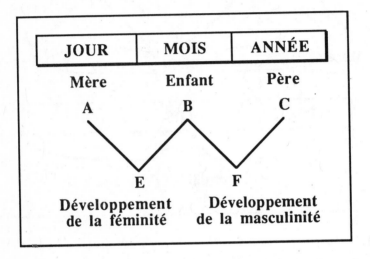

1° Analyser dans l'ordre

a) les attentes maternelles (nombre **A** du jour)
(tableau de l'**Action II**)
en fonction de l'enfant (nombre **B** du mois)
(tableau d'**État I**)

b) les attentes paternelles (nombre **C** de l'année)
(tableau de l'**Action II**)
en fonction de l'enfant (nombre **B** du mois)
(tableau d'**État I**)

2° Calculer les nombres résultant de la *soustraction* :

• du jour (nombre **A**) – mois (nombre **B**) —>
Développement de la **féminité** (nombre **J**).

- du mois (nombre **B**) – l'année (nombre **C**) —>
Développement de la **masculinité** (nombre **K**).

3° Se référer au tableau des **gradients de polarité**

Le plus atonique	21	17 19	11	7 5	4		Le moins atonique
Le plus tonique	16	12	22 13	15 18			Le moins tonique

Hémi-tonique	20 positif	1 - 2 - 3 - 6 - 10 - 14
	9 négatif	
	8	

4° Déterminer le niveau de tension (ou tonicité) des nombres **J** et **K** au moyen du tableau ci-dessus.

5° Revenir à la Mère (nombre **A**) et au Père (nombre **C**) et, à partir des données recueillies au point 4°, **analyser** en fonction du tableau d'**État** (**I**) comment l'enfant a **cru percevoir** ses parents *dans leurs moments difficiles.*

Interpréter les caractéristiques de ces nombres comme des traits de caractère dominants du Père et de la Mère **vus par l'enfant**...

Voici le code correspondant aux tableaux suivants :

* **a** : atonique
  1/2 : hémitonique
    t : tonique
	Degré de tension des nombres **J** ou **K**
	—> selon le tableau des gradients de
	polarité (point 3°)

* **Dév. fém.: J** **Dév. mas.: K**	—> Développement féminin **J** —> Développement masculin **K**
* **T** : tableaux	—> **I** d'**État** —> **II** de l'**Action**
* **Inter.** : Interprétation	

Dév. fém.: J	Dév. mas.: K	L'Enfant B...	Inter. Mère A ou Père C	T
a		... a su prendre chez sa Mère A ce qu'il attendait pour se protéger ou se défouler avec **sensibilité**.	A : Principe aspect +	I
	a	... a su prendre chez son Père C ce qu'il attendait pour se protéger ou se défouler avec **dynamisme**.	C : Principe aspect +	I
1 / 2		... a su prendre en partie chez sa Mère A ce qu'il attendait pour se protéger ou se défouler avec **sensibilité**.	A : Principe aspect + aspect −	I
	1 / 2	... a su prendre en partie chez son Père C ce qu'il attendait pour se protéger ou se défouler avec **dynamisme**.	C : Principe aspect + aspect −	I
t		... n' a pas su prendre chez sa Mère A ce qu'il attendait pour se protéger ou se défouler avec **sensibilité**.	A : Principe aspect −	I
	t	... n'a pas su prendre chez son Père C ce qu'il attendait pour se protéger ou se défouler avec **dynamisme**.	C : Principe aspect −	I
nombre 8		... a su **canaliser** ce qu'il attendait de sa Mère A pour se protéger ou se défouler avec **sensibilité**.	A : Principe aspect + aspect −	I
	nombre 8	... a su **canaliser** ce qu'il attendait de son Père C pour se protéger ou se défouler avec **dynamise**.	C : Principe aspect + aspect −	I

6° Toujours avec l'information du point 4°, **revenir** au niveau de l'enfant (nombre **B**) et **exprimer** ses tendances réactionnelles envers ses parents.

Tirer les conclusions en fonction du **tableau de l'Action II.**

Dév. fém.: E	Dév. mas.: F	L'Enfant B a de lui-même le souvenir de quelqu'un...	Interprétation de l'attitude de l'Enfant B	T
a		... qui, avec sa Mère A, savait se faire respecter.	B : Principe aspect +	II
	a	... qui, avec son Père C, savait se faire respecter.	B : Principe aspect +	II
1 / 2		... qui, avec sa Mère A, savait tant bien que mal se faire respecter.	B : Principe aspect + aspect –	II
	1 / 2	... qui, avec son Père C, savait tant bien que mal se faire respecter.	B : Principe aspect + aspect –	II
t		... qui, avec sa Mère A, ne savait pas se faire respecter.	B : Principe aspect –	II
	t	... qui, avec son Père C, ne savait pas se faire respecter.	B : Principe aspect –	II
nombre 8		... qui, avec sa Mère A, tentait de se faire respecter en voulant rester cohérent.	B : Principe aspect + aspect –	II
	nombre 8	... qui, avec son Père C, tentait de se faire respecter en voulant rester cohérent.	B : Principe aspect + aspect –	II

7° **Revenir** au niveau des nombres **J** et **K** identifiant le Développement de la **féminité** et la **masculinité** dans le Masque et **tirer les conclusions** suivantes en fonction du tableau de l'**Action II** :

a) Les nombres **J** (Développement de la **féminité**) expriment ce que l'enfant, parvenu à l'adolescence, a retenu comme message de sa Mère, *en fonction de ses attentes,* pour **protéger sa sensibilité et ses émotions** face aux difficultés de l'existence.

b) Les nombres **K** (Développement de la **masculinité**) expriment ce que l'enfant, parvenu à l'adolescence, a retenu comme message de son Père *en fonction de ses attentes* pour se **protéger dynamiquement** face aux difficultés de l'existence.

8° Toujours avec les nombres **J** et **K** identifiant le Développement de la **féminité** et de la **masculinité**, et en fonction des **attentes de l'enfant** du point 1°, **tirer une conclusion** pour comprendre ses **réactions** vis-à-vis de ses parents et comment il va chercher à **se défendre ou assumer** sa sensibilité et sa masculinité devant les tensions de son existence.

E. LES PHRASES CLEFS DE L'INTERPRÉTATION DU MASQUE

1. Les attentes parentales : (T : tableaux pages 201 et 205)

Enfant B (mois) — attend →⌐ en fonction de ce qu'il est ←			Mère A (jour) C	
B	**T**	**Phrases clefs**	**A**	**T**
Principe	I	Pour apprendre à se prémunir avec **sensibilité** contre les difficultés de l'existence, l'enfant attend que sa **Mère** l'aide à...	Principe	II
aspect +	I	De façon plus nuancée, l'enfant espère connaître aussi...	aspect +	II
aspect −	I	Dans les périodes de grandes fragilités l'enfant aimerait savoir...	aspect −	II

Enfant B (mois) — attend →⌐ en fonction de ce qu'il est ←			Père C (année)	
B	**T**	**Phrases clefs**	**C**	**T**
Principe	I	Pour apprendre à se prémunir avec **dynamisme** contre des difficultés de l'existence l'enfant attend que son **Père** l'aide à...	Principe	II
aspect +	I	De façon plus nuancée, l'enfant espère connaître aussi...	aspect +	
aspect −	I	Dans les périodes de grandes fragilités l'enfant aimerait savoir...	aspect −	

2. Les attentes parentales ont-elles permis à l'enfant **de savoir** comment **se protéger des difficultés** de l'évolution avec **sensibilité** et **dynamisme** ou comment les oublier momentanément ?

Dév. féminin J	Mère ——> Enfant <—— Père A　　　　B　　　　C Phrases clefs			Dév. masculin K
a	Les attentes de l'enfant B vis-à-vis de sa Mère A et de son Père C ont été comblées.			a
1 / 2	Les attentes de l'enfant B vis-à-vis de sa Mère A et de son Père C ont été comblées en partie.			1 / 2
t	Les attentes de l'enfant B vis-à-vis de sa Mère A et de son Père C n'ont pas été comblées du tout.			t
a	Les attentes de l'enfant B vis-à-vis de sa Mère A ont été comblées mais pas du côté de son Père C.			t
t	Les attentes de l'enfant B vis-à-vis de sa Mère A n'ont pas été comblées contrairement à celles vis-à-vis de son Père C.			a
1 / 2	Les attentes de l'enfant B vis-à-vis de sa Mère A ont été comblées en partie et celles vis-à-vis de son Père C complètement.			a
a	Les attentes de l'enfant B vis-à-vis de sa Mère A ont été comblées mais en partie celles vis-à-vis de son Père C.			1 / 2
1 / 2	Les attentes de l'enfant B vis-à-vis de sa Mère A ont été comblées en partie mais pas du tout celles vis-à-vis de son Père C.			t
t	Les attentes de l'enfant B vis-à-vis de sa Mère A n'ont pas été comblées et celles vis-à-vis de son Père C l'ont été en partie.			1 / 2

3. Comment la personne a-t-il perçu sa Mère ou son Père durant son enfance lorsqu'ils éprouvaient des difficultés ?

Nomb. J ou K	Interp. Mère A ou Père C	T	La personne a perçu sa Mère A ou son Père C face à leurs difficultés comme quelqu'un qui ...
a	Principe	I	... savait se protéger, se défouler ou faire face avec...
	aspect +		Mais qui était aussi (ou **détenait**)...
t	Principe	I	... ne savait pas se protéger se défouler ou faire face avec...
	aspect –		Mais qui était aussi (ou **détenait**)...
1 / 2	Principe	I	... **arrivait parfois** à se protéger, se défouler ou faire face avec...
	aspect +		Dans certaines circonstances, il s'agissait d'une personne qui **était**...
	aspect –		Mais dans des circonstances pénibles, il/elle **paraissait**...
9 (jeune) (jusqu'à 30 ans)	Principe	I	... **n'arrivait pas toujours** à se protéger, se défouler ou faire face...
	aspect –		Actuellement, il a l'image de quelqu'un qui **devenait**, (ou **avait**)...
	aspect +		Plus tard, il **aura** l'image d'une personne qui **savait**...
9 (mature) (après 30 ans)	Principe	I	... **parvenait parfois** à se protéger, se défouler ou faire face avec...
	aspect +		Aujourd'hui que le temps a passé, il garde en mémoire l'image de quelqu'un qui **savait**...
	aspect –		Alors qu'autrefois, l'image dominante était celle d'une personne qui **paraissait**...
2 0	Principe	I	... **arrivait tant bien que mal** à se protéger, se défouler ou faire face avec...
	aspect +		Aujourd'hui, il garde en mémoire l'image d'une personne qui généralement **savait**...
	aspect –		Mais il est conscient qu'elle pouvait **paraître**...
8	Principe	I	... quelqu'un qui **a toujours fait son possible** pour se protéger, se défouler ou faire face avec...
	aspect +		Quand tout allait bien, il garde en mémoire l'image d'une personne qui **cherchait à se montrer**...
	aspect –		Mais, quand tout n'allait pas dans le sens voulu, il est conscient qu'elle pouvait **se montrer aussi**...

4. Comment la personne qui consulte **perçoit-elle sa propre attitude** à l'égard de sa Mère ou de son Père au cours d'une période difficile de son enfance ?

Nombre E ou F	Interp. du nombre B	T	La personne garde de son attitude envers sa Mère A et son Père C dans leur phase difficile l'image d'un enfant qui...
a	Principe	II	... savait être...
	aspect +		Mais qui était aussi...
t	Principe	II	... ne parvenait pas à être...
	aspect –		... et qui se devait d'avoir une attitude...
1 / 2	Principe	II	... éprouvait parfois une certaine difficulté à être...
	aspect +		Quand tout allait bien , il avait (ou était)...
	aspect –		Mais, quand tout n'allait pas dans le sens voulu, il se devait d'être...
9 (jeune) (jusqu'à 30 ans)	Principe	II	... éprouvait souvent une certaine difficulté à être...
	aspect –		Mais actuellement, il se souvient qu'il se devait d'être...
	aspect +		Plus tard, il conviendra qu'il aurait dû être aussi...
9 (mature) (après 30 ans)	Principe	II	... éprouvait souvent une certaine difficulté à être...
	aspect +		Aujourd'hui que le temps a passé, il se souvient qu'il essayait d'être (ou avait)...
	aspect –		Alors que durant son enfance, il croyait devoir adopter une attitude...
2 0	Principe	II	... trouvait plaisant d'être...
	aspect +		Quand tout allait bien, il se souvient qu'il aimait adopter une attitude...
	aspect –		Mais, quand tout n'allait pas dans le sens voulu, il avait tendance à se dissimuler derrière une attitude...
8	Principe	II	... savait être cohérent...
	aspect +		Quand tout allait bien, il se souvient qu'il savait se montrer...
	aspect –		Mais, quand tout n'allait pas dans le sens voulu, il est conscient qu'il savait aussi se montrer...

Le troisième volume de la collection sur la numérologie à 22 nombres traitera des thèmes suivants :

• La puberté et ses conséquences;
• L'adolescence.

Comme suite et complément à ce livre :

Kris Hadar anime des ateliers de connaissances ésotériques ouverts sur une démarche spirituelle concrète et solide, permettant d'affronter la vie et la mort, ainsi que l'apprentissage du voyage astral *conscient*. Il donne également des cours sur la pratique de l'Art divinatoire par le Tarot et la Numérologie à 22 nombres. Pour tous renseignements, s'informer par écrit auprès de l'éditeur ou téléphoner à Montréal (Canada) au :

**(514) 677-1803 ou (514) 276-3413
(514) 641-2387**

Anngraphick enr.
INFOGRAPHIE
(514) 652-2274

Ce livre est imprimé sur
du papier contenant plus
de 50% de papier recyclé
dont 5% de fibres recyclées.

Achevé   Imprimerie
d'imprimer Gagné Ltée
au Canada Louiseville